항공학 시리즈 ❸

항공기 가스터빈 엔진

Aircraft Gas Turbine Engine

김 천 용 저

NODE MEDIA
노 드 미 디 어

머리말

저자는 1993년 대한항공 직업훈련원 재직시절 사내직업훈련 교재로 "항공기관"을 집필한 바 있다. 당시 시중의 항공기 엔진관련 서적들은 미 연방항공청(FAA)에서 1970년대에 발간된 Airframe & Powerplant Mechanics Powerplant Handbook을 근간으로 집필된 서적들이 대부분이어서 가스터빈 엔진분야의 진보된 이론과 기술들이 반영되지 않아 새로운 개념의 설계와 기술로 제작된 항공기와 엔진을 운영하는 항공사에서 강의하기에는 부적합했기 때문이다.

20여년이 지난 지금도 크게 달라지지 않은 것 같다. 대학에서 강의를 하면서 관련서적들을 살펴보았으나, 1990년대 이후에 개발된 엔진들의 이론과 기술들이 반영되지 않았고, 책의 양이 너무 방대하여 강의하는 교수나 학생들의 어려움이 적지 않음을 느낄 수 있었다. 특히 우리나라 항공정비사 자격시험 구술시험 감독관으로 참여하면서 항공정비사 자격시험 응시자들이 새로운 이론과 기술에 대한 지식이 부족하다는 것을 항공사 등에 재직 중인 구술시험 감독관들과 공감할 수 있었다.

이에 오랜 망설임 끝에 이번기회에 왕복기관을 포함하고 있는 항공기관 분야에서 진보적인 발전을 거듭하고 있는 제트엔진 분야를 분리하여 항공사에서의 강의경험을 살려 최근에 개발된 제트엔진의 새로운 이론과 내용들을 포함한 가스터빈 엔진 집필을 결심하게 되었다.

본서는 항공정비를 처음 접하는 학생들이나 항공정비 실무자들로 하여금 항공기 가스터빈 엔진을 체계적으로 이해할 수 있도록 미국 항공운송협회 매뉴얼 발간규정(ATA SPEC 100)에 따라 10개의 장으로 구성하였고, 학생들의 흥미유발과 이해를 돕기 위하여 그림들은 컬러로 편집하였다. 따라서 본서의 특징은 다음과 같다.

첫째, 가스터빈 엔진분야를 처음 접하는 학생들의 흥미유발을 위하여 많은 그림과 사진을 컬러로 편집하여 삽입하였다. 백문이 불여일견, 장황한 설명은 이해하기도 어려울 뿐만 아니라, 컬러에 익숙한 학생들에게는 흥미도 잃게 될 것임은 자명한 사실이다.

둘째, 기본적인 가스터빈 이론에 신형 항공기 엔진기술을 접목하여 항공기 엔진정비 실무에 적용할 수 있도록 하였다. 최근에 개발된 엔진의 구조 및 계통에 대한 이론과 더불어 대형 항공사를 비롯하여 저비용항공사 등에서 주력기종으로 운영하고 있으며, 공군에서도 운용 중이 B737NG 항공기 엔진(CFM56-7)에 대한 구조 및 시스템을 다룸으로써 민•군 항공정비 실무자들도 활용할 수 있도록 집필하였으며, 항공관련 자격시험에도 대비할 수 있도록 하였다.

셋째, 대학 및 전문교육기관에서 한 학기동안에 다룰 수 있는 내용으로 구성하였다. 매뉴얼 발간 규정(ATA SPEC 100)에 따라 발간되는 엔진 제작사 훈련교재와 유사하게 10개의 장(계통)으로 분리하여 학습할 내용을 적절하게 배분하였다.

저자는 내용구성과 집필과정에서 내용에 대한 검증과 신뢰성을 높이기 위하여 최근에 발간된 미 연방 항공청의 Aviation Maintenance Technician Handbook-Powerplant(2012)를 비롯한 가스터빈 관련 외국서적들과 엔진 제작사 훈련 매뉴얼, 항공사의 엔진훈련교재들을 검토하였으며, 항공사 정비훈련원 재직시절의 동료 전문 강사들과 서로 많은 의견을 내고 토론과 검토를 반복하였다.

결론적으로 기본적인 이론은 FAA Handbook을 근간으로 하고, 관련 신기술등은 엔진제작사 훈련 매뉴얼을 참조하는 것이 가장 바람직하다는 쪽으로 집필 방향이 잡혔고, 본서에 반영하였음을 밝혀둔다.

이러한 의욕에도 불구하고 부족한 점이 많을 것으로 생각되지만, 새로운 방식으로 집필된 본서를 계기로 항공정비기술 분야의 실무경험이 풍부한 분들의 집필을 통하여 현장감 있는 항공정비기술관련 저서들의 출현을 기대해본다.

끝으로 집필을 위한 자료준비과정에서 도움을 준 백철민 조교와 물심양면으로 지원해주신 학부 동료 교수님들과 학교당국에 감사드린다. 또한 집필과정에서도 헌신적인 사랑으로 든든한 힘이 되어준 영원한 동반자 심정숙과 좋은 책을 출판하기 위해 항상 최선을 다하시는 박승합 사장님께도 깊은 감사를 드린다.

2012년 겨울

군산 임피면 연구실에서 저자 씀

차 례

제4장. 전자동 디지털 엔진제어 계통 / 161 (FULL AUTHORITY DIGITAL ENGINE CONTROL)

제7장. 엔진 계기계통(ENGINE INDICATING SYSTEM) / 241

제8장. 엔진 배기계통(ENGINE EXHAUST SYSTEM) / 263

제9장. 터빈엔진 오일계통(ENGINE OIL SYSTEM) / 283

Part 01

1. 터빈엔진의 발달

2. 터빈엔진 에너지 변환의 이론

3. 엔진 정비방식(ENGINE MAINTENANCE CONCEPT)

터빈엔진 일반
[TURBINE ENGINE GENERAL]

제1장. 터빈엔진 일반(TURBINE ENGINE GENERAL)

1. 터빈엔진의 발달

제트 추진은 뉴톤(newton)의 제 3 운동법칙(작용과 반작용)을 실용적으로 적용시킨 것이다. 이것은 노즐(nozzle)을 통한 유체의 가속에 의해 생성되어진 반작용을 이용하여 물체를 전방으로 이동시키는 추진방법이다.

자연현상에서 오징어는 물속에서 제트추진의 형태로 스스로를 추진시킨다. 오징어는 근육을 사용하여 물을 몸 안으로 끌어들였다가 물에 에너지를 추가시켜 그 자신을 물속에서 전방으로 향하는 힘을 주기위한 제트의 형태로 물을 분출 시킨다.[그림 1-1]

오징어는 자신을 이동시키기 위한 오리피스(orifice)나 노즐(nozzle) 형태의 배출구를 갖고 있으며, 이를 통한 유체의 가속에 의해서 생성되는 반작용의 힘에 의하여 전진한다.

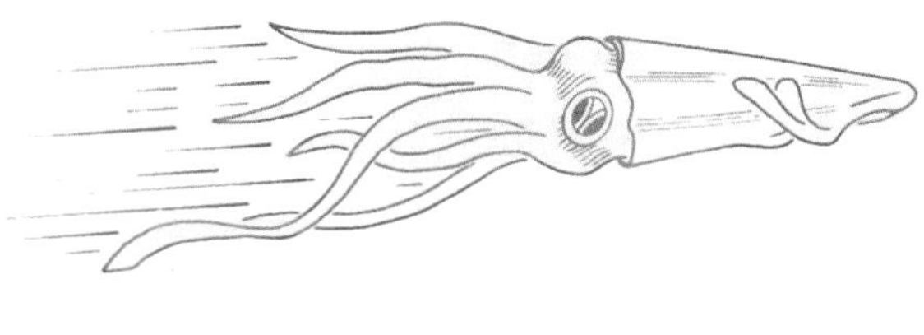

그림 1-1. 오징어의 추진

우리 생활주변에서 제트 추진 원리가 간단히 적용되는 실례는 고무풍선이다. 고무풍선을 크게 불어서 입구를 막으면 풍선 내부의 압력은 모든 방향으로 균등하게 작용하므로 내부 힘의 균형에 의해 움직이지 않는다.

그러나 그림 1-2와 같이 풍선의 입구를 막고 있던 손을 갑자기 놓으면 입구에서 공기가 배출되는 반대 방향으로 이동하게 되며, 풍선 내부의 공기압이 높으면 더 빠르게 날아간다. 이것은 풍선에서 빠져나가는 공기의 반작용에 의한 것으로 제트 추진 원리인 것이다.

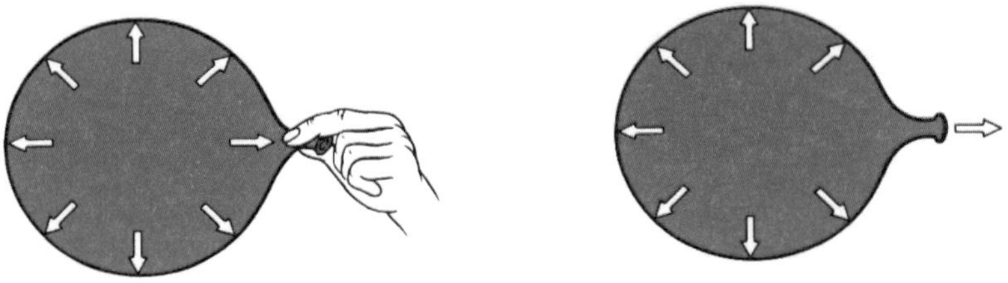

그림 1-2. 고무풍선의 제트추진 원리

1.1. 제트 추진의 역사

A.D. 62년경부터 150년경 사이에 그리스의 문호이자 수학자인 헤론(Heron)이 이알러파일(Aeolipile)이라고 불리는 반작용의 원리를 적용한 회전 장치를 발명해 냈다.[그림 1-3]

이것은 대단히 신기한 것은 아니지만 반작용의 원리에 대해 관심을 가졌다는 측면에서 높이 평가된다. 어쨌든, 인류는 수세기 동안 이러한 반작용 원리를 기계적인 설계에 적용시키려고 시도해왔지만, 20세기 후반에 와서야 항공기에 대한 적용이 성공적으로 이루어졌다.

그림 1-3. 헤론의 회전 장치

회전장치(aeolipile)는 속이 비어있는 구면이 설치되어 솥으로부터 구면까지 증기가 공급되어 구면의 구부러진 관에서 뿜어져 나오는 증기로 구면을 회전시키게 되어있다.

항공기에 사용되는 제트 추진의 실제 역사는 20세기에 시작되었다.

1900년에 모쓰 박사(Dr. Sanford Moss)가 가스터빈에 대한 논문을 발표했다. 후에 제너럴 일렉트릭(General Electric)사의 엔지니어인 모쓰는 터보 과급기(turbo-supercharger)의 개발에 커다란 공헌을 하였고, 그의 연구는 후일에 영국의 프랭크 휘틀(Frank Whittle)이 첫 번째로 성공적인 터보제트 엔진을 개발하는데 커다란 영향을 주었다.

1930년에 휘틀(Dr. Whittle)이 제트 엔진에 대해 처음으로 특허를 승인 받았지만, 11년이 지나서야 첫 비행을 수행할 수 있었다.

휘틀이 개발한 엔진은 순수 반작용 형식 엔진(pure reaction type engine)이었으며, 1941년 5월에 글로스터 모델(Gloster Model) E28/39 항공기에 장착하여 1,000 파운드의 추력을 생산해 냈고, 항공기를 400 mph 이상의 속도로 추진시켰다.[그림 1-4]

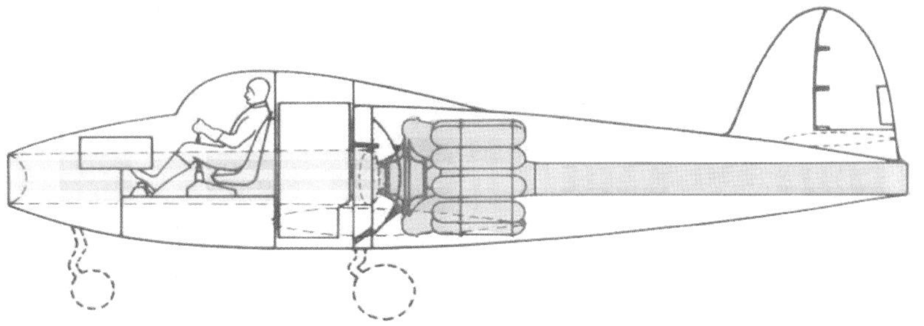

그림 1-4. Whittle 터보 제트 엔진이 장착된 Gloster E28/39

휘틀이 영국에서 가스터빈 엔진을 개발하고 있는 동안 하잉켈(Heinkel)사와 동업 중이던 독일의 엔지니어 폰 오하인(Hans Von Ohain)이 11,000 파운드의 추력을 내는 제트 엔진을 만들었다. 이 엔진은 1939년 8월 27일 Heinkel He-178의 동력원으로 사용되어 성공적인 비행을 수행, 제트 추진 항공기에 의한 최초의 실용적인 비행으로 인식되어졌다.[그림 1-5]

미국에서는 고출력의 왕복 엔진의 개발과 제작에 모든 노력이 집중되고 있었으므로, 제트 추진에 대한 연구는 뒤떨어져 있었다.

1941년에 뉴욕 스케넥터디(New York Schemectady)의 제너럴 일렉트릭(General Electric: GE)사에게 가스터빈 엔진의 연구와 개발에 대한 약정서가 주어 졌는데, 당시의 GE사는 전력을 생산하는 터빈과 터보 과급기의 생산에 대한 풍부한 경험 등으로 인해 이 중요한 사업에 선정되었다. GE와의 계약의 결과로 약 1,650 파운드의 추력을 내는 원심 압축기 형태의 엔진인 GE-1A가 만들어 졌다.

이 엔진 2개가 1942년 10월에 처녀비행을 한 Bell XP-59의 동력원으로 사용되었는데, "에어라코멧(Airacomet)"는 제트 동력 비행(Jet Power Flight)의 개념을 성공적으로 제공 했지만, 30분의 제한된 비행시간 때문에 전투에는 사용되지 않았다.[그림 1-6]

그림 1-5. 독일 Heinkel He-178

그림 1-6. 미국에서 최초로 설계된 Bell XP-59

1.2. 터빈엔진(TURBINE ENGINE)의 형식

과거로부터 현재에 이르기 까지 반작용의 원리는 항공에 사용되는 여러 추진 장치에 적용되어 왔다. 모든 추력의 생산은 엔진 내에서 공기의 질량을 가속 시켜서 생산하는데, 이런 엔진들은 표 1-1과 같이 로켓(Rocket), 램제트(ram jet), 펄스제트(pulse jet), 가스터빈 엔진(gas turbine engine)등으로 분류할 수 있다.

표 1-1. 엔진의 형식

엔진형식	압축방법	작동유체	추력발생유체
터보 제트	터빈 구동 압축기	연료/공기	연료/공기
터보 팬	터빈 구동 압축기	연료/공기	연료/공기
터보 프롭	터빈 구동 압축기	연료/공기	대기공기
터보 샤프트	터빈 구동 압축기	연료/공기	대기공기
램 제트	램(Ram) 압축	연료/공기	연료/공기
펄스제트	연소에 의한 압축	연료/공기	연료/공기
피스톤	피스톤의 왕복운동	연료/공기	대기공기
로켓	연소에 의한 압축	산소/연료	산소/연료

추진력은 항공기가 진행하는 반대 방향으로 실제 사용되는 유체(엔진 내에서 사용되는 유체와 같은 양은 아님)를 배출시킴으로써 얻어진다. 이것은 뉴톤(Newton)의 제3법칙을 응용한 것이다. 연소의 부산물이 가속되어 배기되는 로켓(rocket)을 제외한 추진동력을 발생시키기 위해 사용되는 모든 형태의 기본 유체는 공기이다.

왕복기관이나 터보프롭(turboprop) 엔진에 의해 구동되는 프로펠러(propeller)는 작은 속도변화를 통해 많은 양의 공기를 가속시킨다. 추진력을 얻기 위해 사용되는 유체의 양은 기계적 에너지(energy)를 얻기 위해 사용되는 유체의 양과 반드시 같지는 않다.

터보제트(turbojet), 램제트(ramjet) 그리고 펄스제트(pulsejet)는 작은 양의 공기를 큰 속도변화를 주어 가속시킨다. 이 엔진들은 내부에서 사용되는 유체의 양과 같은 양의 실질적인 유체의 양을 추진력을 위해 사용한다.

로켓(rocket)은 연소를 위해 대기 중의 공기를 이용하지 않고 자체 내에 산화제를 가지고 있다. 로켓은 배기노즐(exhaust nozzle)을 통해 매우 빠른 속도로 연소가스를 분출시킨다.[그림 1-7]

가스터빈 원리는 항공기의 추진에 있어서 하나 또는 두 가지 방법으로 적용되는데, 엔진이 토크(torque)를 생산하여 이 토크를 추력으로 변환시키기 위한 헬리콥터 로터(helicopter rotor)나 프로펠러(propeller) 같은 장치와 결합하여 사용하거나, 직접적으로 추력을 생산하다.

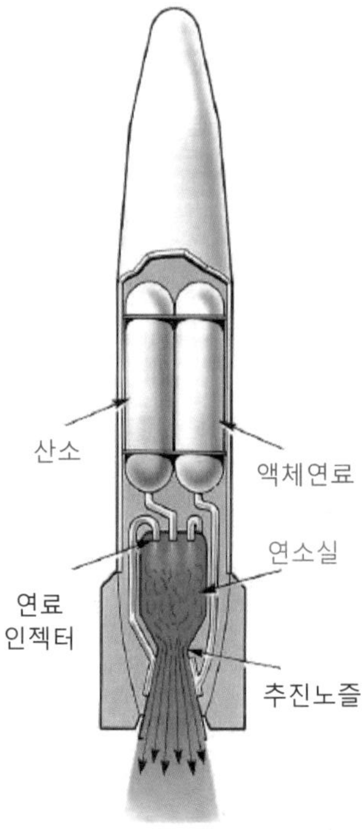

그림 1-7. 로켓 엔진

1.2.1. 토크 생산 엔진

(1) 터보샤프트 엔진(TURBOSHAFT ENGINE)

프로펠러 이외의 다른 어떤 것들을 구동시키기 위하여 축(shaft)을 통하여 힘을 전달하는 가스터빈 엔진을 터보샤프트 엔진(turboshaft engine)이라고 한다. 이것은 전력을 생산하는 설비와 지상운반 계통과 같은 산업용에 널리 사용되어지고 있다. 항공에 있어서의 터보 샤프트 엔진은 헬리콥터를 구동 시키는데 사용되고 있다.

터보 샤프트의 동력을 발생 시키는 것은 압축기를 구동 시키는 터빈과 결합되어 직접 구동되어 질수도 있지만, 터빈 자신에 의해서 구동 되어질 수도 있는데, 동력 발생을 위한 분리된 터빈을 사용하는 엔진을 프리 터빈 엔진(free-turbine engine)이라고 한다.

프리 터빈 엔진은 가스제너레이터(gas generator)와 프리 터빈 부분(free-turbine section)으로 구분되는데, 가스제너레이터의 기능은 프리 터빈 시스템을 구동시키기 위해 요구되는 에너지를 생산하는 것이며, 연소과정으로부터 약 2/3정도가 이용 가능한 에너지를 추출해낸다.

(2) 터보 프롭 엔진(TURBO PROP ENGINE)

터보 프롭(turbo prop) 엔진은 그림 1-7과 같이 프로펠러를 구동시키기 위해 감속기어(reduction gear)장치를 사용하는 것을 제외 하고는 터보 샤프트 엔진과 유사하다. 프로펠러는 가스 제너레이터 터빈(gas generator turbine)으로부터 구동되어지거나 터보 샤프트 엔진과 같은 방법으로 프리 터빈을 사용할 수 있는데, 프리 터빈 배열은 압축기 터빈이 효과적인 압축을 위해 최고의 속도로 구동되고 있을 때, 터빈으로 구동되는 프로펠러가 최적의 속도를 찾을 수 있게 해준다.

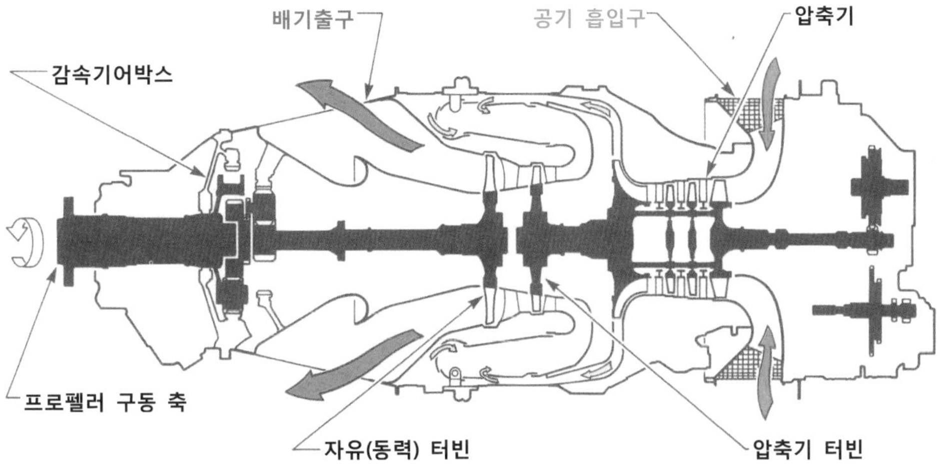

그림 1-8. 캐나다 Pratt and Whitney사의 PT6 터보프롭엔진

1.2.2. 추력생산 엔진

(1) 램 제트엔진(RAM JET ENGINE)

램 제트엔진은 가동부분이 없는 간단한 형태의 제트엔진으로서 구성은 큰 원통에 배기부분의 면적이 작은 형태로 되어 있다. 즉, 연료 노즐, 점화 플러그 및 불꽃을 모아놓기 위한 연소실만 있을 뿐이다. 램 제트는 속도가 250 mph(402.3 km/h)나 되며, 회염 안정기(flame holder)는 연소실 안에서 연료와 공기를 혼합하는 장소로 사용된다.

점화 후에는 서서히 배기부분으로 통과시키는 역할을 한다. 연료 조절계통은 엔진으로 들어가는 연료의 량을 조절한다. 이러한 램 제트엔진은 터보제트 엔진의 후기 연소기(after burner)와 같은 형태이다. 즉, 터보제트 엔진의 배기 부분에 연료를 추가시켜 연소시키는 장치와 같은 원리로 구성되어 있다.

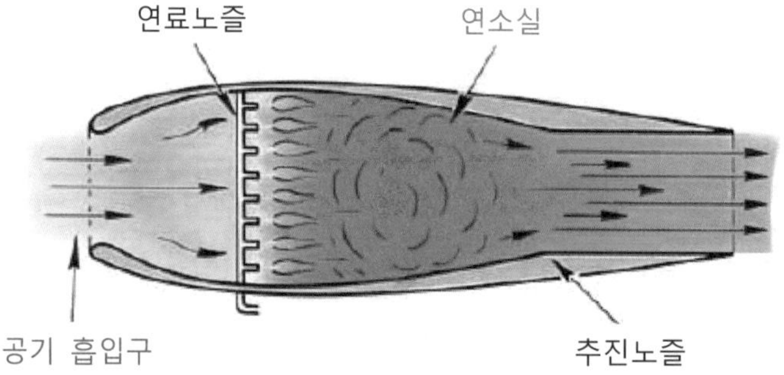

그림 1-9. 램제트 엔진

(2) 펄스제트 엔진(PULSE JET ENGINE)

가스터빈엔진의 하나인 펄스제트 엔진은 램제트 엔진에 그림 1-10과 같이 공기 흡입구 부분에 그릴(grill) 또는 셔터(shutter)가 있는 복합엔진이다.

공기를 흡입할 때에는 스프링 힘으로 열려있어 흡입된 공기가 연소실로 들어가도록 하며, 혼합기가 연소되어 압력이 높아지면 셔터는 닫히게 되고, 연소된 가스는 테일 파이프(tailpipe)를 통하여 배기된다. 이때 셔터는 다시 열려 외부 공기를 흡입하게 된다.

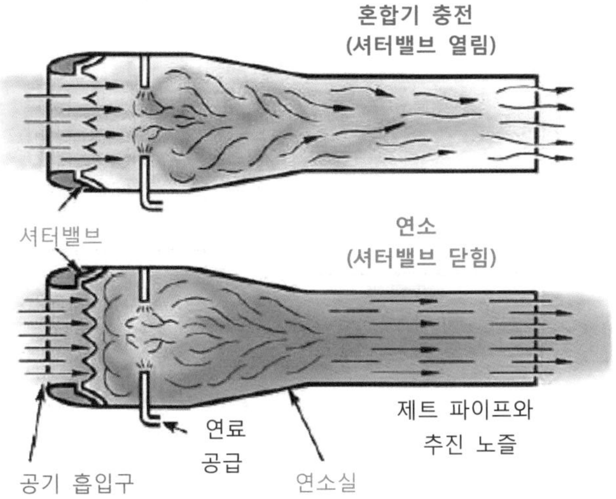

그림 1-10. 펄스제트 엔진

이러한 과정이 연속적으로 일어나며 테일 파이프의 길이에 따라 추력이 형성 된다. 이러한 펄스제트는 유도미사일 등에 사용된다.

(3) 터보 제트 엔진(TURBOJET ENGINE)

현대의 터보 제트 엔진은 뜨거운 가스의 흐름을 가속시킴으로써 추력을 생산한다. 공기가 엔진 흡입구로 들어가서 압축기를 통과 하면서 압력이 증가되어 연소실로 들어가게 되고, 여기에 연료가 더해지면서 점화와 연소가 일어나서 가스를 팽창 시킨다.[그림 1-11]

팽창된 가스는 터빈을 통해서 흘러 나가는 에너지의 일부분이 압축기를 구동시키는 터빈을 회전시키는데 사용되고, 나머지 가스의 에너지는 테일 파이프(tail pipe)를 벗어나면서 우리가 추력으로 알고 있는 반작용을 일으킨다.

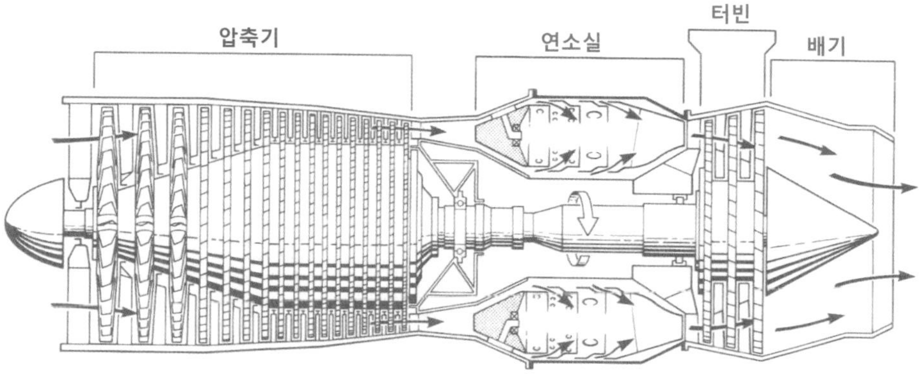

그림 1-11. 현용 터보 제트 엔진의 주요 구성

(4) 터보 팬 엔진(TURBOFAN ENGINE)

터보 팬 엔진은 기본적으로 터보 제트와 터보 프롭의 가장 좋은 특징들을 절충하여 개발되었다. 즉, 터보팬은 터보 제트의 순항속도 능력과 터보 프롭의 단거리 이륙성능을 약간 유지하고 있다.[그림 1-12]

팬은 압축기와 직접 볼트로 연결되어 같은 속도로 회전하거나, 감속기어 장치를 통해서 압축기와 연결할 수 있으며, 분리된 터빈에 의해 구동되고 압축기와 독립적으로 회전된다. 일부 엔진의 팬은 터빈 블레이드가 확장된 형태의 터빈부분에 장착되어 있기도 하다.

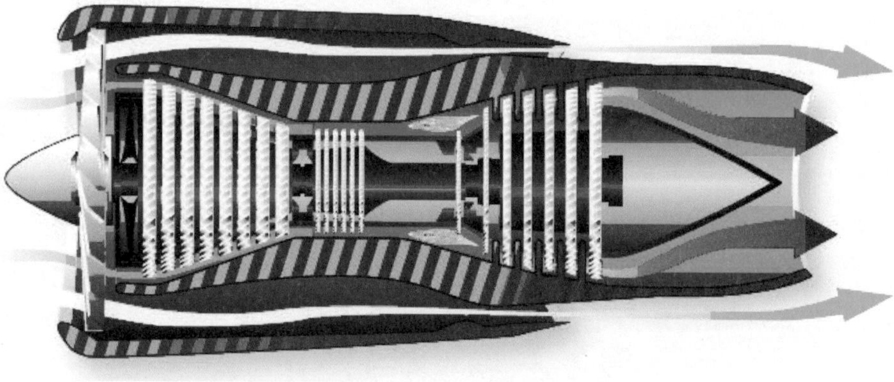

그림 1-12. 터보 팬 엔진

터빈부분에 팬이 있는 엔진을 후방 팬(after-fan) 엔진이라 하고, 전방에 팬이 있는 엔진을 전방 팬(forward-fan) 엔진이라 한다.[그림 1-13]

후방 팬 엔진은 팬이 압축기의 압축비에 기여하지 않기 때문에 오늘날 대중적인 설계형태는 아니다.

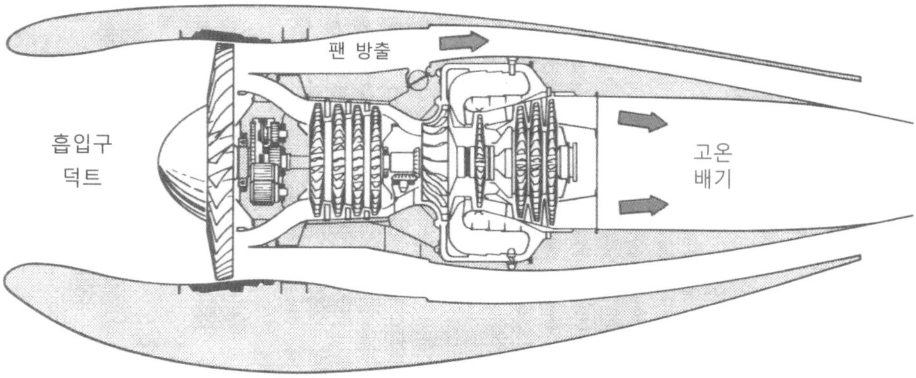

전방 팬 터보팬엔진

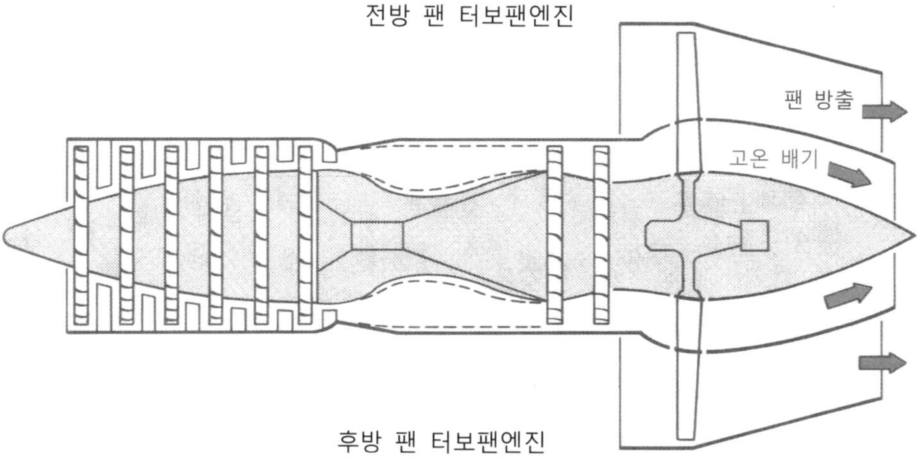

후방 팬 터보팬엔진

그림 1-13. 전방 팬과 후방 팬 (After-Fan) 엔진

민간 항공용에 사용되는 터보팬은 바이패스 비(by-pass ratio)에 근거하여 일반적으로 저 바이패스(1:1), 중간 바이패스(2~3:1) 그리고, 고 바이패스(4:1 이상)의 3등급으로 분류된다.

저 바이패스 엔진(low by-pass engine)에서 팬과 압축기 부분은 대략 같은 질량의 공기흐름(air flow)을 이용하지만, 팬의 방출(fan discharge)이 일반적으로 압축기의 방출(compressor discharge)보다 약간 크다.

팬의 방출공기(fan discharge air)는 짧은 팬 덕트(short fan duct)에서 덕트를 통해 직접 밖으로 방출되거나, 긴 팬 덕트(long fan duct)라 불리는 엔진 전체길이를 따라 통과된다.

중간정도의 바이패스 엔진(medium or intermediate by-pass engine)은 2:1에서 3:1의 바이패스 비를 가지고 있고, 대략 바이패스비와 같은 추력 비를 가지고 있다. 이러한 엔진에 사용되는 팬은 저 바이패스 엔진보다 큰 지름을 가지고 있다.

팬의 지름은 바이패스비와 코어엔진(core engine)으로 부터 얻어진 추력과 비교된 팬의 추력 출력(thrust output)에 의해 결정되어지는 데 이러한 비율을 종종 냉열 간 흐름비(cold-stream to hot-stream ratio)라고 부른다.

고 바이패스 터보 팬 엔진(high by-pass turbo fan engine)은 4:1이상의 팬 비(fan ratio)를 가지고 있고, 좀 더 많은 공기를 이동시키기 위해 더욱 더 큰 지름을 가지고 있다.

B747-400 항공기에 사용되는 P&W(Pratt and Whitney)사의 PW4056 엔진의 경우, 팬 지름이 94인치(238.76cm)이며, 팬에서 제공되는 추력이 80%이고, 코어 엔진에서 제공되는 추력이 단지 20%인 5:1의 고 바이패스 비를 가지고 있다.

최근의 터보팬 엔진의 발달동향을 보면, 폭이 넓은 팬 블레이드(wide chord fan blade)의 개발로 바이패스 비가 더욱 커지고 있다. 실례로 A380 항공기에 사용 중인 GP7200 엔진의 경우, 팬 지름이 116.7인치(296cm)로서 3m에 이르며, 8.5:1의 고 바이패스 비를 가지고 있다.[그림 1-14]

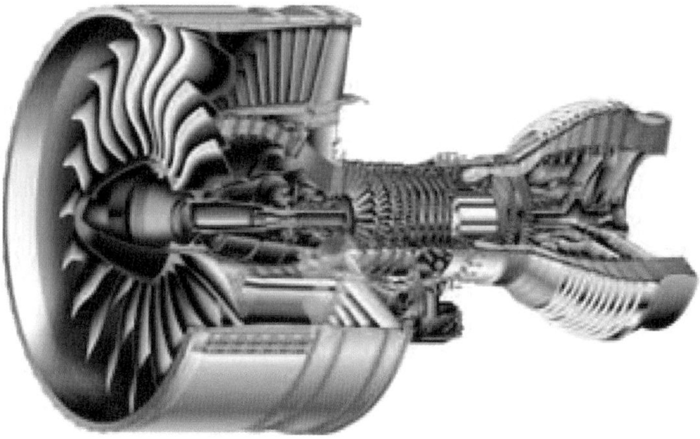

그림 1-14. 후퇴익형 와이드 코드 팬의 GP7200 엔진

2. 터빈엔진 에너지 변환의 이론

가스터빈 엔진은 추력을 내기 위한 작동기로 공기(air)를 사용하는 열기관이다. 이 엔진은 제트 연료(jet fuel)에서 생성되는 열에너지를 터보 프로펠러(turbopropeller)를 구동시키는 기계적 에너지 즉 고속으로 분출되는 형태의 운동 에너지로 전환시킨다.

2.1. 에너지 변환 사이클 (ENERGY TRANSFORMATION CYCLE)

브레이턴 사이클(brayton cycle)은 연료가 에너지로 방출되는 터빈 엔진 안에서 일어나는 행정으로 설명할 수 있다. 에너지가 가해졌을 때 공기는 일정한 압력으로 있는 반면에 공기의 속도는 빨라진다. 이것은 엔진을 빠져나오는 공기의 속도를 증가시킨다. 브레이턴 사이클은 정압 사이클(constant pressure cycle)로 알려져 있다.

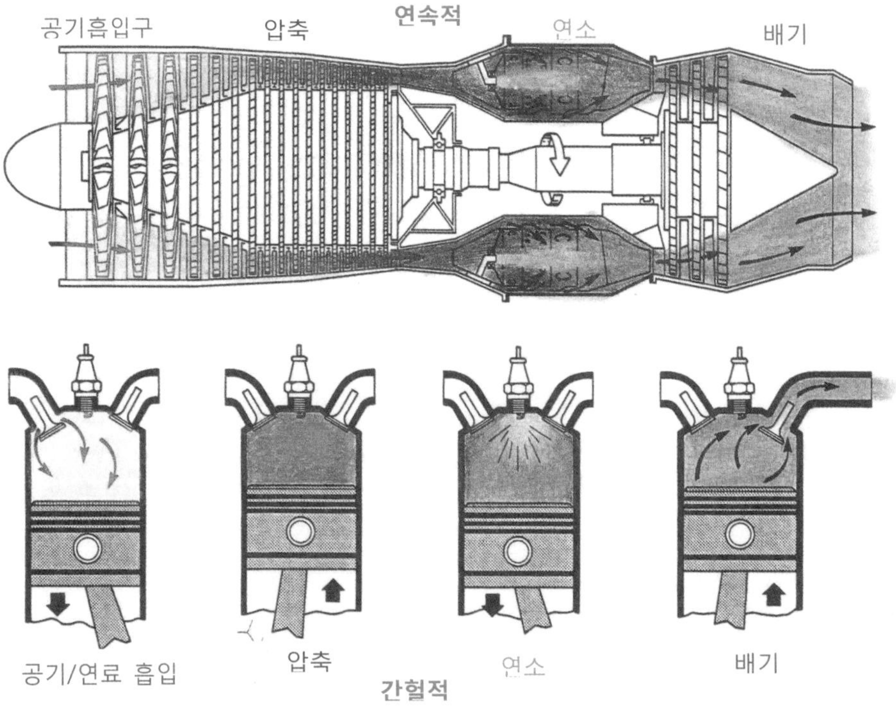

그림 1-15. 터빈 엔진과 피스톤 엔진의 작동 사이클 비교

터빈 엔진에서 일어나는 행정은 피스톤 엔진에서의 흡입·압축·점화·배기로 발생하는 행정과 기본적으로는 같은데, 터빈 엔진에서의 차이점은 모든 행정이 한 가지 기능으로 특별히 고안된 엔진의 각 부분에서 동시에 일어난다는 것이다.

피스톤 엔진에서는 동력(power)이 4개의 행정 중에서 단 한 행정에서만 발생하지만 가스터빈 엔진의 동력은 연속으로 일어난다. 이것은 제작된 엔진 크기에 따라 큰 출력을 내는 짧은 시간동안에 많은 양의 연료를 소모하게 한다. 그림 1-16의 P-V 선도 상에 나타나듯이 연속되는 4가지 행정은 흡입·압축·팽창·배기이다. 엔진의 흡입 덕트(inlet duct)를 통해 유입된 공기는 대기압 상태이다. A와 B사이에서는 압축기(compressor)가 공기로 구동되어 대기압보다 압력은 증가하고, 체적은 감소한다.

공기가 연소실(combustor) 안에서 연료가 연소되어 생성된 에너지를 받게 되면 압력은 일정하게 지속되지만, 주목해야 할 것은 체적이 크게 증가하는 것이다. 이러한 특징 때문에 브레이턴 사이클을 정압 사이클이라 한다. 고온의 공기가 연소실을 빠져나올 때 공기는 터빈을 지나게 되고 여기에서는 c와 d사이에서 알 수 있는 것처럼 압력은 떨어지고, 체적은 계속적으로 증가한다.

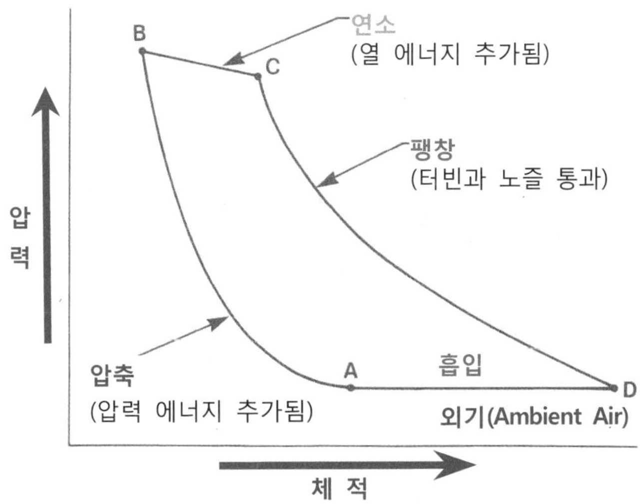

그림 1-16. 브레이턴 사이클의 P-V 선도

2.2. 추력 산출

터빈엔진에서 열에너지가 추력으로 변환되는 방법을 알아보기 전에 몇 가지 물리법칙과 터빈엔진 작동에 관련된 상관 법칙들을 알아야 한다.

2.2.1. 속도와 압력의 변화

베르누이 정리는 흐르는 유체의 압력과 속도에 관한 것이고, 공기가 아음속 상태에서 흐를 때 비압축성 유체로 작동하는 사실을 근거로 하고 있다. 베르누이 정리는 다음과 같다. 유체나 가스가 관을 통해 일정한 속도로 흐르고 있을 때 압력(위치)에너지와 속도(운동)에너지는 일정하다.

다른 형태로 나타내면, 압력이 증가하면 그에 비례하여 속도는 감소하고 또한 압력이 감소하면 속도는 증가한다.

베르누이 정리를 이해하기 위해서는, 벤츄리 관(ventury tube)을 통해 흐르고 있는 공기의 위치에너지와 운동에너지를 고려해야 한다. 또한 정압(Static Pressure)과 속도(램)에 의해 발생되는 압력을 알아야 한다.

공기가 넓어지는 형태의 관을 통과하여 흐를 때 운동에너지(속도)는 감소할 것이고, 공기는 빠르게 확산될 것이다. 그러나 정의에 의해, 총 에너지는 일정하고 공기의 총량도 변하지 않을 것이다.

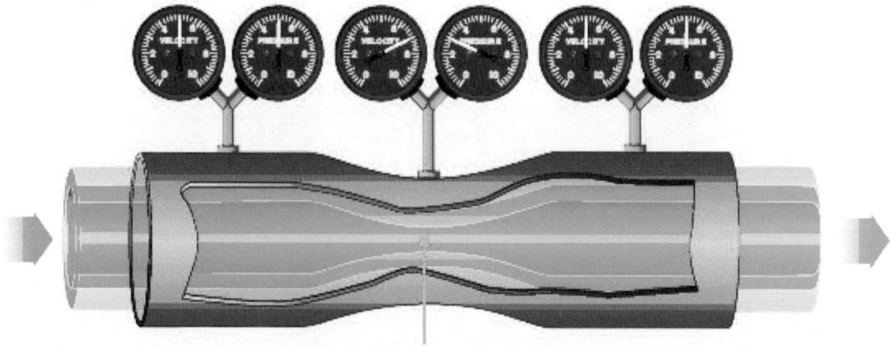

그림 1-17. 베르누이 정리

관속의 정압을 그림 1-17과 같이 측정한다면 관의 목 부분의 압력이 확산형 부분보다 낮다는 것을 알 수 있을 것이다. 관이 축소형으로 좁아진다면 일정한 비율로 공기의 흐름은 가속될 것이다. 공기흐름의 운동에너지는 증가하고 정압으로 알 수 있는 위치 에너지는 감소한다.

공기흐름의 전압(total pressure)은 정압과 램 압력(ram pressure)을 더한 값이다. 그림 1-18에서 알 수 있듯이 전압으로 측정되는 흐름의 비율은 관을 통과하는 동안 일정하다. B점에서 면적은 가장 작고 속도는 가장 크다. 동압은 가장 크고 정압은 가장 작다. C점에서는 관이 확산형으로 램 압력은 감소한다. 세 지점에서 전압이 같다는 사실을 주목해야 한다.

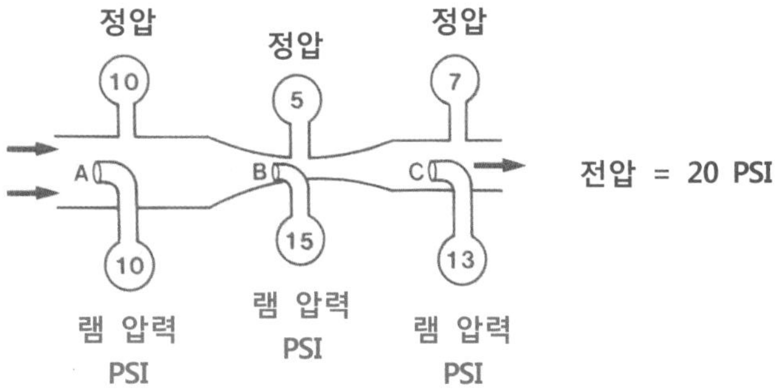

그림 1-18. 정압, 동압, 전압 관계

2.2.2. 압력 · 체적 · 온도 사이의 관계

터빈 엔진이 작동하는 동안 공기는 열을 받거나 버림으로써 압력이나 체적, 온도를 변화시킨다. 이러한 변화는 보일-샤를 법칙을 사용하여 설명할 수 있다. 그림 1-19에 이러한 관계가 간단하게 나타나 있다.

2.2.3. 추력 계산

터보 제트 엔진에서의 추력은 엔진에서 생성되는 공기의 연료가 연소됨으로써 에너지를 가해 팽창된 공기로부터 발생한다. 팽창된 가스는 엔진을 빠져나감으로써 가속되어지는데 엔진으로 들어오고 엔진에서 나가는 시간동안에 공기의 속도 변화가 추력을 발생시킨다. 이러한 관계는 뉴턴의 운동 제2법칙으로 표현하며 공식으로 나타낼 수 있다.

뉴턴의 운동 제2법칙은 가속도에 관한 것이며, 터빈엔진에서 생성되는 추력을 설명할 수 있는 법칙이다. 가속도는 힘과 비례하고 체적에 반비례하는 질량에 힘이 가해져서 생긴다.

이것을 다음과 같이 공식으로 나타낼 수 있다.

$$F = M \times a = \frac{Wa}{g} \times a$$

터빈엔진의 추력을 계산하기 위해 공식을 세울 때에는 추력이 생기는 양은 F 파운드(pound)로 나타내지며, 추력 공식에서의 질량은 엔진을 통과하는 공기의 총량으로 나타내어지고, 가속도는 엔진 입구를 통과하여 배기되는 동안의 차로 표현되어 진다.

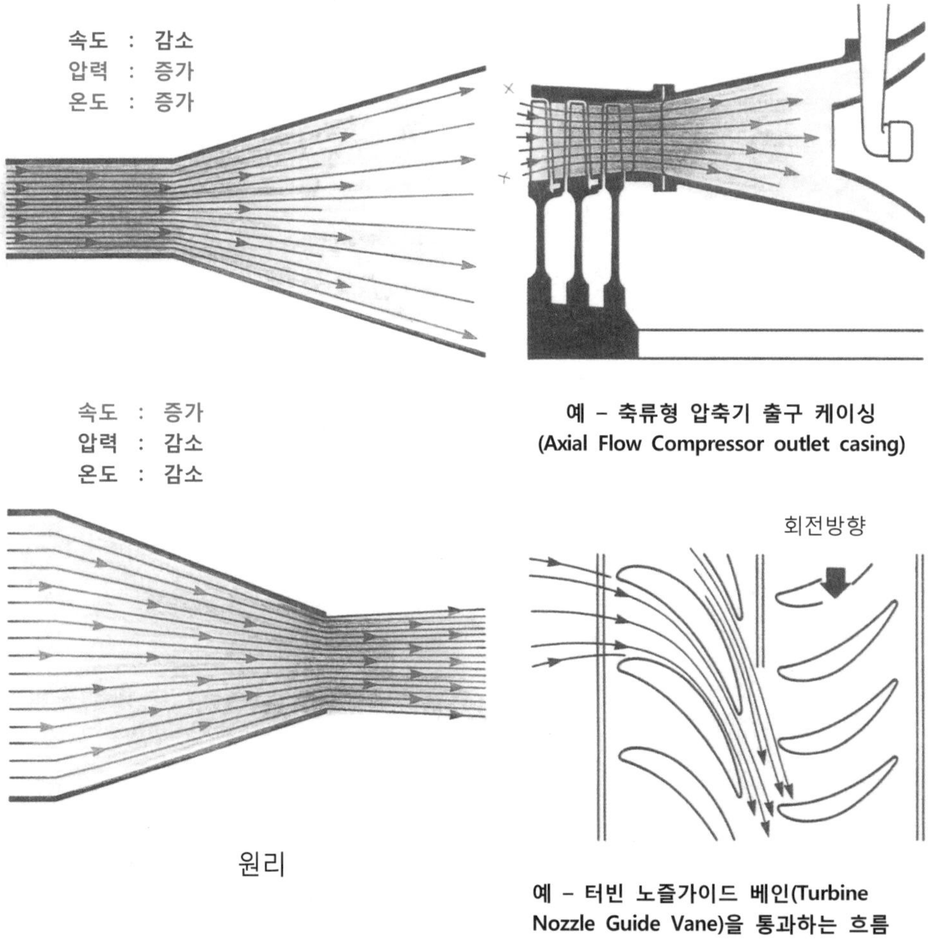

그림 1-19. 압력, 체적, 온도의 관계

기본적인 추력 공식을 만들면 다음과 같다.

$$F = M_s \frac{(V_2 - V_1)}{g}$$

(1) 총 추력(GROSS THRUST)

총 추력은 엔진이 움직이지 않을 때의 추력이다. 엔진 가스의 가속도는 엔진입구로 들어오는 공기와 배기노즐로 나가는 공기속도의 차이이다. 이런 경우에는 엔진이 움직이지 않는 곳에서 입구의 속도는 항상 0이다.

이 공식 적용방법을 살펴보면, 상업용 제트항공기가 활주로에서 이륙출력을 내기 위해 엔진을 구동시키고 있다고 가정하자. 따라서 항공기는 아직 움직이고 있지 않다. 이때 엔진으로 초당 50 파운드의 공기가 유입되고 있다면, 이것이 중량 유량(Ms)이다.

항공기가 움직이고 있지 않기 때문에 V_1 은 0, 그러나 배기속도 V_2 는 1300 ft/s라면

$$F_g = M_s \frac{(V_2 - V_1)}{g} \quad F_g = 50 \frac{(1,300 - 0)}{32.2}$$

$$= 2018.6 \text{lbs·thrust}$$

(2) 진 추력(NET THRUST)

항공기가 비행중일 때, 항공기의 유입 공기는 초기의 운동량을 가지게 되고, 엔진을 통과하는 동안 변하는 속도는 크게 감소할 것이다. 이때, 계산했던 항공기와 총 추력이 같고, 또한 500 mile/h로 날고 있다고 생각해 보자. 이 항공기의 진 추력은 다음과 같이 기본 공식을 사용하여 계산할 수 있다.

$$F_N = M_s \frac{(V_2 - V_1)}{g} \quad F_N = 50 \frac{(1,300 - 734)}{32.2}$$

$$= 50 \frac{566}{32.2}$$

$$= 878.9 \text{lbs·thrust}$$

2.3. 추력에 영향을 주는 요소 (FACTORS AFFECTING THRUST)

왕복 엔진과 마찬가지로 환경, 설계(Design), 작동 등의 요인들은 터빈 엔진에서 발생되는 추력에 영향을 끼친다.

2.3.1. 온도(TEMPERATURE)

터빈엔진의 추력은 앞에서 설명했듯이 엔진을 통과하는 공기의 총량에 의해서 결정되어 진다. 엔진으로 들어가는 공기의 온도는 밀도에 영향을 준다. 공기가 뜨거울수록 밀도는 감소하게 되어 부피로 나타내어지는 질량이 줄어들기 때문에 유입 공기가 뜨거우면 추력은 감소한다. 엔진 제작자에 의해 제공된 모든 추력의 계산을 표준 온도인 59°F 또는 15℃를 전제로 하고 있으며, 모든 성능 계산은 비표준 온도에 대하여 보정하여야만 한다.

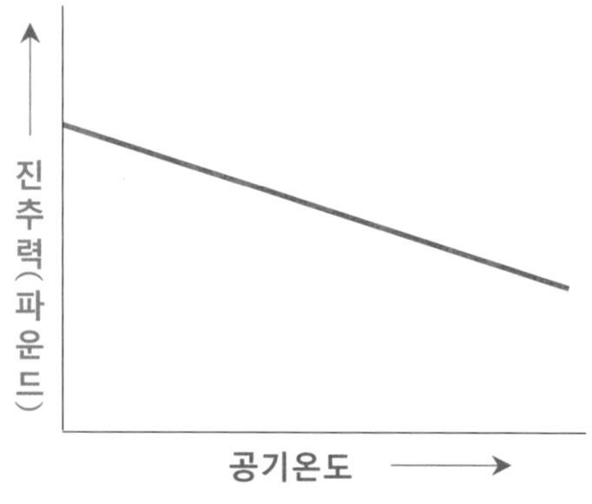

그림 1-20. 공기 온도의 영향

2.3.2. 고도(ALTITUDE)

지구 주위의 대기는 공기의 압력과 온도에 따라 밀도가 변화되는 압축성 기체이다. 해면상 표준 상태하의 공기는 14.69psi의 압력을 갖고 있는데, 이 압력은 고도가 증가함에 따라 감소한다. 20,000feet 상에서는 6.75psi로 내려가고 30,000feet에서는 4.36psi로 떨어진다. 공기의 압력이 감소됨에 따라 밀도도 떨어진다.

또한 공기의 온도가 떨어지면 해면상의 표준 대기상태의 고도는 증가한다. 온도가 떨어짐에 따라 공기의 밀도는 증가한다. 압력이 떨어짐으로써 밀도가 감소되는 것은 온도가 떨어져서 밀도가 증가하는 것보다 크다.

36,000ft 부근에서는 흥미로운 점이 있다. 공기의 온도가 -69.7°F(-56.5℃)로 일정한데 그 보다 더 상승해도 공기는 더 이상 밀도가 증가하는 온도의 떨어짐이 없다. 이러한 고도에서, 공기의 밀도는 보다 빨리 감소한다. 이러한 이유로 장거리 제트 비행기는 36,000ft가 비행하기에 최적의 고도이다. 이 고도 아래에서는 밀집된 공기(air)가 공기 역학적 항력을 만들어 내고, 그 이상 고도에서는 밀도가 떨어지게 되어 엔진 추력을 감소시킨다.

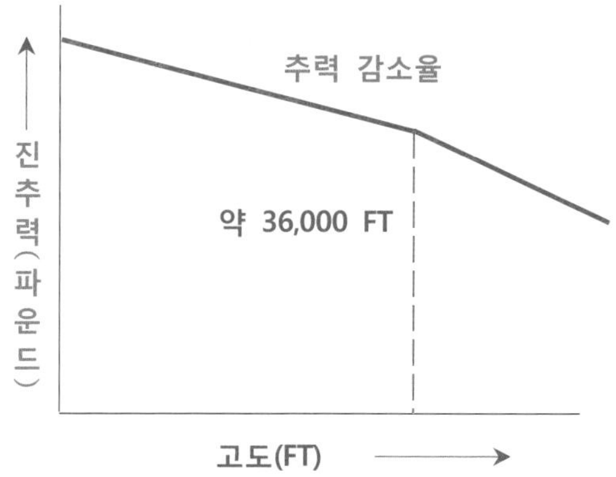

그림 1-21. 고도의 영향

2.3.3. 공기 속도(AIR SPEED)

전술한 바와 같이 추력의 공식은 엔진을 지나는 공기의 질량의 가속도 (V_2 -V_1)이다. 항공기의 속도 V_1 이 증가하면 추력의 크기는 감소할 것이다. 속도의 영향을 나타내는 그림 1-22에서 추력 곡선이 아래쪽으로 경사지는 것을 알 수 있다.

그러나 거기에는 항공기가 대기에서 날아갈 때 흡입관(inlet duct)에 압축되어진 공기로 인해 보상되어지는 효과가 있다. 이것을 램(ram)효과라 한다.

이 선이 직선이 아니라, 대기 속도가 증가함에 따라 위쪽으로 올라가는 것에 주목해야 한다. 가속도에 의한 손실과 램에 의한 이득을 합치면 추력에 대한 대기속도의 실제적 효과를 알 수 있다.

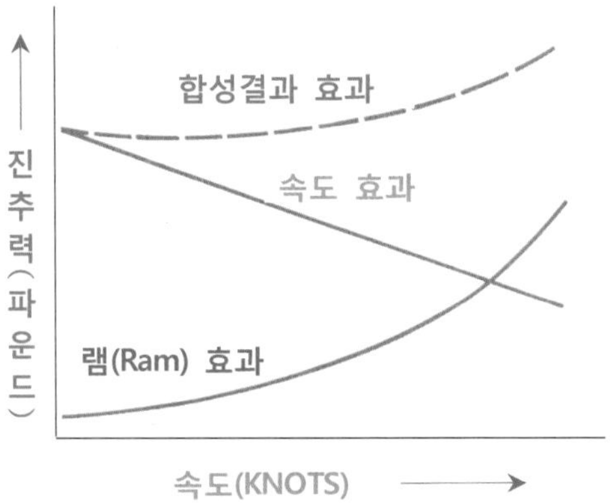

그림 1-22. 공기속도의 영향

2.3.4. 엔진 회전수(ENGINE RPM)

엔진 RPM은 엔진에 의해 발생되는 추력에 1차적인 영향을 미치지는 않는다. 낮은 RPM에서의 추력은 낮다. 그러나 RPM이 증가하면 압축기의 공기 역학적 효과가 엔진을 통과하는 공기의 양을 많게 하고 공기 흐름의 양이 증가함에 따라 추력도 증가한다.

엔진 RPM에서는 제한이 있는데, 이러한 제한은 압축기의 공기 역학적인 문제 때문이다. 압축기의 블레이드 팁(blade tip) 속도가 마하 1이나 그 이상의 음속에 도달하면 압축기의 효율은 떨어진다. 압축기의 설계는 블레이드가 그러한 속도로 회전하지 않게 하고, 공기흐름이 심한 충격의 실속상태로 가지 않도록 이루어진다.

이것을 2,800RPM으로 회전하는 P&W 사의 PW4090의 팬 부분처럼 큰 직경(112 인치)을 가진 블레이드의 낮은 회전속도와 압축기 속도가 50,000RPM 이상인 작은 직경의 터빈 엔진의 높은 회전속도로 각각 설명할 수 있다.

2.3.5. 팬 효율(FAN EFFICIENCY)

대부분의 항공사에서는 터보-제트엔진 대신에 터보-팬 엔진으로 교체되었고, 현재 많은 상업용 제트 항공기에 쓰이고 있다. 이러한 이유는 터보 팬 엔진이 연료 효율이 좋고 소음이 적기 때문이다.

터보 제트와 터보 팬 엔진이 같은 비율의 추력을 낸다면 터보 팬 엔진은 큰 추진 효율로 보다 적은 양의 연료를 소모할 것이다.

표 1-2는 B777-300ER 항공기에 장착되어 사용 중인 GE90-115B 엔진의 제원이다. 추력이 115,000 파운드로서 B747-400 및 A300-600 항공기에 장착 운영 중인 PW4000-94인치 엔진의 거의 두 배에 가까운 추력을 발생하고 있다. 이는 팬 바이스 비가 9:1로서 팬 효율이 우수하기 때문에 가능한 것이다.

표 1-2. GE90-115B 엔진제원

특 성	제 원
추력(THRUST)	115,000 LB
바이패스 비(BYPASS RATIO)	9:1
무게(WEIGHT)	18,982 LB(8,610 KG)
팬 케이스(FAN CASE) 직경	166.46 INCHES(4.23 METERS)
팬 직경(FAN DIAMETER)	128 INCHES(3.25 METERS)
길이(LENGTH)	323.24 INCHES(8.21 METERS)

3. 엔진 정비방식(ENGINE MAINTENANCE CONCEPT)

과거의 제트엔진은 일정사용시간이 도래되면 항공기로부터 장탈하여 주기적으로 검사하는 방법을 사용하였다.

클래식 점보 혹은 노말 점보(Normal Jumbo)로 부르는 B-747에 사용하는 JT9D 엔진의 경우, 새로운 엔진을 항공기에 장착 후, 사용시간이 7,000시간에 도달되면 항공기로부터 장탈하여 고온의 연소가스에 직접 노출되는 부분, 즉 연소실, 터빈 및 배기부분을 분해하여 HSI(Hot Section Inspection)를 수행하고, 12,000시간에 도달되면 HSI를 포함한 공기 흡입구, 팬, 압축기 및 보기류 기어박스까지 분해하여 CSI(Cold Section Inspection)를 수행하였다.

그러나 B747-400을 비롯하여 A380, A330, B777, B737등의 항공기에 사용되는 최근의 엔진들은 신뢰성이 많이 좋아짐에 따라 경제적인 운용을 고려하여 언 컨디션(On Condition) 정비방식을 사용하고 있다.

언 컨디션(on condition) 정비방식은 엔진을 항공기에서 주기적으로 장탈하여 분해하지 않고, 중대결함 발생 혹은 부품의 수명한계에 도달될 때까지 항공기에 장착 사용하는 방식이다.

이러한 정비방식이 가능한 것은 다음과 같은 방법들을 이용하여 지속적인 엔진 상태감시(condition monitoring)가 가능하기 때문이다.

3.1. 엔진 성능추세감시 (ENGINE PERFORMANCE TREND MONITORING)

엔진 배기가스온도(Exhaust Gas Temperature: EGT)와 같은 엔진의 주요 파라미터(parameter)들을 지속적으로 관찰 기록하여 엔진이 항공기에 처음 장착 되었을 때의 상태와 비교 분석하여 엔진 사용한계에 도달되었는지를 평가하는 것 이다.

3.2. 내시경 검사(Borescope inspection)

접근이 불가능한 엔진 내부를 엔진 외부 케이스(case)의 포트(ports)를 통해 보어스코프 프로브(borescope probes)를 삽입하여 엔진을 분해하지 않고 항공기에 장착된 상태로 엔진 내부의 상태검사가 가능하다.

3.3. 윤활계통 미립자 분석 (LUBRICATION PARTICLE ANALYSIS)

엔진 윤활계통에서 오일이 엔진 내부를 순환하면서 손상된 엔진 부품으로부터 떨어져 나온 조각들 중 10 마이크론 이상의 조각들은 오일 필터에 걸러지거나 마그네틱 칩 검출기(magnetic chip detector)에 수집되어지는데 이러한 이물질들을 육안 검사를 통하여 분석을 실시하는 것이다.

3.4. 분광오일분석 프로그램 (Spectrometric Oil Analysis Program: S.O.A.P)

오일 탱크에서 오일을 채취하여 오일에 함유된 10 마이크론 미만의 미세한 이물질들을 분석하는 것으로서 발견된 금속물질의 성분을 분석하여 부품의 초기 손상 정도를 파악할 수 있다.

3.5. 엔진진동 감시시스템 (ENGINE VIBRATION MONITORING SYSTEM)

엔진에 장착된 바이브레이션 센서에 의해 엔진 진동이 감지되고, 감지된 진동 값(vibration value)은 항공기의 감시 시스템(monitoring system)에 보내지는데, 진동 값이 한계를 초과 할 경우에는 데이터를 저장하여 진동교정 작업 시 활용할 수 있도록 되어있다.

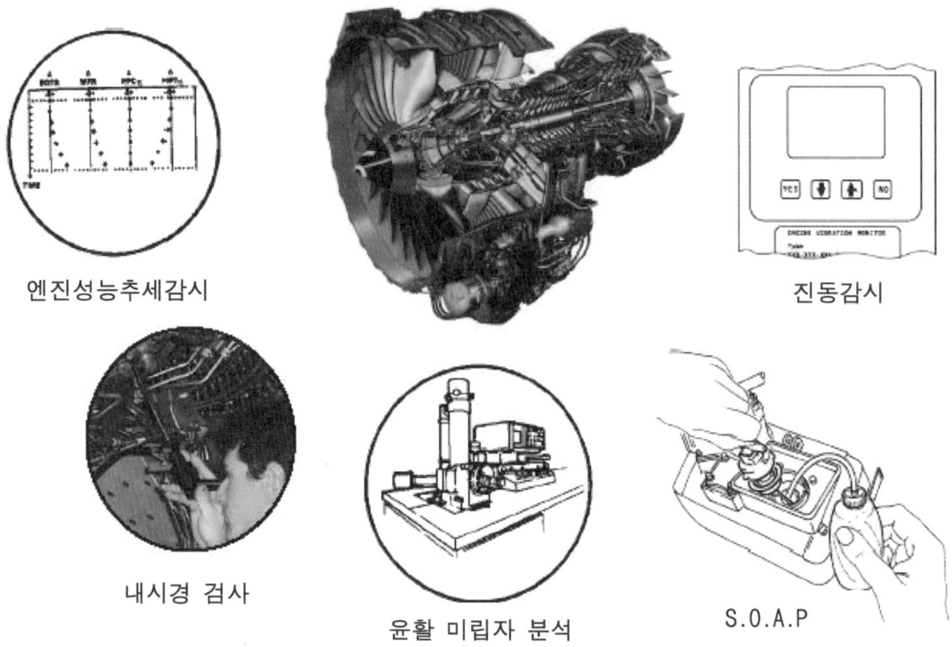

그림 1-23. 엔진 상태감시(CONDITION MONITORING)

MEMO

Part 02

1. 엔진 공기 흡입구 덕트(ENGINE AIR ENTRANCE DUCTS)
2. 압축기(COMPRESSOR)
3. 압축기 디퓨저(COMPRESSOR DIFFUSER)
4. 연소실(COMBUSTION SECTION)
5. 터빈(TURBINE)
6. 배기부분(EXHAUST SECTION)
7. 보기부분(ACCESSORY SECTION)

가스터빈 엔진구조

[GAS TURBINE ENGINE CONSTRUCTION]

제2장. 가스터빈 엔진구조
(GAS TURBINE ENGINE CONSTRUCTION)

왕복 엔진에서는 흡입, 압축, 연소, 배기의 기능이 모두 같은 연소실에서 연속적으로 발생한다. 결과적으로 이들 각각은 연소 싸이클 동안 연소실의 공간을 차지해야 한다. 그러나 가스 터빈(Gas Turbine) 엔진의 중요한 형태는 각각 분리된 부분이 각기의 기능만 담당하고 있다는 점이다. 그리고 모든 기능은 동시에 이루어진다.

보통의 가스 터빈 엔진은 다음과 같은 부분으로 되어 있다.

- 공기 흡입구(Air Inlet)
- 압축기 부분(Compressor Section)
- 연소실(Combustion Section)
- 터빈 부분(Turbine Section)
- 배기 부분(Exhaust Section)
- 시동, 윤활, 연료공급계통, 그리고 방빙, 냉각, 여압과 같은 보조기능 등에 필요한 계통 등

모든 터빈 엔진의 주요구조의 부분품(Component)은 근본적으로 비슷하다. 그러나 현재 사용되고 있는 엔진의 구조 부분품 및 구조상의 일반 용어들은 각 제작자의 사용 용어에 따라 조금씩은 차이가 있는데, 이런 차이들은 해당 엔진교범(Engine Manual)을 참조하여야 한다.

1. 엔진 공기 흡입구 덕트(ENGINE AIR ENTRANCE DUCTS)

Air Entrance Duct 혹은 Air Inlet Duct라고도 불리어지는 공기흡입구는 엔진 부분품이라기보다는 기체구조에 속하고 있는 부분이라고 할 수 있다.

압축기에 공기가 들어갈 때 항력(drag) 또는 램(ram) 압력에 의해 생기는 에너지의 손실을 최소로 하도록 설계되어 있다. 즉 압축기로 들어가는 공기의 흐름은 최대 자동효과를 얻도록 난류(turbulence)가 없어야 한다. 설계가 잘되면 압축비를 증가시켜 항공기 성능을 높일 수 있다.

엔진에 들어가는 공기의 양은 다음 세 가지 요소에 달려있다.

- 압축기 속도(rpm)
- 항공기 전진 속도
- 대기의 밀도

1.1. 아음속 흡입구(SUBSONIC INLETS)

사업용과 상업용 제트기에서 볼 수 있는 흡입구 덕트는 고정된 형태이고 확산 형이다. 확산 형 덕트(diverging duct)는 그림 2-1과 같이 앞에서 뒤로 갈수록 직경이 점차 커진다. 이 덕트는 흡입구 디퓨저(inlet diffuser) 라고도 부르는데 이것은 압력에 대한 흡입구의 영향 때문이다. 공기역학적인 형상의 흡입구로 대기압력(ambient pressure)의 공기가 들어가면, 압축기에 도달할 때에는 대기보다 압력이 약간 증가한다.

보통, 공기는 덕트의 앞부분에서 확산(정압증가)되서 그의 일정한 압력으로 엔진 흡입구 페어링(fairing)또는 흡입구 중간(center body)을 지난 뒤 압축기로 간다. 이런 식으로 엔진은 난류가 최소이고 보다 균일한 압력의 공기를 받게 된다.

항공기가 원하는 순항속도에 이르면 흡입구의 압력증가는 공기유량을 증가시킨다. 여기서 압축기는 공기역학적 설계 점에 도달하게 되고 최적압축과 최상의 경제연료 상태에 이른다. 이 점에서 흡입구, 압축기, 연소기, 터빈, 테일 파이프(Tailpipe)는 서로 조화(Matching)가 되도록 설계된다.

어느 한 부분이라도 조화가 안 되면 어떤 경우라도 엔진 성능에 영향을 미칠 것이다. 터보 팬 흡입구는 공기의 일부분만 엔진으로 유도하고 나머지는 팬으로 지나간다는 것만 제외하고 터보 제트의 설계와 유사하다.

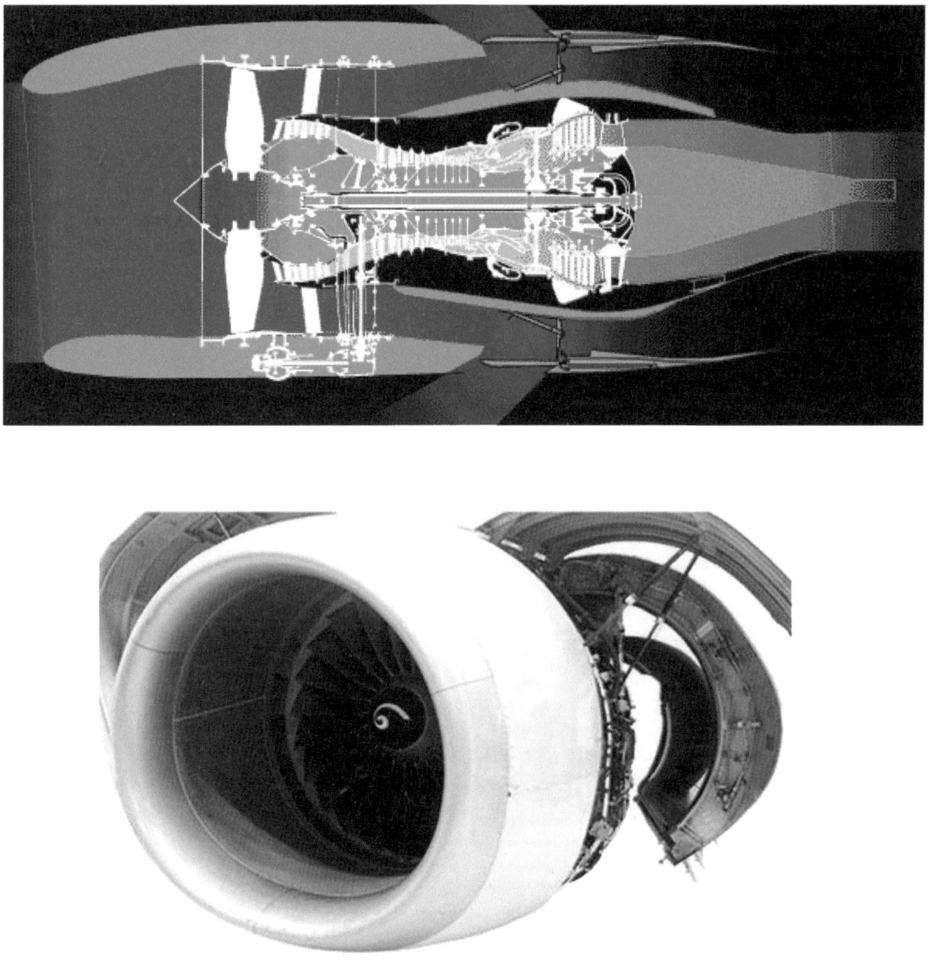

그림 2-1. 아음속 공기 흡입 덕트(CFM56-7 엔진)

1.2. 램(RAM) 압력회복

가스 터빈엔진이 지상에서 작동할 때, 고속의 공기흐름으로 인해 흡입구내에 부압(negative pressure)이 생긴다. 그러나 항공기가 앞으로 전진 하면 램 공기가 흡입구로 들어와서 압력을 증가시키게 된다. 이러한 램 압력의 증가는 어떠한 속도에서도 흡입구내에 압력이 떨어지는 것을 억제하여 입구압력을 대기 압력으로 돌아오게 한다. 즉, 흡입 덕트로 들어가는 램 공기의 밀도가 증가하기 때문에 일어나는 현상으로서 램 회복(ram recovery)이라고 한다.

비행 중에 항공기 속도가 더 빨라지면 흡입구는 더 큰 램 압축을 발생시키고, 엔진은 이 점을 이용해서 압축기의 압축비를 증가시켜서 보다 적은 연료를 소비하여 더 많은 추력을 얻게 된다.

아음속이나 낮은 초음속으로 비행하는 항공기의 터보 제트 엔진에 적합한 이상적인 공기 흡입구는 램 압력을 최소화시켜 램 효과를 극대화 시킬 수 있도록 짧은 피토 타입(pitot-type)의 원형 흡입 덕트[그림 2-2]를 사용한다. 그러나 초음속에 도달되면 흡입구 립(intake lip)에서 충격파가 발생하여 효율이 떨어지기 시작한다.

그림 2-2. 피토 형 흡입구(Pitot-type intake)

1.3. 초음속 흡입구(SURPERSONIC INLETS)

수축-확산형(고정 또는 가변형) 흡입 덕트는 모든 초음속기에 필요하다. 예를 들어 초음속 여객기는 항공기속도에 관계없이, 엔진 압축기 입구에서 아음속으로 속도가 느려지는 입구형상을 가지고 있다. 회전하는 에어포일의 충격과 축적을 없애려면 압축기로 아음속 흐름이 들어가야 하며, 이것은 압축 과정을 순조롭게 한다.

흡입구의 기하학적 모양을 바꾸기 위해 움직이는 제한장치(movable restrictor)가 다양한 비율로 수축-확산(convergent-divergent : C-D) 형태를 형성한다. C-D형 덕트는 초음속에서 아음속으로 감소시키는데 필요하다. 여기서 꼭 기억해야 할 것은 아음속 흐름 비율(flow rate)에서 덕트의 공기흐름은 비압축성 액체처럼 작용하지만, 초음속 흐름 비율의 공기는 압축성이어서 충격파를 만든다.

고정된 형태(non-adjustable)의 C-D 덕트에서의 초음속 공기흐름은 공기압축에 의해 느려지며 목 부분(throat area)에서 충격파를 형성한다. 일단 마하1로 낮아지면, 공기흐름은 아음속 디퓨저 부분으로 들어가는데, 그 곳에서 엔진 압축기로 들어가기 전에 속도는 더 줄어들고 압력은 증가한다.

마하 2정도로 빠르게 설계된 일부 군용기는 이 형식의 흡입구를 사용한다.

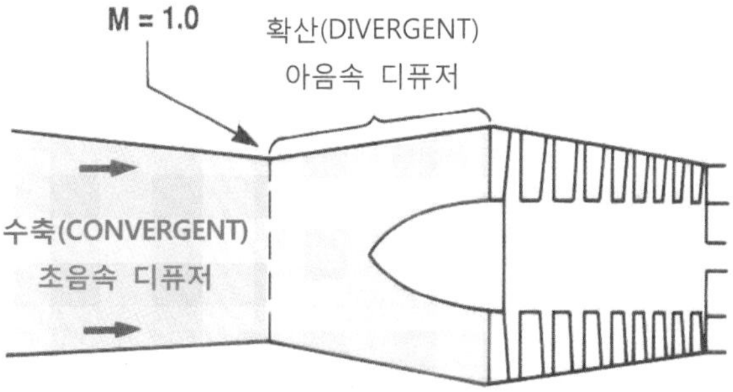

그림 2-3. 초음속 수축-확산형 흡입구(고정형)

작동 유연성(Operational Flexibility) 즉, 고정된 흡입구가 왜 항상 알맞지 않은가에 관련된 몇 가지 이유가 있다. 흡입구 충격파는 항공기 날개와 다른 에어포일에서 생기는 충격파와 유사하다. 충격파는 음파에너지나 압력의 축적으로 정의 될 수 있는데, 이것은 물체로부터 떨어져 나가려는 파장이 계속해서 다가오는 공기의 흐름 때문에 한 지점에 머물러 있게 되면서 발생한다.

충격파의 유용한 면은, 공기흐름이 고 압력의 충격파 영역을 지나면서 속도가 낮아진다는 것이다.

초음속 디퓨저형 흡입구는 공기속도를 줄이는 충격파를 형성하고, 이륙에서 순항까지의 다양한 조건에 맞게 가변 C-D모양을 만든다. 공기속도는 마지막 충격파의 뒤에서 거의 마하 0.8로 떨어지고, 다시 확산에 의해 마하 0.5가 된다.

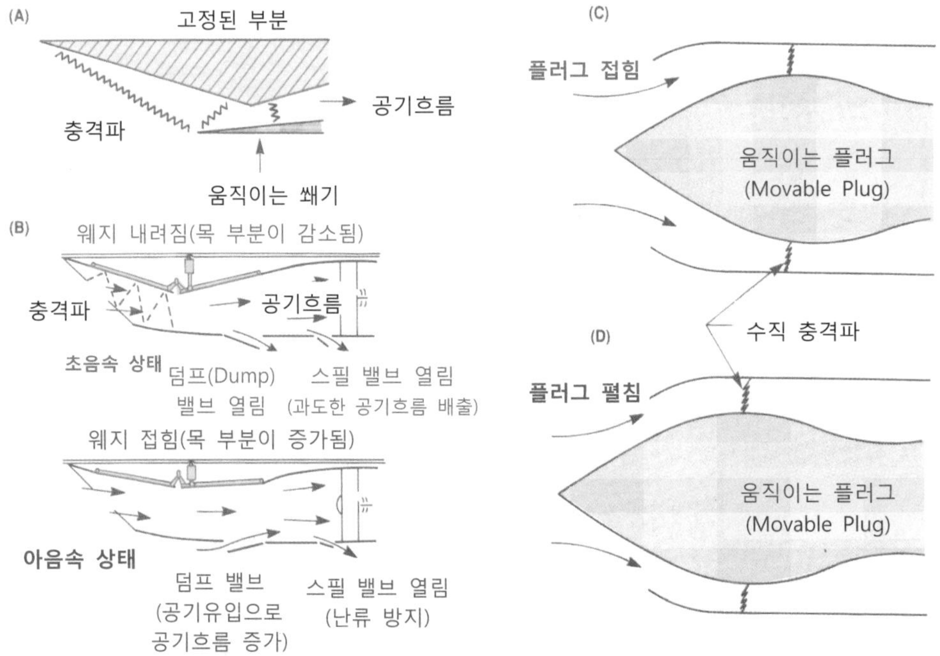

그림 2-4. (A) 가변형 수축-확산형 초음속 흡입구- 이동식 스파이크 (VARIABLE GEOMETRY CONVERGENT-DIVERGENT SUPERSONIC INLET-MOVABLE SPIKE),
(B) 가변 목 면적 흡입구(VARIABLE THROAT AREA INLET),
(C) 이동식 플러그 삽입(MOVABLE PLUG INSERT)

그림 2-4(A)는 높은 순항 충격파 상태에서의 가변형 흡입구(variable-geometry inlet duct)를 보여주고 있다. 또한 움직이는 스파이크 (movable spike)가 전방 위치에서 더 큰 C-D 효과를 만들어 내는 것을 보여준다.

그림(B)는 움직이는 쐐기형(movable wedge)으로, 수축, 확산과 유사한 기능을 하고, 충격파를 만들어 준다. 이것은 또한 스필 밸브(spill valve)가 있어 고속에서 원치 않는 램 공기는 밖으로 버린다. 많은 고성능 항공기는 순항속도에서 필요 이상의 공기흐름을 갖고 있다.

그림(C)는 또 다른 초음속 흡입구로, 움직이는 플러그(movable plug)를 갖고 있다. 특히, 매우 높은 속도의 비행에서, 흡입구는 램 효과로 인해 너무 많은 공기를 받는다. 이 흡입구는 공기흐름이 엔진으로 들어가기 전에 아음속 속도로 낮춰서 충격 형성을 조절할 뿐만 아니라, 흡입구로의 공기흐름을 제한한다.

1.4. 벨 마우스 흡입구(BELLMOUTH INLETS)

벨 마우스 흡입구는 수축 형으로 헬리콥터와 램 회복속도 이하로 비행하는 저속의 항공기에서 볼 수 있으며, 흡입구에 아주 얇은 경계층과 낮은 압력손실을 제공한다. 이 흡입구는 큰 항력계수를 만들지만, 높은 공력효율에 의해 이 흡입구의 저속도 항력이 상쇄된다. 또한, 보정을 위해 지상시험을 하는 엔진도 벨 마우스를 사용하는데, 때때로 이물질 흡입방지 스크린(Anti-Ingestion Screen)이 함께 장착된다.

덕트 손실도 벨 마우스에서는 아주 작아서 거의 0으로 간주한다. 정격추력(Rated Thrust)을 위한 엔진 트리밍(Trimming)과 같은 엔진성능 데이터는 벨 마우스 압축기 흡입구를 사용해서 얻는다.

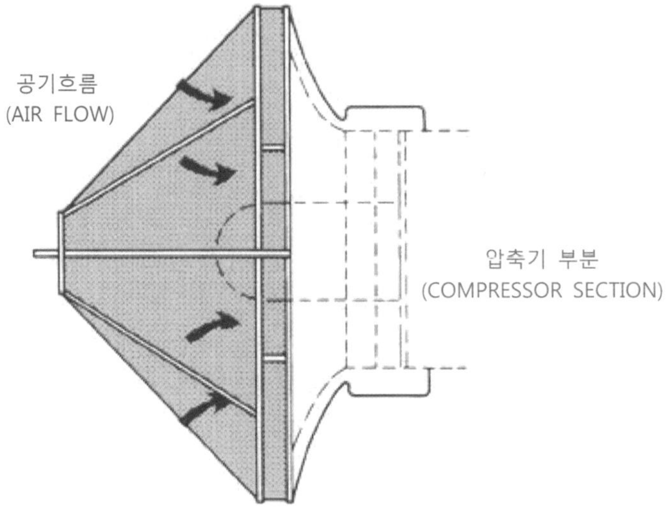

그림 2-5. 스크린을 장착한 벨 마우스 압축기 흡입구
(BELLMOUTH COMPRESSOR INLET WITH SCREEN)

그림 2-6. 엔진 시운전중인 엔진의 벨 마우스 흡입구

1.5. 흡입구 스크린(INLET SCREEN)

압축기 흡입구 스크린의 사용은 그림 2-7과 같이 회전익 항공기, 터보프롭, 지상터빈 설비에 제한되어 있다.

과거에는 그림 2-8과 같이 스크린을 고·아음속 비행기 엔진에 설치하여 사용하였으나, 얼음 형성과 스크린 피로 결함이 더 많은 정비 문제를 유발하여 현용 엔진들은 거의 사용하지 않고 있다.

그림 2-7. 스크린을 장착한 헬리콥터 엔진

그림 2-8. J47엔진 스크린 섹터(Screen Sector)

외부의 이물질이 들어오는 것을 막기 위해 항공기에 스크린을 설치할 때는, 흡입구 덕트나 엔진 압축기 흡입구의 외부 또는 내부에 설치해야 한다.

엔진 작동 중에 모래 혹은 얼음조각 등을 제거하여 엔진으로 유입되지 않도록 분리기를 장착한 항공기도 있다. 그림 2-9와 같은 모래와 이물질 분리기의 흡입부분은 모래 입자와 다른 작은 파편들이 원심하중에 의해 침전트랩(Sediment Trap)으로 바로 보내지도록 한다.

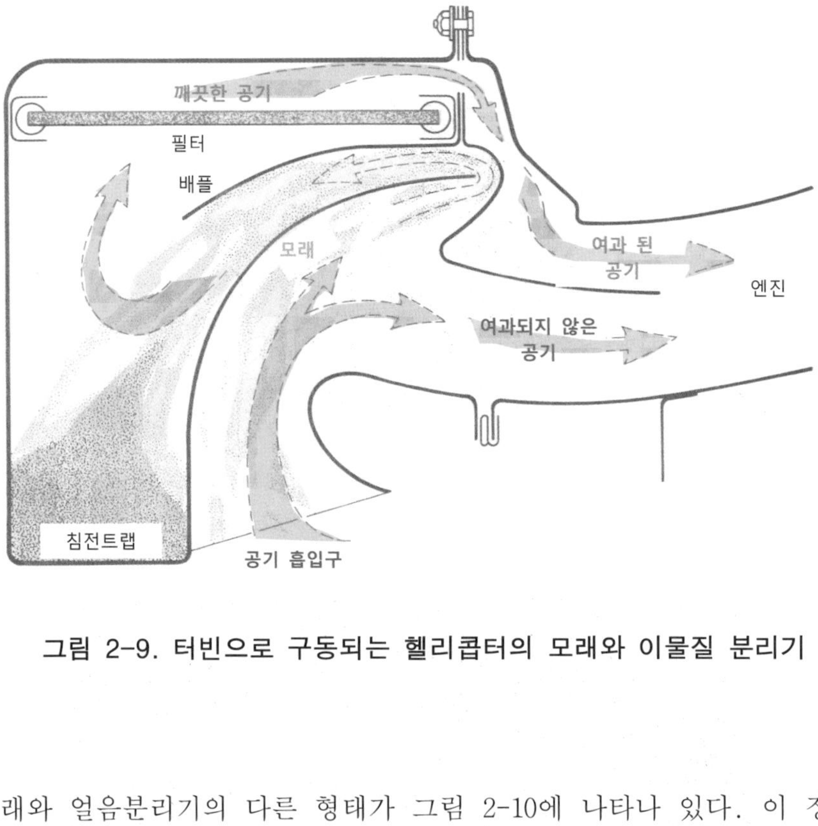

그림 2-9. 터빈으로 구동되는 헬리콥터의 모래와 이물질 분리기

모래와 얼음분리기의 다른 형태가 그림 2-10에 나타나 있다. 이 장치는 움직이는 베인(movable vane)이 흡입구 공기흐름 안쪽으로 나와 있다. 이것이 엔진 흡입구 공기의 방향을 급전환 시켜서 모래나 얼음 입자가 그들의 보다 큰 운동량으로 인해 밑으로 빠져나가게 한다. 이 베인은 조종실에서 조종핸들로 작동된다.

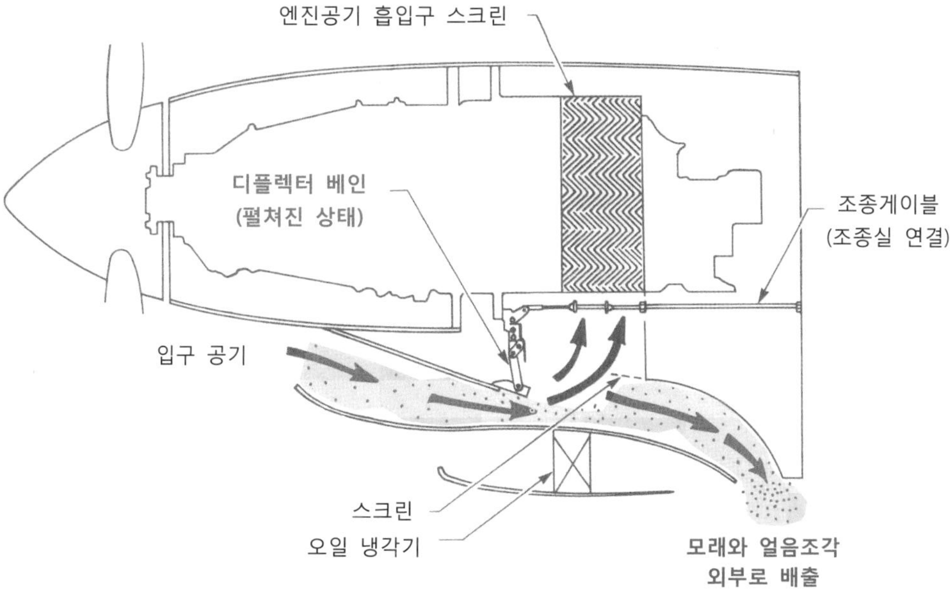

그림 2-10. 터보 프롭 항공기에 장착된 모래와 얼음 분리기

1.6. 엔진흡입구 와류 분산기 (ENGINE INLET VORTEX DISSIPATER)

일부 가스 터빈 엔진 흡입구는 지상과 비행 흡입구 사이에 와류를 형성한다. 이 와류가 만드는 흡입(suction)은 물, 모래, 작은 돌멩이, 너트, 볼트 등을 지상에서 끌어올릴 만큼 강해서, 이것이 곧바로 엔진으로 들어가면, 압축기침식과 손상을 일으킨다.

이런 문제는 날개의 포드(pod)에 장착된 엔진에서 자주 발생하는데, 이것은 많은 최신의 고 바이패스 터보팬에서 볼 수 있듯이 지상과 엔진 사이의 거리가 매우 가깝기 때문이다. 이 문제를 해결하기 위해 "와류 분산기(voltex dissipater)" (또는 "blow-away jet")를 설치한다.

와류를 분산시키기 위해 그림 2-11과 같이 압축기 방출 공기(compressor discharge air)의 작은 제트(jet)가 엔진 카울(engine cowl)의 아래 부분에 위치한 방출 노즐(discharge nozzle)에서 흡입구 아래의 지면을 향해 쏘아준다. 이 시스템은 일반적으로 랜딩기어 스위치에 의해 작동되는데, 이것은 엔진이 작동하면서 주 랜딩기어(main landing gear)에 중량이 있을 때 엔진 압축기 블리드 포트(bleed port)와 분산기 노즐(dissipater nozzle) 사이의 밸브를 연다.

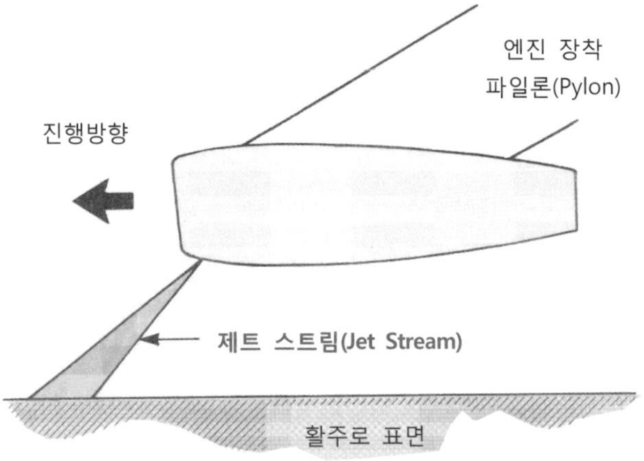

그림 2-11. 와류 분산기 작동

1.7. 흡입구 안내 베인(INLET GUIDE VANE) 공기흡입구

엔진 본체의 최전방 부분에서 압축기로 흡입공기가 통과하는 부분을 공기 흡입구 섹션(air inlet section)이라 부른다. 이 공기 흡입구 섹션은 보통 에어포일 단면을 한 다수의 흡입구 안내 베인(inlet guide vane)을 가진 공기 흡입구 케이스(air inlet case)로 구성되어 있다.

흡입구 안내 베인은 그림 2-12와 같은 고정식과 흡입공기의 유입속도(압축기의 회전 속도)에 맞게 장착 각이 변하는 가변 스테이터 식(variable stator type)이 있지만, 어느 쪽이든 압축기로 유입된 공기가 최적의 유입 각도를 갖도록 설계되어 있다. 그리고 엔진본체 이 공기 흡입구 섹션이 가장 결빙되기 쉽기 때문에 일반적으로 압축기에서 뽑아낸 브리드 고온 공기를 중공 구조의 흡입구 안내 베인 내부로 흘러들어 가도록 되어 있다.

보통의 경우, 공기 흡입구 케이스의 내부는 메인 베어링을 구성하고 있고 압축기 로우터 축의 전단 부분을 지지하는 역할도 겸하고 있다. 공기 흡입구 케이스는 티타늄 합금으로 된 용접 구조가 많이 이용되고 있다.

최근의 고 바이스패스비 터보팬 엔진에는 엔진 흡기 소음의 감소 및 엔진 중량의 경감 때문에 흡입구 안내 베인이 없는 구조가 일반화되어 있다.

그림 2-12. J85 엔진 공기흡입구 섹션

2. 압축기 (COMPRESSOR)

압축기의 1차적인 역할은 연소에 필요한 공기를 충분히 공급하는 일을 한다. 이 목적을 달성하기 위해서는 공기 흡입구 덕트(air inlet duct)에서 받은 대량 공기의 압력을 증가시켜서 확산통(diffuser)으로 보내고, 이것을 적절한 속도, 온도, 압력으로 연소실에 보내 주어야 한다.

압축기의 형식은 압축기를 통과하는 공기흐름 방향에 따라 식별되는데, 원심압축기(centrifugal compressor)와 축류압축기(axial flow compressor)로 크게 두 종류로 분류된다.

2.1. 원심 압축기(CENTRIFUGAL COMPRESSOR)

방사형 외부흐름 압축기(radial outflow compressor)로도 불리어지는 원심압축기는 가스터빈 보조동력장치(gas turbine auxiliary power unit)와 같은 소형엔진에 주로 사용되고 있다.

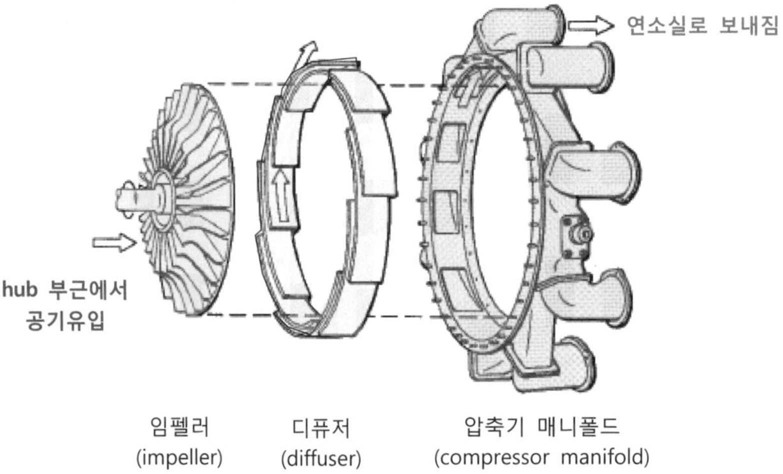

그림 2-13. 원심 압축기의 주요 구성품

원심 압축기는 그림 2-14와 같이 임펠러(impeller), 디퓨저(diffuser) 및 매니폴드(manifold)로 구성되어 되어 있으며, 원심력을 이용하여 공기를 압축시킨다.

알루미늄 합금 주물로 만들어진 임펠러는 고속으로 회전하면서 임펠러의 중심(hub) 근처의 공기 흡입구로부터 공기를 흡입하여 회전에 의한 원심력을 이용하여 바깥으로 밀어내면서 속도를 증가시켜 디퓨져 부분으로 들어간다.

압축기를 떠난 공기는 디퓨져에서 공기의 속도에 의한 운동에너지를 위치에너지(압력)으로 변환되어 매니폴드에서 연소실로 보내진다.

원심 압축기에는 임펠러의 한쪽 면에서 공기를 흡입하는 단면 흡입식(Single Entry Type)과 양면에서 공기를 흡입하는 양면 흡입식(Dual Entry Type)이 있다.

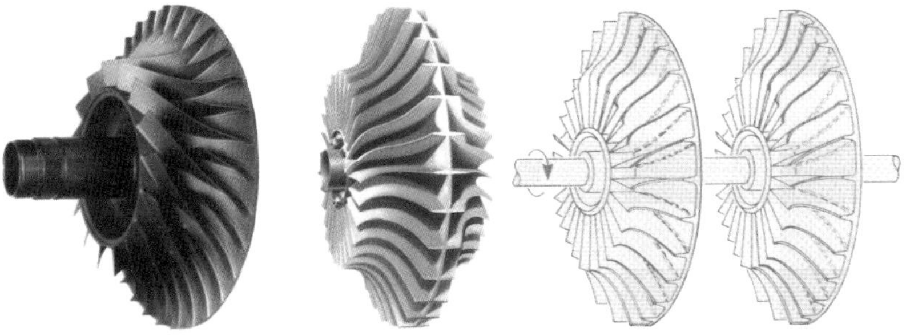

(A) (B) (C)

그림 2-14. 원심 압축기의 임펠러 유형. (A) 단면 흡입식, (B) 양면 흡입식, (C) 이단(Two-stage) 단면 원심식 압축기

원심 압축기는 단(stage)당 압력비가 4정도로 효율이 높아서 안정 작동 범위가 넓고 견고하며 이물질의 흡입에도 강하고, 제작이 용이하고 가격이 싸기 때문에 제트 엔진의 개발 초기에는 상당히 널리 사용되었다.

원심 압축기의 문제점으로는 고 압력을 얻는 경우에 다단화와 구조의 복잡성 때문에 2단 이상이 곤란하여 대량의 공기를 처리할 수 없으며 전면 면적이 커서 항력이 증가한다. 즉 대형화할 수 없는 점 등의 결점을 갖기 때문에 최근의 고출력, 고성능 엔진에는 거의 사용되지 않고, 단지 소형의 터보 프롭 엔진(turbo-prop engine)과 터보 샤프트 엔진(turbo-shaft engine), 보조동력 장치(APU) 등의 일부에 사용되고 있다.

표 2-1. 원심식 압축기의 장·단점

장 점	단 점
• 단당 압축비가 높다(1단 - 5~10:1, 2단 - 15:1) • 넓은 회전속도 범위에서 효율이 높고 안정하다. • 구조가 간단하고 제작비용이 저렴하다. • 무게가 가볍고 Starting Power가 낮다. • 구조가 견고하여 외부 이물질에 의한 손상(FOD)에 대한 저항력이 강하다.	• 높은 압축비를 얻을 수 없다. • 유량 당 전면면적(Frontal area)이 크다. • 2단 이상은 효율저하로 실용적이지 못하다. • 많은 공기량을 처리할 수 없다.

2.2. 축류 압축기(AXIAL FLOW COMPRESSOR)

축류 압축기는 로터(rotor)와 스테이터(stator) 2개의 중요한 부분으로 구성되어 있다. 로터는 디스크(disk)와 블레이드(blade) 세트로 구성되며, 디스크의 원주면에 다수의 로터 블레이드(rotor blade)와 결합되어 있다. 이 디스크는 축 방향으로 배열되어 있고, 디스크에 장착된 블레이드들은 공기역학적인 작용에 의해서 프로펠러(propeller)와 같은 방식으로 고속으로 회전하면서 공기를 후방으로 밀어 보낸다.

고속으로 회전하는 로터는 속도 에너지를 압력 에너지로 바꾸는 역할을 하는데, 압축기 입구에서 공기를 받아서 공기의 압력을 증가 시켜서 다음의 여러 단계를 통해서 뒤로 보내진다. 고정된 스테이터는 디퓨저(diffuser)로서 역할을 하고 부분적으로 높은 속도를 압력으로 변환 시킨다. 연속적으로 배열된 로터 블레이드와 스테이터 베인(stator vane)의 한 쌍은 압력단(pressure stage)을 구성한다.

축류 압축기에는 1열(row)의 로터와 1열의 스테이터를 합하여 1단(stage)이라 부르며, 단수를 증가시킴으로써 높은 압력을 얻을 수 있다.

블레이드 단(stage)의 수는 필요로 하는 공기량과 총 압력에 의해서 결정된다. 매우 높은 압축비를 가지고 있는 원심 압축기와 달리 축류 압축기의 단당 압축비는 대략 1.25에 불과하다.

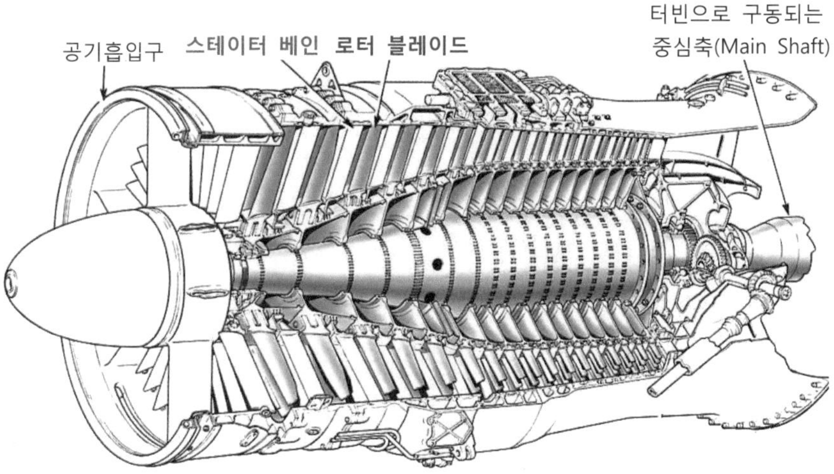

그림 2-15. 축류 압축기의 주요 구성

만족할 만한 압축비는 압축기의 단 수를 증가시키는 것에 의해 얻을 수 있다. 즉 단계가 많으면 많을수록 압축비는 높아지게 된다. 그림 2-16은 축류 압축기를 통하는 공기흐름의 압력과 속도 변화를 보여주고 있다.

축류 압축기는 대량의 공기를 처리할 수 있고 다단화가 용이해서 고 압력비를 얻을 수 있으며, 또한 압축기 효율이 높은 점 등의 장점을 갖기 때문에 최근에는 모든 형식의 엔진에 사용되고 있다. 그러나 구조가 복잡해서 제작비가 비싸고 이물질의 흡입으로 블레이드가 손상을 받기 쉽고, 다단화와 압력비를 크게 하면 작동의 불안정성이 커지는 등의 문제도 있다.

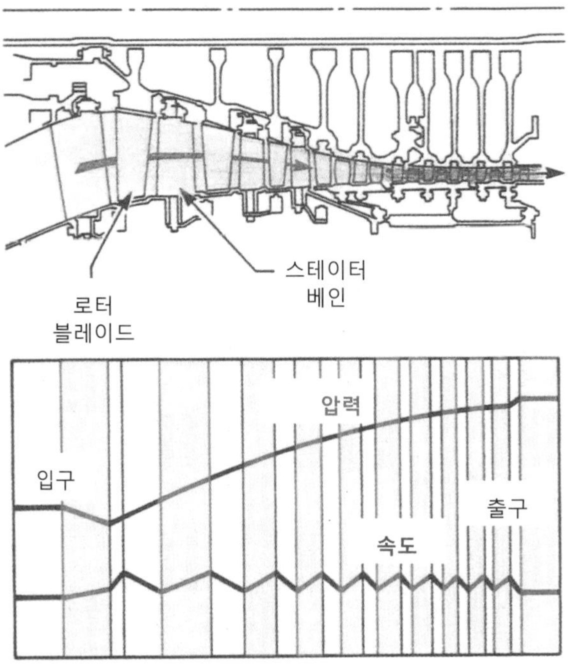

그림 2-16. 축류압축기의 압력과 속도 변화

표 2-2. 축류 압축기의 장·단점

장 점	단 점
• 대량의 공기를 처리할 수 있다. • 다단화가 용이하며 효율이 높다. • 단(Stage)을 추가하여 더 높은 압력이 가능하다. • 전면면적(Frontal area)이 작아 항력이 작다.	• 제작이 어렵고 비싸다. • 비교적 중량이 무겁다. • 높은 Starting Power가 요구된다. • 단당 압력상승이 낮다(약 1.25:1). • 외부 이물질에 의한 손상(FOD)에 약하다.

2.2.1. 다축 압축기(MULTI-SPOOL compressor)

한 개의 축으로 구성된 단축압축기(single-spool compressor)는 압축기, 축(shaft) 및 터빈(turbine)이 일체형(single unit)처럼 같이 회전한다.(그림 2-15와 2-17참조)

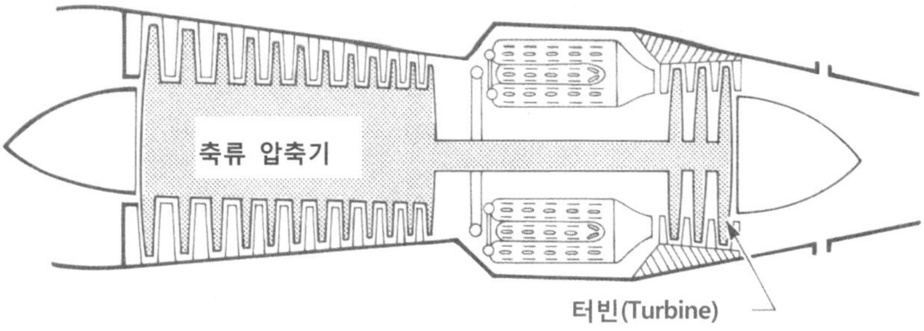

그림 2-17. 단축식(Single-Spool) 축류 엔진

고 압축비, 급가속 및 압축기 실속특성 개선 등의 운영상의 유연성을 위하여 2축(dual-spool)과 3축(triple-spool) 압축기가 개발됐다. 이러한 특성들은 단축 압축기에서는 불가능하다.

그림 2-18은 2축(dual-spool) 엔진을 보여주고 있다. 전방 압축기는 저압(low pressor), 저속 혹은 N_1 압축기(compressor)라고 부르며, 터빈 또한 같은 방식으로 부른다. 후방 압축기는 고압(high pressor), 고속 혹은 N_2 압축기라고 부른다.

저압 압축기(Low Pressor Compressor : LPC)는 저압터빈(Low Pressor Turbine : LPT)과 고압 압축기(High Pressor Compressor : HPC)는 고압터빈(High Pressor Turbine : HPT)과 각각 연결되어 독립적으로 회전한다.

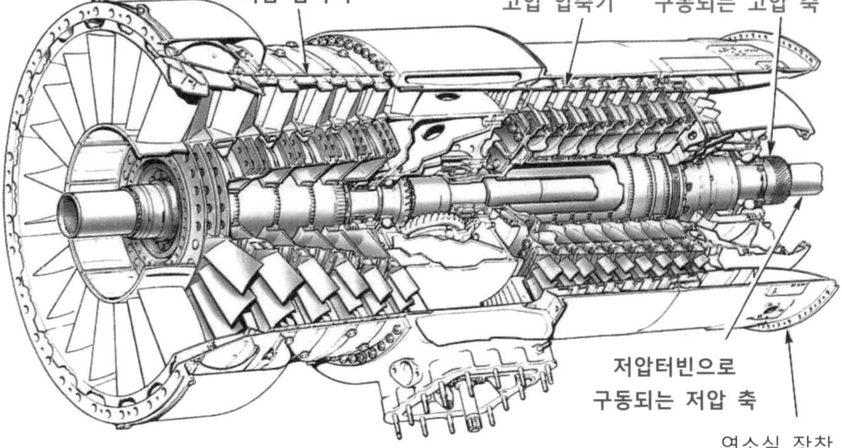

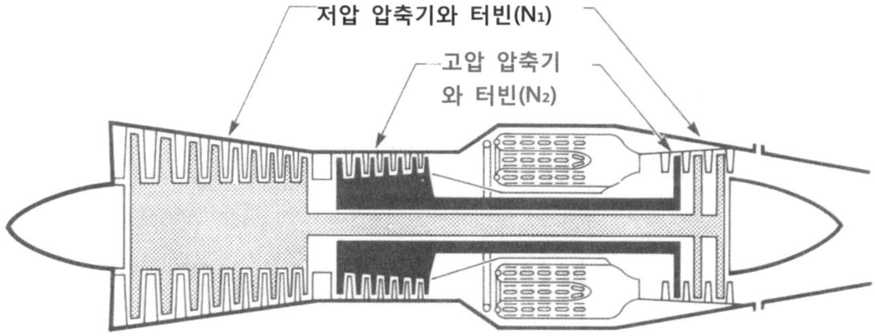

그림 2-18. 2축(DUAL-SPOOL) 축류 엔진

3축(Triple-Spool)은 고 바이패스 터보 팬 엔진을 위해 개발되었다. 그림 2-19와 같이 팬(Fan)을 N_1 혹은 저속 압축기(Low Speed Compressor), 다음의 압축기를 N_2 또는 중간 압축기(Intermediate Compressor)라고 하고, 가장 안쪽의 압축기는 고압 압축기 또는 N_3 압축기라고 부른다.

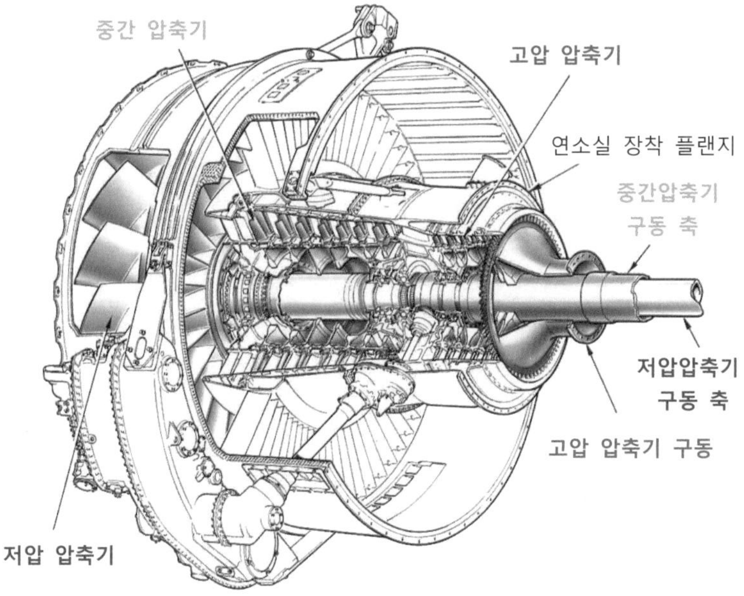

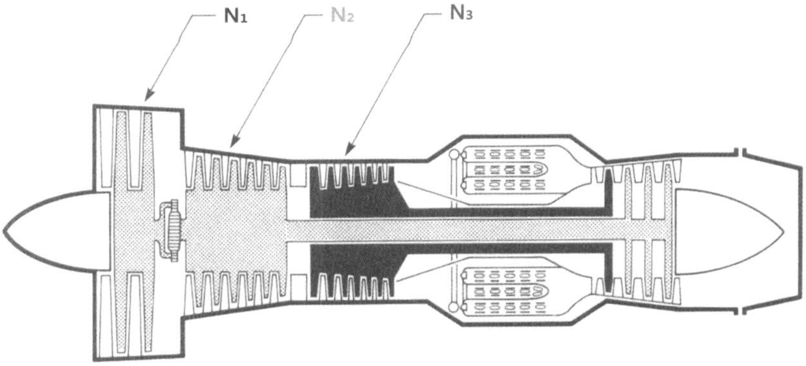

그림 2-19. 3축(Triple-Spool) 축류 엔진

축이 증가할수록 축류 압축기 전체의 고 압축비 및 효율이 좋아지는 반면, 베어링의 증가에 따라서 베어링 구조가 복잡화되고 중량도 증가하므로 현재 사용되는 엔진에는 2축 엔진(dual-spool engine)이 가장 많이 사용되고 있고 다음이 단축 엔진(single spool engine)이며 3축 이상의 엔진의 사용은 드물다.

그림 2-20은 B737NG 항공기에 장착되어 사용 중인 CFM56-7B엔진의 실제의 고압압축기(HPC) 구조를 보여주고 있다.

블레이드 로터와 스테이터 베인이 9단으로 구성되어 있는 압축기로서 팬 프레임(fan frame)과 연소실 케이스(combustor case)사이에 장착되어 있으며, 공기가 단과 단 사이를 거치면서 압력을 증가시켜 연소실(combustor section)로 보내 준다.

고압압축기는 또한 엔진과 항공기에 사용하는 4단계, 5단계와 9단계 브리드 공기 덕트(bleed air duct)를 연결하는 파이프를 가지고 있으며, 압축기 로터(compressor rotor), 압축기 전방 스테이터(compressor front stator), 압축기 후방 스테이터(compressor rear stator)로 구성되어 있다.

로터 블레이드는 스퀼러 팁 형상(squealer tip type)으로서 재질은 1-3 단계는 티타늄(titanium) 합금, 4-9 단계는 니켈(nickel) 합금이다.

스테이터 베인(stator vane)은 흡입구 안내 베인(Inlet Guide Vane : IGV)을 비롯하여 1, 2, 3 단계는 가변 베인(variable vane)으로 되어 있으며, 재질은 강(steel) 합금이다.

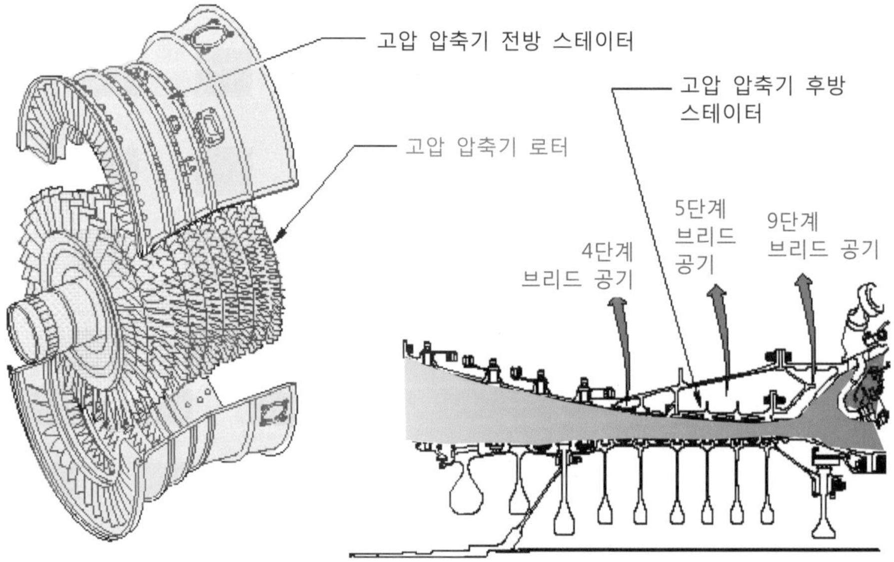

그림 2-20. CFM56-7B 엔진 고압 압축기 섹션(HP COMPRESSOR SECTION)

2.2.2. 압축기 로터 블레이드(COMPRESSOR ROTOR BLADES)

로터는 회전체와 이 로터에 장착된 주조로 만들어진 로터 블레이드로 구성되어 있다. 이러한 로터는 터빈 또는 터빈 단에 의하여 회전하는 회전축에 연결되어 함께 구동되는 압축기로서 로터 블레이드는 공기의 흐름을 직선으로 유도하는 역할을 한다.

축류압축기에 사용되는 로터 블레이드는 다양한 형태의 붙임각(angle of incidence)이나 비틀림(twisting)형상을 가진 날개 꼴(airfoil)모양의 단면을 가지고 있다. 이러한 비틀림은 블레이드 반경에 따른 블레이드 속도차이를 보상해준다. 회전축으로부터 멀리 떨어진 블레이드 끝단에서의 움직임은 더욱 빨라진다.

즉, 공기 속도가 빨라지면 블레이드 표면을 따라서 흐르고 있던 공기가 블레이드 표면에서 박리하여, 난류가 되어 후방(오른쪽 방향)으로 흐르면서 공기 저항이 커져 엔진의 효율을 떨어뜨리게 된다.

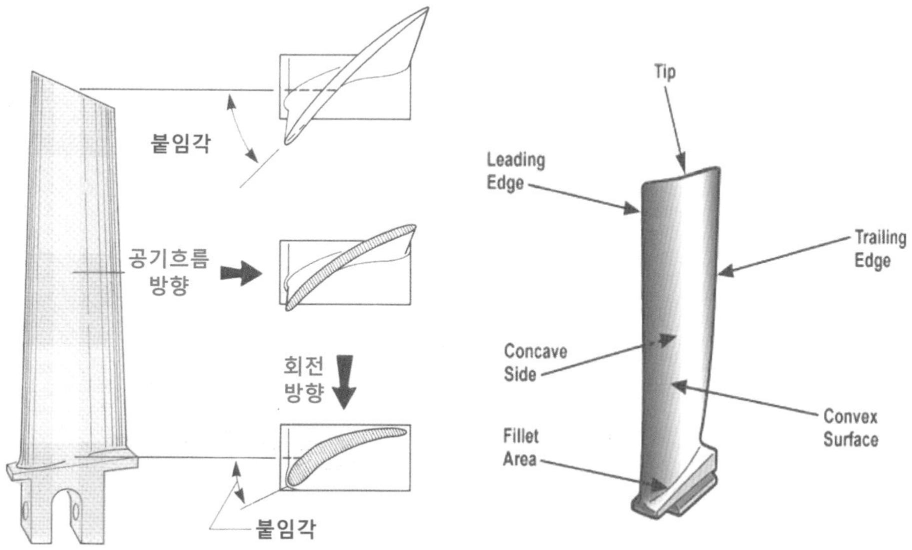

그림 2-21. 압축기 블레이드의 비틀림과 각부명칭

축류 압축기는 팬(fan)을 포함하여 일반적으로 10~18단으로 구성되어있다. 길이가 긴 블레이드의 경우에는 그림 2-22와 같은 미드 스팬 슈라우드(mid-span shroud)가 장착되어 강한 기류에 의한 굽힘 작용에 대하여 블레이드를 서로 지지하게 하여 굽힘을 방지한다.

그림 2-22. 미드 스팬 블레이드

압축기 블레이드의 뿌리(root) 부분은 조립을 쉽게 하고, 진동을 흡수하기 위하여 압축기 디스크(disk)에 느슨하게 고정하여 유격을 준다. 압축기 블레이드는 도브테일(dovetail)방식으로 장착하고 핀(pin)과 고정 탭(lock tab)이나 록커(locker)로 고정한다.

도브테일 락크 방식은 디스크의 축 방향에 같은 간격으로 가공한 도브테일 모양의 홈에 도브테일 모양으로 가공한 블레이드의 루트(root)를 끼워 넣고, 블레이드 락크(blade lock) 또는 블레이드 리테이너(blade retainer)를 사용해서 블레이드가 축 방향으로 이동하지 않도록 고정하는 방식으로 가장 일반적인 방식이다.

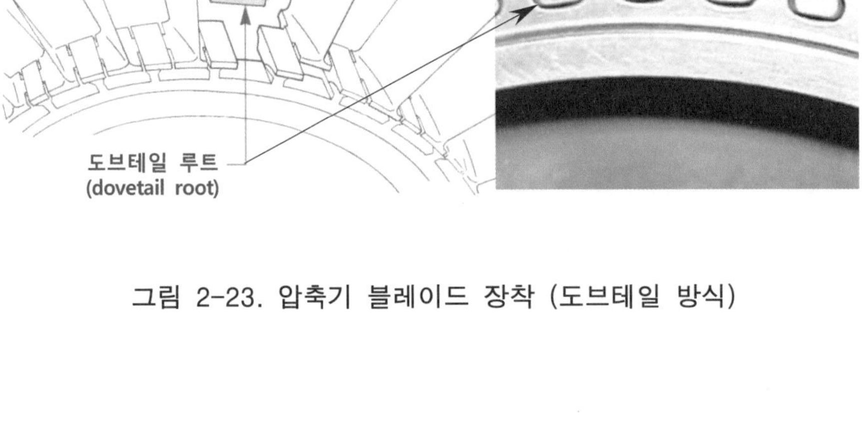

그림 2-23. 압축기 블레이드 장착 (도브테일 방식)

그림 2-24는 CFM56-7B 엔진의 드럼(drum) 형식의 디스크에 저압 압축기 로터 블레이드를 장착하는 방식을 보여주고 있다.

각 단은 하나의 로딩 슬롯(loading slot)과 고정 러그(locking lug)를 위치시키기 위한 2개의 작은 슬롯이 있다. 블레이드 루트(root)는 로딩 슬롯에 끼워져서 단이 다 찰 때 까지 이동시키고, 마지막 단계에서 블레이드 측면이 파여진 4개의 블레이드를 고정 러그에 의해서 블레이드를 고정한다.

고정 러그는 블레이드가 슬롯을 따라 회전하는 것을 방지해주는데 고정 러그의 위치는 부스터의 정적균형을 위해 각 단계별로 120° 간격으로 어긋나게 위치시켜야 한다.

압축기 블레이드의 구조 재료는 그 작동 온도에 맞추어서 저 압력 단(low pressure stage)에는 가볍고 견고한 티타늄 합금(titanium ally)이 사용되고 고 압력 단(high pressure stage)에는 고온강도가 우수한 스테인리스(stainless steel) 혹은 니켈 합금(nickel based alloy) 강이 사용된다.

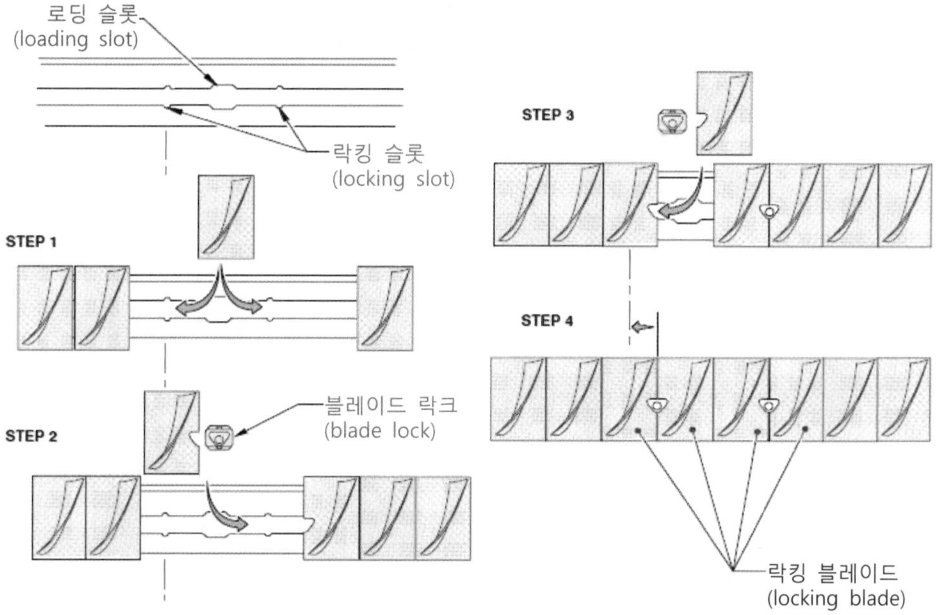

그림 2-24. CFM56-7B 엔진 압축기 블레이드 장착

2.2.3. 블리스크(BLISK)

A380 항공기 등에 장착되는 GP7200엔진의 경우에는 고압압축기 1단은 그림 2-25와 같이 블레이드와 디스크를 합체하여 하나의 부품으로서 제작하였으며, 블리스크(Blisk)라고 부르고 있다. 이것에 의해 부품의 수는 적어지고, 외부에서 침입한 이물질에 의한 손상(FOD)에 대해서도 강해진다. 블리스크는 블레이드와 디스크의 합성어이다.

그림 2-25. 블리스크 로터(Blisk Rotor)

2.2.4. 압축기 스테이터 베인(COMPRESSOR STATOR VANE)

스테이터 베인(stator vane) 역시 같은 모양의 날개 골(airfoil) 모양을 하고 있으므로 스테이터를 통과한 유입공기도 같은 모양으로 압력상승을 얻는다. 또한 확산으로 감소한 유입공기의 속도는 로터의 회전운동에 의해 회복된다. 이와 같이해서 각 단마다의 압력상승이 누적되어 높은 압력상승을 얻게 된다.

이러한 스테이터 베인의 목적은 공기흐름의 방향을 변화시켜 로터 블레이드에 알맞은 각도로 유입시키고, 또한 압축기 로터 블레이드에 압축된 공기는 다음단계의 스테이터 베인에 보내지므로 공기흐름의 와류(turbulence)를 최소로 하는 역할을 한다.

저압부분의 스테이터 베인은 주로 알루미늄 합금 및 티타늄 합금(titanium alloy)이 사용되며, 온도와 압력이 함께 높은 고압이 작용되는 고압부분에는 주로 스테인리스 강(stainless steel)이나 니켈 합금강(nickel base alloys)이 사용되고 있다.

스테이터 베인은 고정식 스테이터 베인과 각도가 조절되는 가변식 스테이터 베인이 있으며, 압축기 케이스에 고정되거나, 스테이터 베인 리테이닝 링(retaining ring)에 의해 압축기에 고정된다. 끝 부분에는 슈라우드(shrouds)가 장착되어 각각의 단계마다 발생하는 공기흐름의 손실을 방지시킨다.

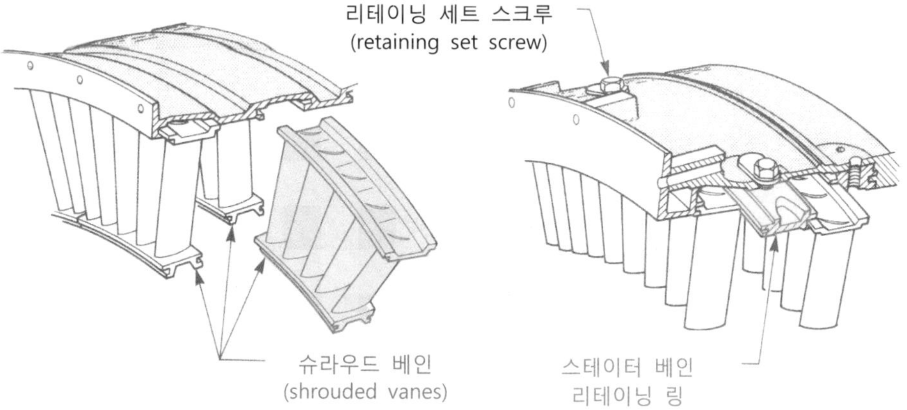

그림 2-26. 슈라우드 베인 세그멘트(shrouded vane segments)

축류형 터보제트엔진의 흡입구 안내 베인(inlet guide vanes)은 압축기 첫 번째 단계에 있으면서 엔진의 작동 조건에 따라 적당한 각도로 변화하여 압축기로 들어가는 공기의 흐름의 방향을 변화시키는 역할을 한다.

즉, 엔진 회전속도가 낮은 속도에서 압축기 첫 번째 단계에 보다 많은 량의 공기가 흘러 들어가면 후방 단계의 압축기가 그 처리를 하지 못하는 경향이 발생하고 이에 따라 압축기 실속(compressor stall)에 들어가게 되는 경향이 있으므로 흡입구 안내 베인의 각도가 변하여 엔진으로 들어가는 공기량을 조절하여 압축기 실속을 방지하여주는 역할을 한다.

그림2-27에서 보는 것과 같이 하나의 축을 가진 터보 제트 엔진에서의 높은 압축비를 얻기 위해서는 압축기 설계에 유도공기 흐름 제어가 필요하며, 이러한 방법은 1단계의 흡입구 안내 베인(inlet guide vanes)을 가변으로 설치하고, 그 뒤로 여러 단계의 스테이터 베인을 가변으로 만들게 되었다.

압축기 속도를 설계속도보다 감소시키기 위해서는 압축기 로터 블레이드(rotor blade)의 회전 속도에 따라 받아들이는 공기흐름의 각도를 일정하게 유지하기 위해서 고정 베인은 닫히는 쪽으로 작동시킨다.

가변 스테이터 베인의 작동은 연료제어장치(FCU : Fuel Control Unit)가 압축기 입구온도와 엔진속도의 신호를 받아 피치 각을 조절하여 이루어진다. 이렇게 작동되는 가변 스테이터 베인의 효과는 압축기 내부의 각각의 단계마다 공기흐름의 방향을 교정하여 압축기 실속을 방지하는 역할을 한다.

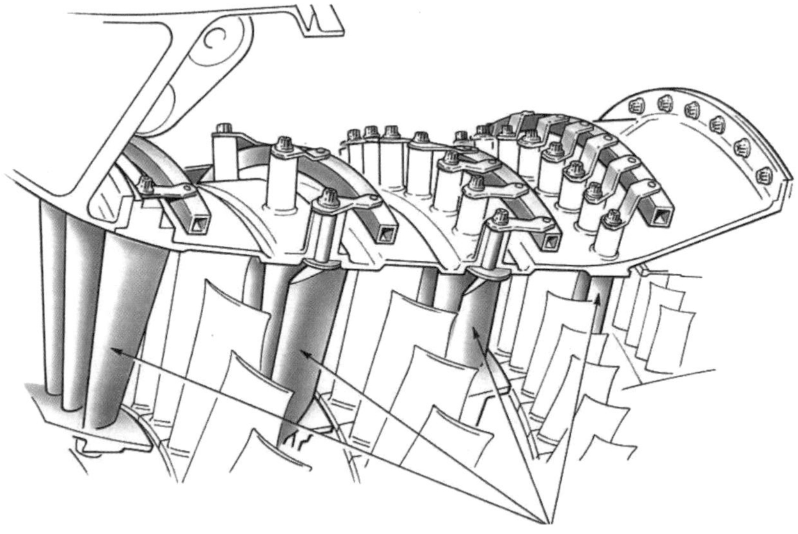

그림 2-27. 가변 스테이터 베인(VARIABLE STATOR VANES)

2.2.5. 팬 압력비(FAN PRESSURE RATIO)

1단의 저 바이패스 팬(low by pass fan)의 팬 압축비(fan compression ratio)는 약 1.5:1 이고, 고 바이패스 팬(high by pass fan)은 1.7:1 정도이다.

초기의 고 바이패스 엔진(팬 바이패스 비가 4:1 이상)은 종횡비가 큰 블레이드로 설계되었다. 이는 길고 좁은 코드(narrow chord)의 형태이다.[그림 2-28]

그러나 최근에 개발된 엔진들은 외부 이물질이나 버드 스트라이크(bird strike)등의 손상에 강한 종횡비가 작은 와이드 코드 팬 블레이드(wide chord fan blade)를 사용하고 있다.

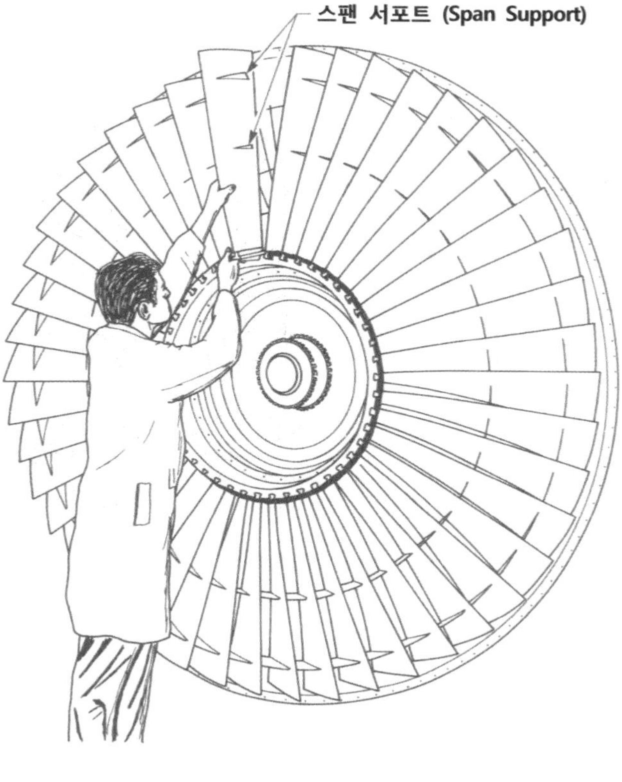

그림 2-28. 종횡비가 큰 고 바이패스 팬

와이드 코드 팬 블레이드의 구조상 무게가 무거워지는 문제점을 보완하기 위하여 블레이드 안쪽은 속이 빈 티타늄 블레이드나 복합소재로 만든 블레이드가 개발되어 사용되고 있다.

이러한 블레이드들은 팬 블레이드들을 서로 지지해주는 미드 스팬 슈라우드(mid-span shroud)가 필요 없으며, 흐름 면적이 커짐에 따라 더욱 많은 공기흐름을 만들어 낸다.

최근에 개발된 엔진들은 슈라우드가 없는 와이드 코드(wide chord) 팬 블레이드가 주류를 이루고 있으며, 기존의 폭이 가늘고 긴 팬 블레이드(narrow 또는 clapper형)에 비하여 효율이 대폭 향상되었고, 외부물질에 의한 손상(F.O.D)에도 강한 것으로 나타나 있다.

팬 블레이드 재질 또한 기존의 티타늄 합금에서 복합소재를 사용하여 무게를 감소시키고, 효율을 증대시키는 기술이 개발되어 사용 중이다.

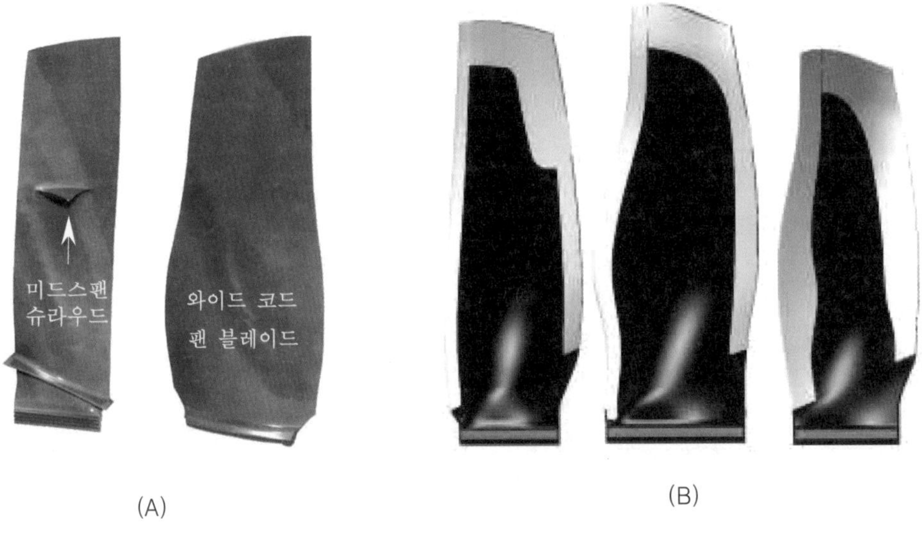

그림 2-29. (A) 티타늄 합금 팬 블레이드 (B) 복합소재 팬 블레이드

2.2.6. 팬 바이패스 비(FAN BY-PASS RATIO)

팬 바이패스 비는 팬을 통과하여 팬 덕트로 나가는 공기량과 코어엔진(core engine)으로 들어가는 공기량과를 비교하여 표시된다. 즉, 팬을 통과하는 공기량을 코어엔진의 흡입구로 들어가는 공기량으로 나눈 값으로 정한다. 일반적으로 바이패스 비가 높다는 것은 추진효율이 높다고 말할 수 있다.

공기역학적 설계한계로 인하여 바이패스 비는 항공기 속도 마하 0.8~0.85로 순항하는 항공기로 설계된 경우에는 대략 6:1로 제한되었으나, B777-300ER에 사용되는 GE90-115B 엔진의 경우에는 팬 직경(fan diameter)을 크게 하고 와이드 코드 팬 블레이드를 채용하여 9:1의 바이패스 비를 가지고 있다.

최근에는 높은 바이패스 비를 얻기 위하여 그림 2-30과 같이 프로 팬(pro-fan) 엔진이나, 역-회전 팬(contra-rotating fan)엔진과 같은 것이 개발 시험 중에 있다.

가변 피치 에어포일(variable pitch airfoils)을 가진 초 고 바이패스(Ultra High By-Pass : UHB) 엔진은 바이패스 형상을 크게 바꾸어 나가고 있으며, 순항속도를 마하 0.8에서 0.9를 목표로 했을 때 덕트 프로 팬(ducted profans)은 범위가 10:1이고, 덕트가 없는 프로 팬(unducted profan)은 100:1 이상으로 예측하고 있다.

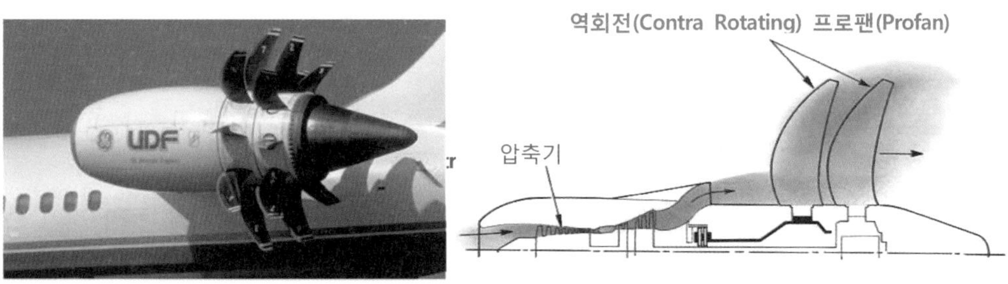

그림 2-30. 프로 팬 엔진(Unducted Profan Engine)

2.3. 콤비네이션 압축기(COMBINATION COMPRESSOR)

원심 압축기와 축류 압축기의 단점은 제거하고 장점만 취하여 조합형 축류-원심식(axial-centrifugal flow) 압축기가 개발되었다. 이 엔진은 현재 소형 사업용 제트와 헬리콥터에 사용되고 있다.

그림 2-31은 가레트(GARRETT)사의 TFE731 터보 팬 엔진으로서 대표적인 콤비네이션 압축기 엔진이다. 팬은 과속을 방지하기 위하여 감속기어를 통하여 구동되므로 저압 압축기는 보다 효율적인 속도로 작동될 수 있다. 저압 압축기는 축류 압축기, 고압 압축기는 1단의 원심 압축기로 되어 있다. 압축기의 전체 압축비는 15:1이고, 연소실은 역류형(Reverse Flow Type)의 애뉼러형을 채택하여 엔진길이를 감소시켰다.

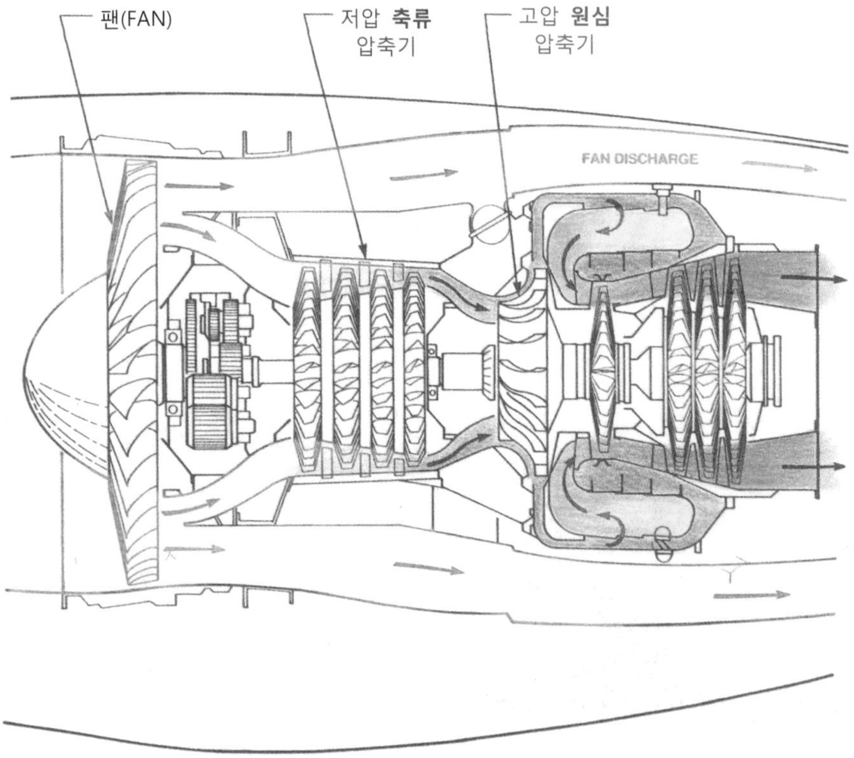

그림 2-31. GARRETT TFE731 콤비네이션 압축기 엔진

2.4. 압축기 공기 브리드(COMPRESSOR AIR BLEEDS)

압축기의 2차적 역할은 엔진과 항공기에 여러 가지 목적을 위하여 고압, 고온공기를 공급하는 일이다. 이러한 공기를 브리드 공기(bleed air) 또는 커스터머 브리드 에어(customer bleed air)라고 부른다.

브리드 공기는 압축기의 여러 단계에서 빼내어 사용할 수 있다. 특별한 일을 수행하기 위해 요구되는 압력과 온도의 공기는 브리드 포트(bleed port)의 위치에 따라 결정된다. 이 브리드 포트는 특정 단계의 공기를 브리드(bleed)하기 위하여 압축기 케이스(case) 외부에 작은 통로들을 가지고 있어서 여러 크기의 압력이나 온도를 적절하게 사용할 수 있다.

아주 높은 압력과 온도를 사용하기 위해서는 가장 마지막 단계의 압축공기를 뽑아서 사용하는데 때로는 이 높은 압력의 공기를 냉각시킬 필요가 있다. 과도한 열은 객실여압이나 다른 목적에 사용할 경우 불쾌하거나 해롭기 때문에 냉각장치를 통하여 보내진다.

압축기 브리드 에어의 용도는 다음과 같다.

- 객실의 여압 및 냉, 난방(cabin pressurization, heating, and cooling)
- 방빙 및 제빙 장치(deicing and anti-icing equipment)
- 연료 등의 가열과 고온부분의 냉각(heating and cooling)
- 엔진 공압식 시동(engine pneumatic starting)
- 계기 작동을 위한 동력(power for operating instruments)
- 압축기 공기흐름 조절(compressor air flow control)
- 베어링 시일 가압(bearing seal pressurization)
- 보조 구동장치(auxiliary drive units)

그림 2-32는 PW4000 엔진의 고압 압축기 부분으로서 단계(stage)별 브리드 공기의 공급계통을 보여주고 있다.

케이스 외부에는 다수의 브리드 포트(bleed port)가 있어서 압축기 내부의 브리드 공기를 뽑아낼 수 있게 되어 있다.

8단계 브리드 공기는 항공기의 객실여압 및 냉, 난방에 사용되며, 9단계 브리드 공기는 엔진의 안정성을 도모하고, 압축기 로터의 내부를 냉각시키며, 저압 압축기와 고압압축기 사이의 1.5번 베어링 시일을 가압해준다.

또한 12단계 공기는 고압터빈 부분에 위치한 3번 베어링을 냉각해주고 시일을 가압해주며, 터빈의 부품들을 냉각해준다.

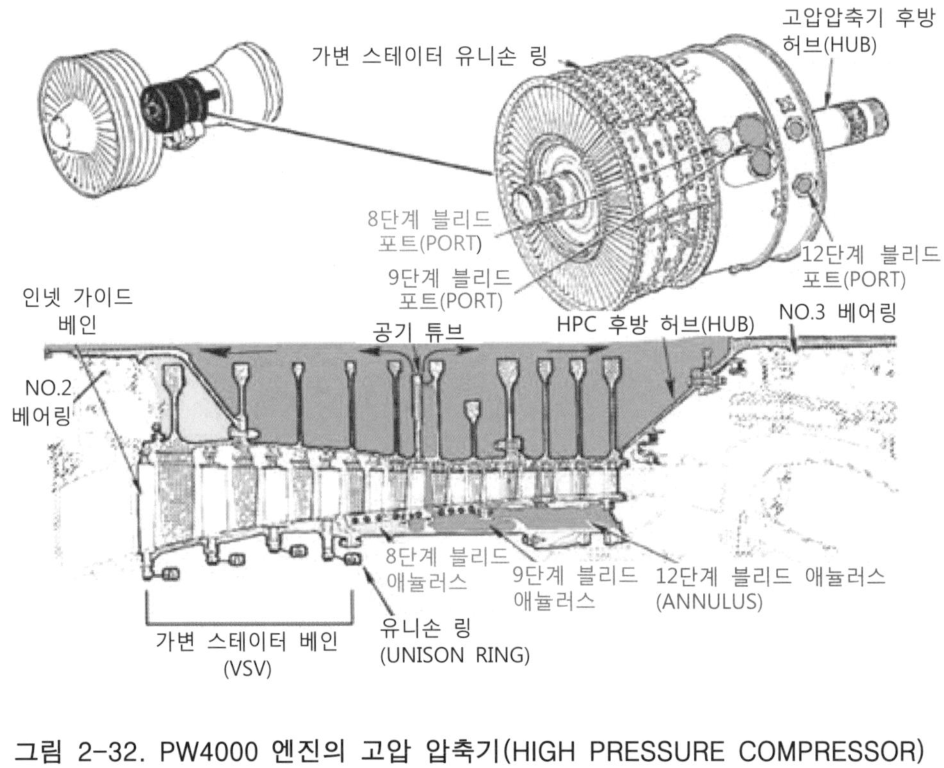

그림 2-32. PW4000 엔진의 고압 압축기(HIGH PRESSURE COMPRESSOR)

2.5. 압축기 실속(COMPRESSOR STALL)

축류 압축기에서 압력비를 높이기 위해서 단수를 늘려 가면 점차로 안정 작동범위가 좁아져 시동성과 가속성이 떨어지고, 마침내 빈번하게 실속 현상을 일으키게 된다. 실속이 발생하면 엔진은 큰 폭발음과 진동을 수반한 순간적인 출력감소를 일으키며, 경우에 따라서는 이상 연소에 의한 터빈 로터와 스테이터의 열에 의한 손상, 압축기 로터의 파손(crack)등의 중대 사고로 발전하는 경우도 있다. 또한 그 실속을 서징(surging)이라고 부른다.

압축기 블레이드는 항공기의 공기역학적인 날개와 같은 얇은 날개 골(airfoil) 형상을 가지고 있음으로 이 실속 현상의 발생은 압축기 로터를 항공기 날개로 가정해서 설명할 수 있다.

그림 2-33의 비행기 날개의 양력(lift)은 날개의 받음각(angle of attack)이 클수록 증가하고 어떤 각도에서 최대에 달하여 그것을 넘으면 날개 면에 공기 흐름이 박리를 일으켜 양력이 급속히 떨어진다.

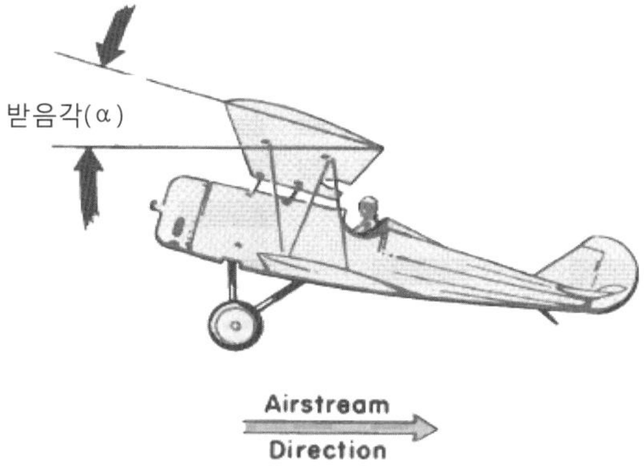

그림 2-33. 비행기 날개 양력(Lift)

날개 골(Airfoil) 형상을 가진 로터 블레이드의 경우에도 높은 압축기 속도와 함께 낮은 흡입속도와 같은 원인에 의하여 유효받음각이 증가되었을 때 이 받음각은 실속을 일으키는 조건이 된다.

그림 2-34(A)는 엔진 회전수(RPM)와 스테이터 베인을 통과한 유입 공기 속도가 정상적인 상태로 받음각이 적당하여 블레이드의 공기흐름이 난류 없이 잘 흐르고 있으나, (B)의 경우에는 엔진 회전수에 비하여 유입공기 속도가 낮은 상태이며, (C)는 유입공기 속도에 비하여 회전수가 너무 높아 받음각이 커져 블레이드에서 공기흐름이 박리현상을 보이고 있다. 즉, (B)와 (C)의 경우 로터 블레이드에 대한 유입공기의 받음각이 너무 커져서 압축기 실속이 발생하게 되는 것이다.

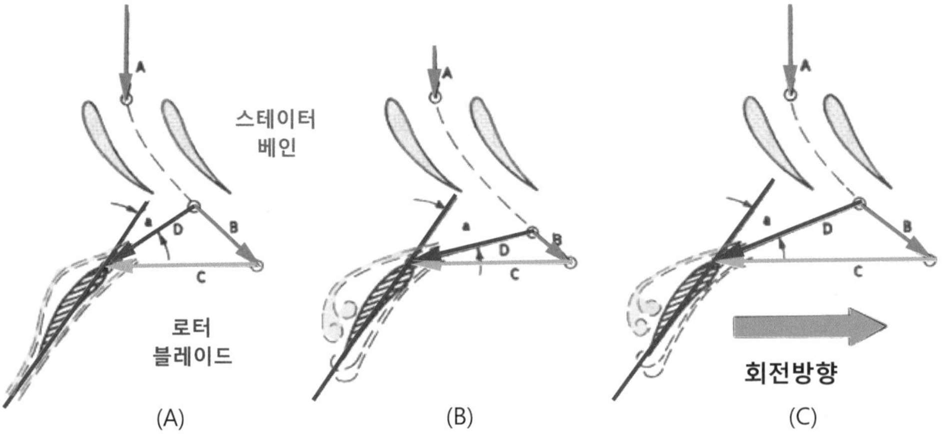

A 공기 유입방향
B 로터에 대한 유입공기의 상대속도
C 로터의 회전속도
a 로터에 대한 유입공기의 받음각

그림 2-34. 로터의 실속(Stall)

압축기 실속은 압축기 속도가 떨어져서 멈추거나, 압축공기가 정체되어 역 방향으로 흐르게 된다. 실속상태는 공기 파동이나 진동소음 등의 가벼운 형태에서부터 폭음과 격렬한 진동소음 소리를 들을 수 있다.

가벼운 실속(mild stall)상태는 조종실 계기에 잘 나타나지 않는다. 이를 일시적인 실속(transient stall)이라고 부른다. 이러한 실속은 1~2차례 파동 후 엔진 자체에서 원상회복이 된다.

심한 실속(severe stall)은 헝 스톨(hung stall)이라고 부르는데 엔진 성능에 악영향을 끼쳐서 엔진출력이 상실되고 엔진 손상에 이르기까지 하는 원인이 된다. 조종사는 실속상태를 소음과 회전계기(RPM)의 떨림과 배기가스 온도(exhaust gas temperature)의 증가 등으로 감지할 수 있다.

압축기의 실속 발생 원인으로는 다음과 같다.

- 비행자세의 급변에 따르는 엔진 유입공기흐름의 난류, 측풍과 돌풍, 다른 엔진으로부터 배기가스의 흡입 등
- 과도한 연료흐름으로 인한 엔진 급가속
- 오염되거나 손상된 압축기 블레이드와 스테이터 베인
- 손상된 터빈에 의한 압축기로 전달되는 축마력의 손실 및 압축기 속도 감소
- 공기 흐름에 비하여 과도하게 높거나 낮은 회전속도

압축기의 대표적인 실속 방지방법으로는 다음과 같이 3가지 방법이 있고, 현재 사용 중인 엔진은 이들을 적당하게 조합시켜서 사용하고 있다.

- 유입공기흐름을 제어할 수 있도록 가변 흡입구 안내 베인(variable inlet guide vane)을 설치하고, 거기에 여러 단계의 가변 스테이터 베인(variable stator vane)을 설치
- 엔진시동 또는 저속으로 작동 중에 압축기 끝부분에서 고압의 공기가 축적되는 것을 방지하기 위하여 자동으로 작동

그림 2-35. J85 엔진 압축기 브리드

하는 공기배출계통(air bleed system) 설치[그림 2-35참조]

- 다축식 구조 엔진(multiple-spool engine) 채용

2.6. 압축기 맵(COMPRESSOR MAP)

엔진 제작사는 그림 2-36과 같이 엔진을 개발할 때 압축기 시험 리그(compressor test rig)를 이용하여 압축기를 일정한 속도로 구동시키면서 압축기 입구와 출구의 온도, 압력 및 공기흐름을 조절 가능한 유출밸브(outflow valve)의 열림 정도를 변화시키면서 압축기 실속성능을 시험하여 정해진 일정한 압축기회전(속도)에서 압력비가 최대인 점들을 연결하여 서지 라인(surge line)을 만든다.

이러한 자료를 토대로 엔진을 작동할 때 서지라인을 넘지 않도록 운영성능을 결정하는 것이다.

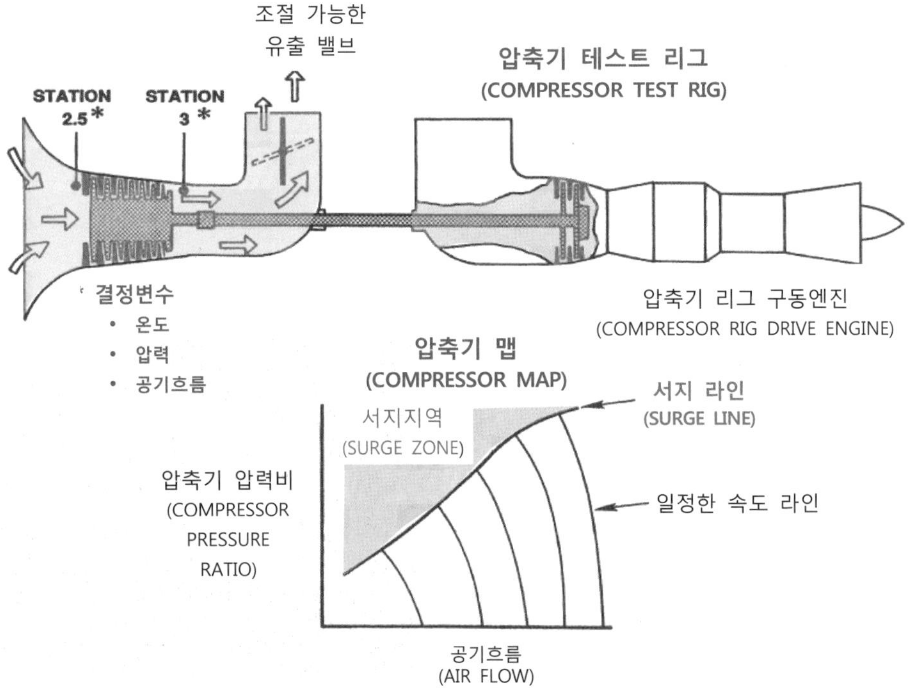

그림 2-36. 서지 마진 그래프(SURGE MARGIN GRAPH)

3. 압축기 디퓨저(COMPRESSOR DIFFUSER)

디퓨저(diffuser)는 압축기 후방에 볼트로 연결되어 고압 압축기로부터 방출되는 공기 흐름을 확산시킴으로서 공기 흐름을 감속하여 연소실로 적절한 유입 속도를 제공함과 동시에 속도 에너지를 정압으로 변환(압력상승)시킨다. 이 때문에 디퓨저 케이스의 흐름 통로 단면은 확산 구조로 되어 있다.

디퓨저 입구에서 전압력(Pt)과 출구에서 전압력은 같지만 디퓨저를 지나는 공기의 확산작용에 의해서 정압(Ps)을 상승시킨다. 또한 공기가 연소실로 유입될 때 낮은 속도로 들어가게 함으로써 연소실 내부의 불꽃이 빠른 속도로 유입되는 공기에 의해 꺼지지 않게 한다.

대형 터보 팬 엔진의 디퓨저는 그림 2-37과 같이 디퓨저 케이스(diffuser case)는 연소실을 감싸고 있으며, 브리드 포트(bleed port)가 있고, 연료 노즐 및 점화 플러그 등이 장치되어 있다.

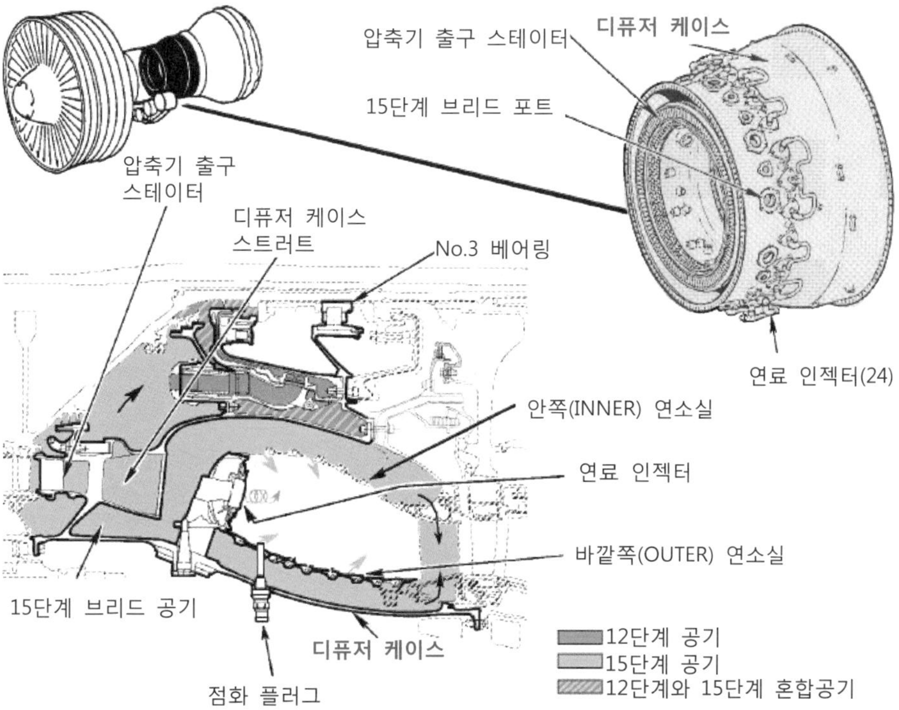

그림 2-37. PW4000 엔진 디퓨저와 연소실

4. 연소실(COMBUSTION SECTION)

연소실(combustion chamber) 혹은 연소기(burner)는 압축기에서 유입된 고압공기에 연료를 연속적으로 주입하여 연소시키는 장치이다.

연소실의 앞쪽에 장치된 연료분사 노즐(nozzle)에서 연료를 연속적으로 분사시켜 고압공기와 연료의 혼합기를 만들고, 여기에 점화 플러그에 의한 점화로서 연속적으로 연료와 공기 혼합기를 연소한다.

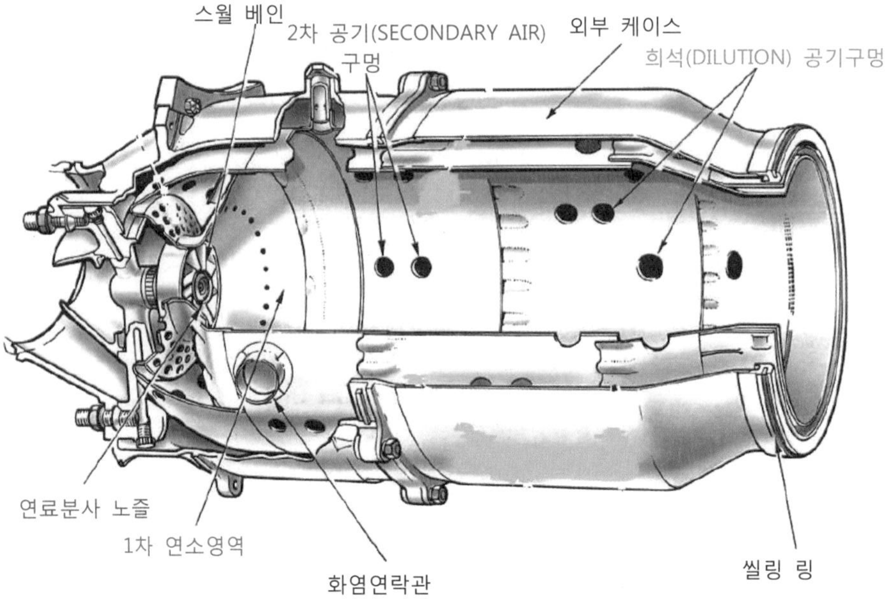

그림 2-38. 초기 엔진의 연소실 주요구조

이러한 일들을 효율적으로 수행하기 위해서 연소실이 구비해야 할 필요 조건은 다음과 같다.

- 안정된 연소를 위한 적절한 연료와 공기 혼합

- 효율적인 연료공기 혼합물 연소
- 터빈 블레이드가 작동한계 내에서 견딜 수 있도록 뜨거운 연소공기를 냉각
- 뜨거운 가스(hot gases)를 터빈으로 전달

디퓨저와 터빈 사이에 위치하고 있는 연소실은 다음과 같은 기본요소로 구성되어 있다.

- 외부 케이스(outer casing)
- 구멍이 뚫린 내부 라이너(inner liner)
- 연료 분사계통(fuel injection system)
- 초기점화를 위한 장치(initial ignition)
- 엔진 정지 시 연소되지 않은 연료 배출을 위한 연료배출계통(fuel drainage system)

연소실이 제대로 작동하려면 효율적인 연소를 위해 공기와 연료를 혼합하여 고온의 가스를 만들어야 하는데, 터빈 부품 등이 과열되지 않도록 하려면 터빈으로 전달되는 연소가스의 온도를 좀 더 낮추어야 할 필요가 있다. 이를 위해 공기흐름을 1차와 2차공기로 나누어 연소실을 통과한다.

공기의 약 25~35%(1차 공기)가 연소를 위해 연료노즐 주변으로 들어가고, 나머지 65~75%(2차 공기)는 연소실 벽면에 화염이 직접 닿지 않도록 보호막(air blanket)과 화염을 가운데로 몰아주는 역할을 하여 연소실 라이너의 벽면을 냉각해서 벽면 재료를 보호하고 연소실의 내구성을 늘리는 작용을 한다. 또한 2차 공기는 터빈 부품의 수명이 단축되지 않게 하기 위하여 고온의 연소가스를 희석해서 연소실 출구 온도를 허용된 터빈 입구 온도까지 균일하게 낮추어준다.

1차와 2차공기의 비율은 엔진 제작사에 따라 상이하다. 영국 롤스로이사의 제트엔진 텍스트북에서는 그림 2-39와 같이 1차 공기를 20%로 2차 공기는 80%로 표시하기도 한다.

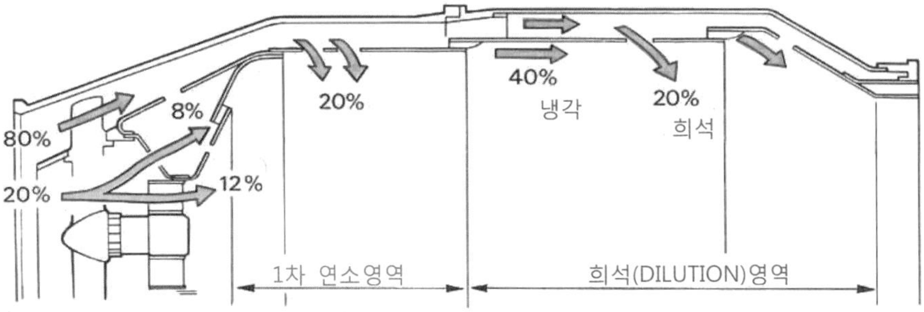

그림 2-39. 연소실의 공기흐름

효율적인 연소는 항공 교통량이 증가하고 있는 주요공항 주변에서는 매우 중요하다. 항공기 이· 착륙 빈도가 높은 공항이나 주변지역에서는 매연이 보이게 되고 이는 새로운 대기 오염의 주범으로 인식하는 결과를 초래한다.

예전에 설계된 불완전한 연소실은 테일 파이프(tail pipe)에 연소되지 않은 연료가 잔류하게 되어 대기로 매연을 방출하였으나, 최근에는 화염 패턴을 짧게 하고, 좀 더 높은 온도에서도 견딜 수 있는 새로운 재질의 사용으로 엔진 제작사는 터빈엔진의 매연을 거의 완벽하게 제거할 수 있게 되었다.

연소실의 2차 공기는 초당 수백 피트의 빠른 속도로 흐르지만, 1차 공기흐름은 연료가 혼합되어 연소되기 전에 선회운동을 일으키게 하는 스월베인(swirl vanes)을 통하여 속도가 초당 5~6 피트로 감속된다.

화염지역의 소용돌이는 연료와 공기를 적절하게 혼합하도록 난류를 만들어 준다. 이러한 공기흐름의 감속은 화염전파가 느린 케로신(kerosene) 유형의 연료특성 때문에 매우 중요한다.

제트 엔진의 연료에는 보통 케로신이 사용되고 있고 케로신(kerosene)의 연소에 필요한 이론 공연비는 중량비로 약 15:1이다. 그러나 실제로 연소실로 보내지는 공기 흐름량은 40~120:1(평균 80:1)로 이론 공연비의 약 6배나 되고 이 상태로는 혼합기가 너무 희박하여 연소되지 않는다. 이 때문에 1차 연소 영역에는 14~18:1의 최적 혼합비가 항상 유지되도록 연소에 직접 사용되는 1 차 공기의 유입량을 제한하고 있다.

연소실 길이의 1/3 정도가 연소과정이고, 나머지는 연소된 가스와 미 연소된 가스가 혼합되어 터빈 노즐(turbine nozzle)에 열을 분산한다.

최근의 엔진들은 연소정지(flame out)가 흔하지는 않지만, 연소 불안정은 여전히 발생되고 있다. 운항 중 난기류 기상(turbulent weather)을 만나거나, 고고도 비행, 늦은 가속 및 고속으로 비행할 경우에는 연소 불안정을 일으켜서 연소정지가 초래될 수 있다.

연소정지는 2가지 유형이 있다. 희박정지(lean die out)는 엔진을 통과하는 공기량보다 연료량이 충분하지 않아 엔진 내부에서 불꽃이 꺼지는 현상으로 고고도에서 낮은 엔진속도와 낮은 연료압력에 의해서 발생한다.

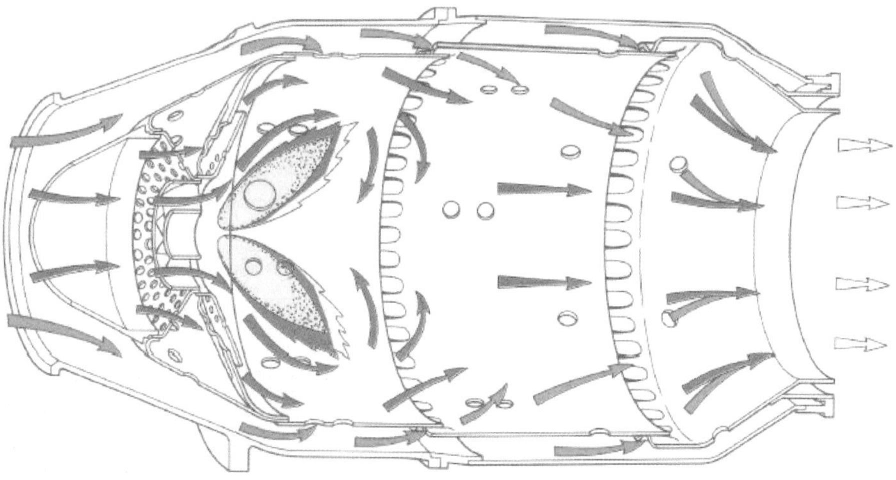

그림 2-40. 화염안정과 일반적인 공기흐름 패턴

농후혼합기 연소정지(rich flameout)는 연료와 공기의 혼합기가 과도한 농후(overly rich mix)로 인하여 엔진의 연소가 돌연히 꺼지는 현상으로 엔진의 급가속으로 인하여 연소실 압력의 증가로 압축기 공기흐름이 정체되고 속도가 느려지거나 멈추게 된다. 공기흐름이 중단되게 되면 화염은 꺼지게 된다.

공기흡입구의 난기류와 급 기동 비행(violent flight)은 압축기 실속의 원인이 되고, 공기흐름이 정체되어 연소정지를 초래할 수 있다.

4.1. 연소실의 종류
(BASIC TYPES OF COMBUSTION CHAMBER)

연소실은 기본적으로 캔 형(can type), 애뉼러 형(annular type) 그리고 캔과 애뉼러를 조합한 캔-애뉼러 형(can-annular type) 등 3가지로 분류할 수 있다.

4.1.1. 캔 형 연소실(CAN-TYPE COMBUSTION CHAMBER)

캔형 연소실은 그림 2-41에서 보는 것처럼 로터 축 주위의 동일 원주 상에 5~10개의 원통형의 연소실이 같은 간격으로 배치되어 있다.

압축기에서 나온 압축기 방출공기(compressor discharge air)가 디퓨저를 통과하면서 따로 갈라져서 각각의 연소실로 들어간다.

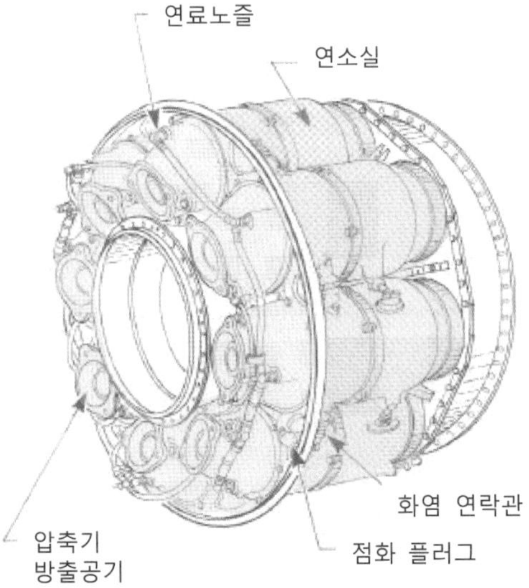

그림 2-41. 캔 형 연소실

이 연소실은 구조상 강도가 강하고 장· 탈착이 편리하므로 항공기에서 엔진을 장탈하지 않고도 정비가 비교적 쉽다는 장점을 갖고 있어 초기의 제트 엔진에 많이 이용되었으나, 고공에서 기압이 낮아지면 연소가 불안정하게 되어 연소정지(flame out)를 발생시키기 쉽고, 엔진 시동 시에 문제를 일으키기 쉬우며, 연소실 출구의 온도 분포가 불 균일 하는 등의 결점에 의해 최근에는 거의 사용되지 않는다.

캔 형 연소실은 연소실 외부 케이스(outer case), 연소실 라이너(liner), 연료 노즐(fuel nozzle), 보통 2개의 점화 플러그(ignition plug)와 각 연소실을 연결해 시동 시에 화염을 전파하는 화염 연락관(flame tube) 등으로 구성되어 있다.

4.1.2. 애뉼러형 연소실 (ANNULAR TYPE COMBUSTION CHAMBER)

애뉼러형 연소실(annular type combustion chamber)은 도너츠 형의 하나로 된 연소실로 연소실 외부 케이스, 연소실 라이너, 연소실 내부 케이스, 다수의 연료노즐, 점화 플러그(보통 2개)로 구성되어 있다.

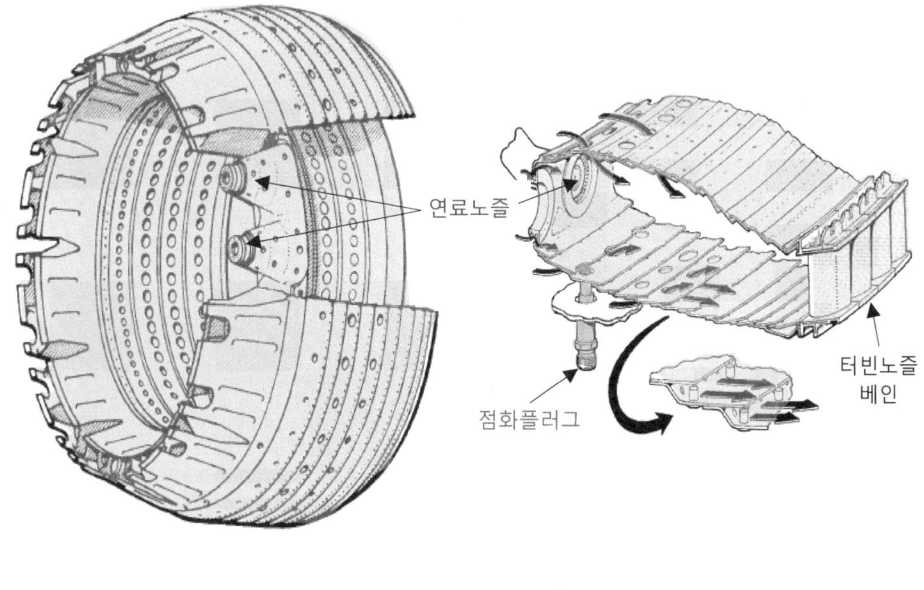

그림 2-42. 애뉼러 형 연소실

연소실의 구조가 간단하며, 전체 길이가 짧고 연소실의 단면적을 전면 면적과 비교해 최대로 소형으로 할 수 있다.

또한 연소가 안정되어 연소 정지가 없고, 출구 온도 분포가 균일해서 배기 연기도 적은 등 많은 장점을 갖기 때문에 최근의 신형 고성능 엔진에는 엔진의 크기에 관계없이 모두가 애뉼러형 연소실을 사용하고 있다.

그러나 애뉼러 형은 캔 형과 달리 로터 축(rotor shaft) 둘레에 하나의 통으로 둘러싸고 있어서 터빈을 장탈 하여야 연소실 정비가 가능하므로 정비성은 좋지 않다.

애뉼러 형은 연소실을 통과하는 공기의 흐름 방향에 따라 직류형 연소실과 역류형 연소실이 있다.

(1) 직류형 애뉼러 연소실(THROUGH FLOW ANNULAR COMBUSTOR)

직류형 애뉼러 연소실은 전방으로 들어오는 공기와 후방으로 나가는 공기 흐름 방향이 같은 연소실로 주로 중 · 대형 엔진에 사용되고 있다.

애뉼러 연소실은 바스켓(basket)으로 불리는 많은 구멍이 뚫려있는 내부 라이너(perforated inner liner)와 외부 케이스(outer casing)로 구성되어 있으며, 양쪽 모두 엔진을 원형으로 감싸고 있는 형태로 되어있다.

그림 2-43과 같이 여러 개의 연료 분사 노즐이 바스켓 안쪽에 노출되어 있고, 1차공기와 2차공기가 앞서 설명한바와 같이 연소와 냉각을 위해 흐른다.

(2) 역류형 애뉼러 연소실(REVERSE FLOW ANNULAR COMBUSTOR)

역류형 연소실은 직류형 연소실과 기능은 같으나, 공기가 연소실 후방으로 들어가서 연소실 전방 쪽으로 흐른다. 즉, 연소실로 들어오는 공기와 나가는 가스 흐름 방향이 반대인 연소실로서 새로운 아이디어는 아니며, 이미 오래전에 휘틀(Whittle)에 의해서 설계된 바 있다.

그림 2-44와 같이 연소실 안쪽에 터빈 휠(turbine wheel)이 들어가 있어 짧고 가벼운 엔진을 만들 수 있으며, 압축기 방출 공기(compressor discharge air) 또한 연소실 외측을 타고 들어가므로 뜨거운 가스를 사용하여 압축공기를 예열시키는 장점이 있다.

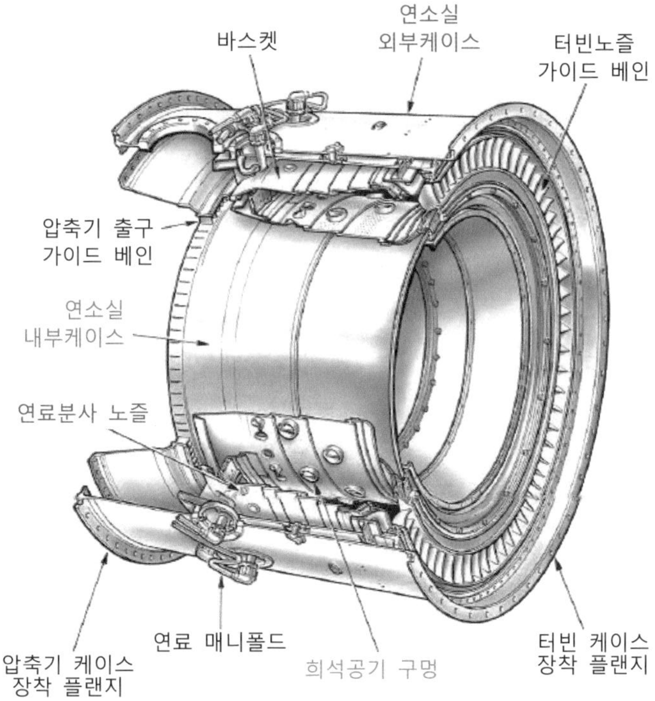

그림 2-43. 직류형 애뉼러 연소실

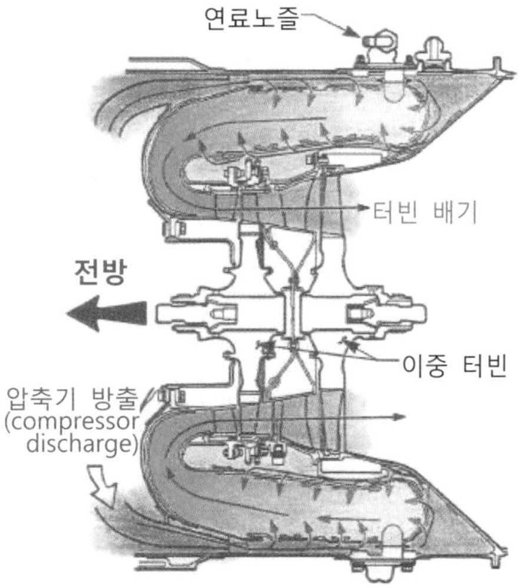

그림 2-44. 역류형(Reverse Flow) 연소실

이러한 요인들은 역방향으로 공기가 흐르면서 효율이 저하되는 부분들을 상쇄하기 때문에 소형 엔진에 많이 사용된다.

4.1.3. 캔 애뉼러형 연소실 (CAN-ANNULAR TYPE COMBUSTION CHAMBER)

캔 애뉼러 형 연소실(can-annular type combustion chamber)은 캔 형과 애뉼러 형을 조합시킨 것 같은 연소실이다.

캔 애뉼러 형의 연소실은 프랫 앤 휘트니(Pratt & Whiteny) 엔진에 의해서 상용항공기에 주로 사용되었으며, 연소실 외부 케이스, 원통형으로 된 5~10 개의 연소실 라이너, 각 라이너를 연결하여 화염을 전파하는 연결관, 각 라이너에 장치된 연료 노즐, 점화 플러그(보통 2개), 연소실 내부 케이스 등으로 구성되어 있다.

이 캔 에뉼러 형 연소실은 그 구조가 캔 형과 애뉼러 형의 거의 중간 특성으로 캔 형의 장점인 연소실의 분해수리(Overhaul)나 시험(Test)이 용이하여 정비성이 나쁜 애뉼러 형의 단점을 보완한 형태이다.

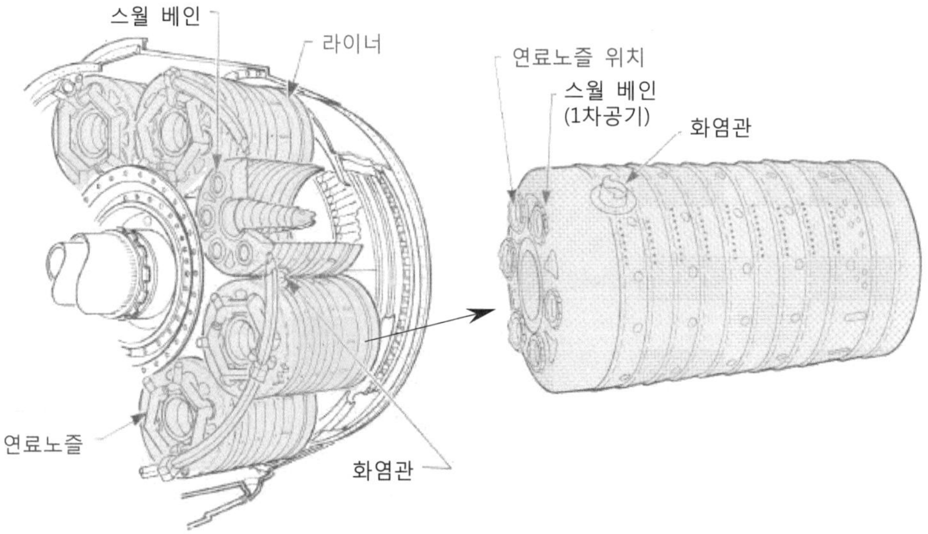

그림 2-45. 캔 애뉼러형 연소실

4.1.4. 터보 팬 엔진의 연소실 구조

그림 2-46은 민간 운송용 항공기뿐만 아니라 조기경보기 등의 군용 항공기에도 널리 사용하는 CFM56-7 엔진의 연소실 구조이다.

연소실 섹션(Combustion Section)은 설계이론상으로 고압압축기(HPC)와 고압터빈(HPT)사이에 위치하고 있으나, CFM56-7B 엔진은 고압터빈(HPT)부분이 연소실 케이스 후방안쪽에 위치됨에 따라 구조상으로는 고압압축기(HPC)와 저압터빈(LPT) 사이에 위치하고 있다.

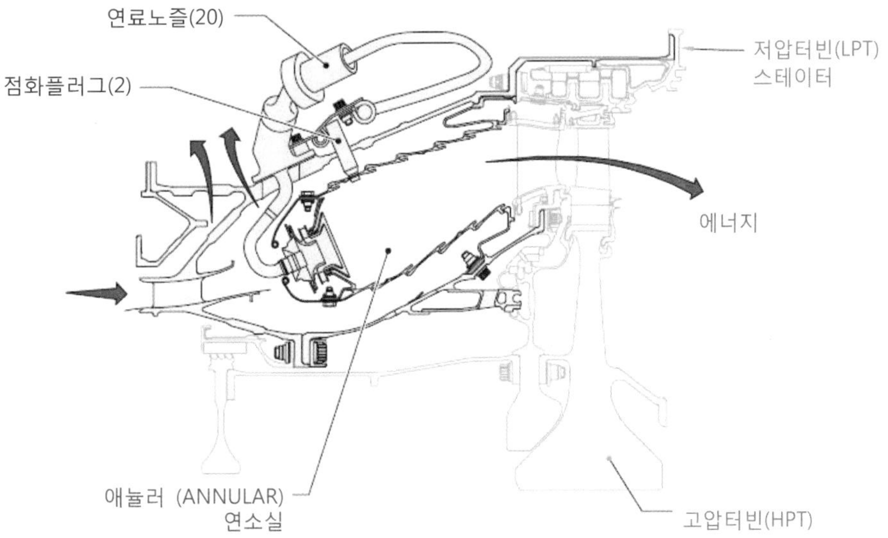

그림 2-46. 연소실 섹션(COMBUSTION SECTION)

고압압축기(HPC)를 거친 공기는 20개의 연료노즐(fuel nozzles)에 의해 공급된 연료와 혼합되어 2개의 점화플러그(igniter plug)에 의해 점화 되면, 가열 팽창된 가스가 발생하여 터빈(turbine)을 구동하는데 필요한 에너지를 만들어 내고, 잔여 에너지는 추력으로 전환된다.

또한, 연소실 섹션은 항공기와 엔진에 필요한 고압압축기 9단계 브리드 공기를 공급 해준다.

연소실(combustion chamber)은 연소실 케이스(combustion case)에 내장되어 고압압축기 9단계 스테이터와 고압터빈 노즐(HPT Nozzle)사이에 위치하고 있으며, 싱글 애뉼러 연소실(single annular Chamber : SAC)와 이중 애뉼러 연소실(dual annular chamber: DAC)로 두 가지 형태가 있다.

5. 터빈 (TURBINE)

터빈은 연소실 배기가스의 운동에너지를 압축기와 보기들을 구동하기 위한 기계적인 에너지로 변환시킨다.

터보제트 엔진에서는 연료가 연소되어 얻어진 에너지의 약 60~80%는 압축기를 구동시키는 데 사용되는데 터보 프롭이나 터보 샤프트 엔진과 같이 프로펠러 또는 출력축을 구동하기 위해서 사용된다면, 가스 에너지의 약 90% 이상을 터빈을 구동시키는데 사용된다.

터보제트 엔진의 터빈부분은 연소실 후방에 위치하고 있으며, 기본적으로 스테이터와 로터로 구성되어있다. 그림 2-47에 터빈 부분의 다른 구성품과 함께 기본구조를 보이고 있다.

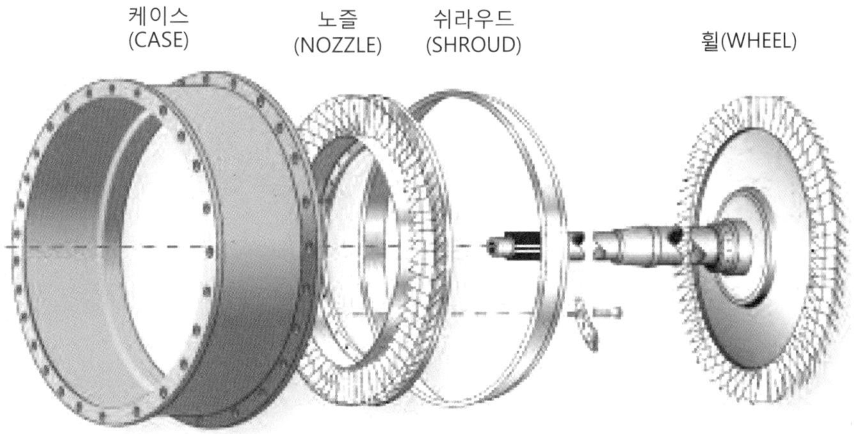

그림 2-47. 터빈 어셈블리(TURBINE ASSEMBLY)

그림 2-48은 B737 항공기에 장착되는 터보 팬 엔진(CFM56-7)의 터빈섹션(turbine section)이다.

고압터빈(HPT)과 저압터빈(LPT)으로 구성되어 있으며, 압축기 로터(Compressor Rotor)를 구동하기 위한 동력을 만들어 낸다.

엔진의 냉각은 고압압축기 4단계 공기에 의해 4개의 파이프(Pipe)를 통하여 저압터빈 1단계 노즐(LPT Stage 1 Nozzle)을 냉각하며, 고압압축기 4단계와 9단계 공기가 고압터빈 틈새조절 밸브(HPTCC Valve)와 2개의 연결된 파이프를 통하여 고압터빈 쉬라우드(HPT Shroud) 주위를 냉각 시킨다.

고압터빈 모듈(HPT module)은 연소실 케이스(combustion case)에 내장되어 있으며, 연소실(combustion chamber)로부터 발생한 가스의 운동에너지를 고압압축기를 구동 시킬 수 있는 회전력으로 전환 해준다. 즉, 연소 가스는 1단의 노즐(single stage nozzle)을 통해 압축기(HPC)를 구동시키기 위한 고압터빈 로터(HPT rotor) 블레이드로 보내진다.

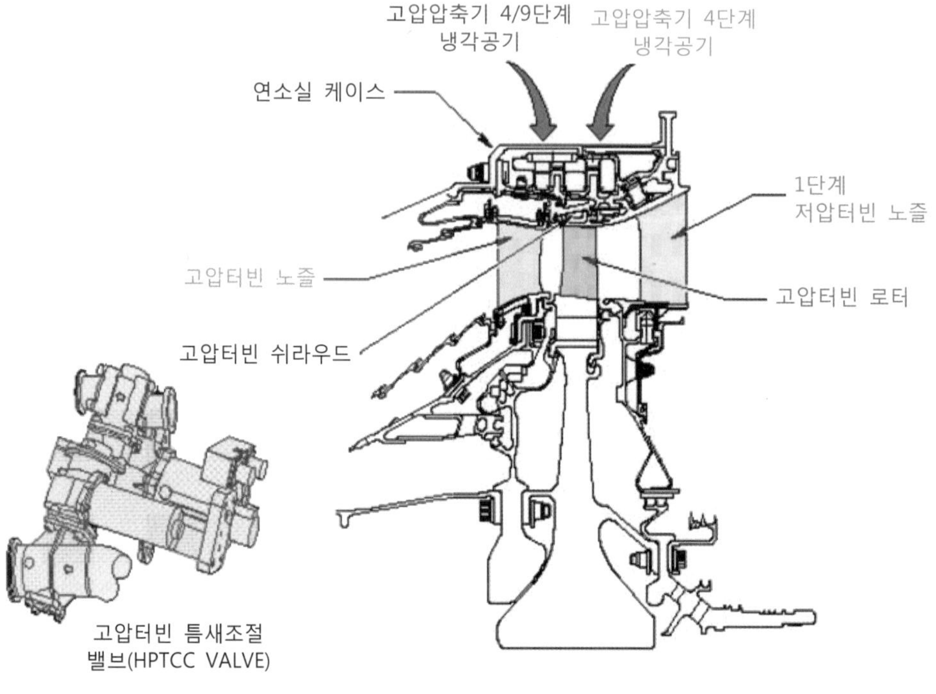

그림 2-48. 터빈 섹션(TURBINE SECTION)

5.1. 터빈 노즐(TURBINE NOZZLE)

터빈 스테이터(turbine stator)부분은 터빈 노즐 베인(turbine nozzle vane), 터빈 가이드 베인(turbine guide vane) 또는 노즐 다이어프램(nozzle diaphragm), 노즐 세그먼트(nozzle segments) 등의 여러 명칭이 사용되며, 날개 골(airfoil) 단면을 한 터빈 베인(turbine vane)을 원형으로 늘어놓은 것으로 구성된다. 터빈 노즐 베인은 연소실의 바로 뒤쪽과 터빈 휠(turbine wheel)의 바로 앞에 위치하고 있다.

터빈 노즐(Turbine Nozzle)의 기능과 목적은 다음 두 가지를 꼽을 수 있다.

첫째는 연소실로부터 발생되는 열에너지(heat Energy)를 공기질량 흐름 에너지로 변환시켜서 터빈 노즐에 분배하여 터빈 로터를 구동시키기 위한 공기질량 흐름을 마련해 주기 위한 것이다. 고정된 베인은 날개 골(airfoil) 모양으로 되어 있으며, 가스가 빠른 속도로 방출될 수 있도록 하기 위하여 수많은 작은 노즐(nozzle)을 형성하도록 일정한 각도로 배치되어 있다. 이것은 열에너지와 압력 에너지를 가진 가스가 블레이드를 지나면서 기계적 에너지로 변환시킬 수 있는 속도 에너지로 바꾸어주는 역할을 한다.

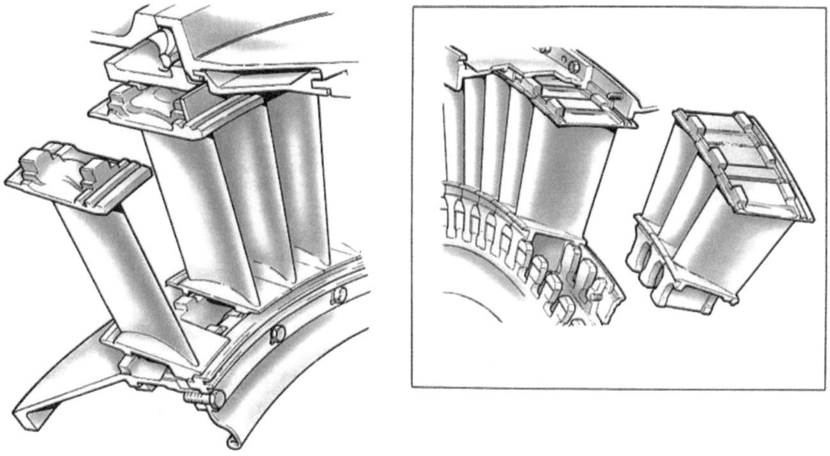

그림 2-49. 터빈 노즐의 형태

터빈 노즐의 두 번째 목적은 가스가 어떤 특정한 각도를 가지고 터빈 휠의 회전 방향에 부딪치도록 하게 하는 것이다. 노즐로부터의 가스흐름은 블레이드가 회전하는 동안에 블레이드 사이의 통로로 유입되어야 하므로 터빈 회전의 일반적인 방향으로 가스가 유입되어야 한다.

그림 2-50은 CFM56-7 엔진의 고압터빈 노즐(HPT nozzle)로서 연소가스의 흐름을 엔진의 모든 작동상태에서 가장 훌륭한 성능을 얻을 수 있는 유효한 각도로 고압터빈 로터(HPT rotor)로 보내 준다.

고압터빈 노즐 세그먼트(HPT nozzle segments)는 21개로 구성되어 있으며, 각 세그먼트는 2개의 베인(vane)을 안쪽과 바깥쪽 플랫폼(inner & outer platform)을 융접한 클러스터 베인(cluster vane) 형태를 취하고 있다.

각 베인(vane)들과 플랫폼(platform)들은 압축기 방출공기(CDP air)에 의해 냉각되는데, 압축기 방출공기는 베인의 안쪽과 바깥쪽(inner and outer) 양끝 쪽을 통해서 베인 컴파트먼트(vane compartment)로 들어오고, 베인(vane)의 전연부(leading edge)의 구멍(hole)과 후연부(trailing edge)의 슬롯(slot)을 통하여 빠져 나간다.

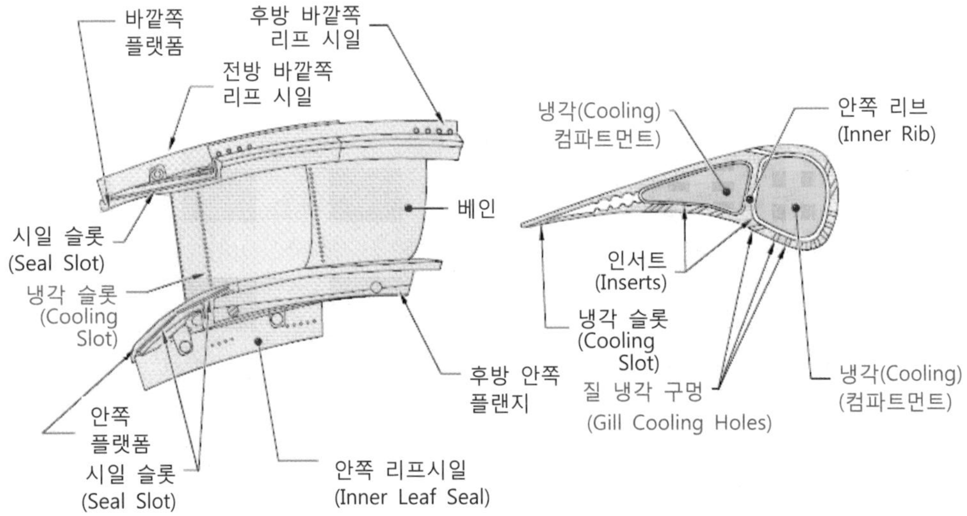

그림 2-50. CFM56-7엔진 터빈 노즐 세그먼트(Turbine Nozzle Segments)

베인(vane)과 플랫폼(platform)의 재질은 고강도 니켈(nickel base) 합금이며, 베인 에어포일(vane airfoil)과 플랫폼(platform)의 표면 보호를 위해 단열피막(thermal barrier coating) 처리되어 있다.

5.1.1. 쉬라우드(SHROUD)

터빈 노즐 어셈블리(turbine nozzle assembly)는 안쪽 쉬라우드(inner shroud)와 바깥쪽 쉬라우드(outer shroud)로 구성되며, 그 사이의 부분이 고정된 노즐 베인(nozzle vane)이다.

사용되는 베인의 수량은 엔진의 크기나 형태에 따라 달라진다. 실제 구성품의 구성과 조립모양에 따라 다소 다를지라도 모든 노즐 베인은 열팽창을 고려하여야 한다는 특별한 특성을 갖고 있다. 그렇지 않으면, 갑작스런 온도 변화 때문에 금속 구성체에 심한 뒤틀림(distortion)과 휨(warping)이 생길 수 있다.

터빈 노즐의 열팽창에 대한 고려는 여러 방법이 있지만 다음 방법에 의해 수행될 수 있다. 이는 베인의 안쪽 쉬라우드(inner shroud)와 바깥쪽 쉬라우드(outer shroud) 사이에 조립될 때 그림 2-51과 같이 느슨하게 조립하는 것이다.

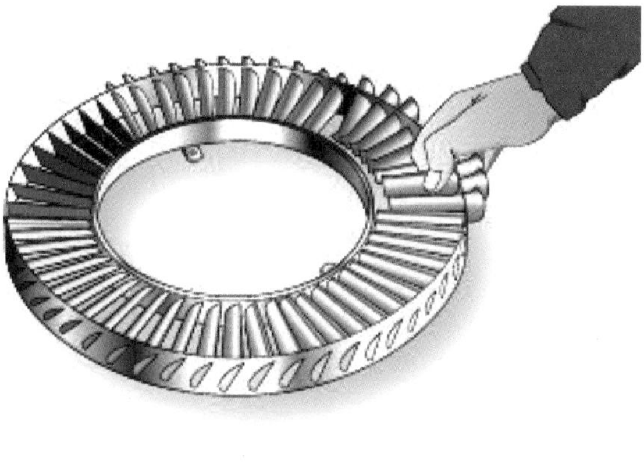

그림 2-51. 느슨하게 조립한 터빈 노즐 어셈블리

각 베인은 날개 골(airfoil) 모양에 알맞고 적절하게 쉬라우드(shroud)에 가공된 구멍에 고정된다. 이들 구멍들은 베인 보다 약간 크게 가공되므로 약간 헐겁게 고정된다. 더욱 좋은 상태를 유지하기 위하여 안쪽(inner)과 바깥쪽 쉬라우드(outer shroud)에 지지 링(support ring)을 집어넣도록 되어 있으며, 이는 강도와 견고성을 증가시켜 주는 효과가 있다. 이들 지지 링(support ring)은 노즐 베인(nozzle vane)을 단위 구성품 상태로 장탈하기 쉽도록 해주며 베인이 빠져나가는 것을 방지해 준다.

열팽창에 대한 또 다른 방법은 그림 2-52와 같이 베인을 안쪽(inner)과 바깥쪽 쉬라우드(outer shroud)에 리벳(rivet)으로 고정하거나 용접(welded)으로 고정시키는 것인데, 안쪽(inner)과 바깥쪽 쉬라우드(outer shroud)는 몇 개의 조각으로 분리되어져 있으며, 이것은 열팽창에 의한 허용치를 마련하기 위함이다. 이러한 각 조각의 분리는 베인이 뒤틀리거나 힘을 받는 것을 방지하는데 충분한 열팽창을 허용하게 한다.

그림 2-52. 리벳이나 용접으로 고정된 터빈 노즐 베인 어셈블리

베인은 항상 고온 고압에 노출되기 때문에 코발트(cobalt) 합금 혹은 니켈(nickel)내열합금으로 정밀 주조하며, 특히 제1단과 제2단 베인에는 브리드 공기(bleed air)로 냉각을 할 수 있도록 공냉식 터빈 날개구조를 채용한 것이 많다.

터빈노즐(turbine nozzle)의 면적(노즐 출구단면적의 총합)은 터빈 설계 상 가장 중요하며, 면적이 너무 작으면 최대 출력 시에 흐름이 막혀서 압축기의 실속(stall)을 일으키기 쉽고, 너무 크면 터빈효율이 떨어져 추력 당 연료소모량(Thrust Specific Fuel Consumption : TSFC)의 증가와 배기가스온도(Exhaust Gas Temperature : EGT)의 상승을 초래 한다.

5.1.2. 케이스(CASE)

터빈 케이스는 터빈 휠(turbine wheel)과 노즐 베인 어셈블리(nozzle vane assembly)를 둘러싸고 있으며, 터빈 스테이터(turbine stator) 구성품을 직접 또는 간접적으로 지지해주고 있다. 또한 케이스의 앞에는 연소실을 둘러싸고 있는 디퓨저 케이스(diffuser case)와 연결되고, 뒤쪽에는 터빈 배기 케이스(turbine exhaust case)와 배기 콘(exhaust cone)이 장착될 수 있도록 플랜지(flange)가 각각 만들어져 있다.

5.2. 터빈 휠과 축(TURBINE WHEEL AND SHAFT)

터빈의 회전하는 부분인 터빈 로터(turbine rotor)는 그림 2-53과 같이 축(shaft)과 휠(wheel)로 구성되어있다. 터빈 휠(turbine wheel)은 회전하는 디스크(disk)에 블레이드(blade)가 장착된 상태에서 동적인 평형(dynamic balance)을 맞춘 구성품이다. 디스크(disk)는 엔진의 축에 부착되어 회전한다.

터빈 로터 어셈블리(turbine rotor assembly)는 터빈 블레이드(turbine blade)가 장착된 디스크를 단(stage) 만큼 겹쳐서 결합하여 이루어진다. 이 경우 디스크와 디스크 사이에 스페이서(spacer)를 넣어서 타이 로드(tie road)를 사용하여 터빈 축과 허브(hub)를 함께 조합하는 방법이나 디스크와 스페이서를 단일 구조로 하고 타이 로드(tie road) 대신에 각 단마다 볼트로 결합하는 방법도 있다. 또 소형엔진에는 터빈로터 전체를 단일구조로 정밀주조된 것도 사용되고 있다.

터빈 노즐 베인(turbine nozzle vane)을 지나온 분출 가스는 터빈 블레이드에 작용을 가하여 로터가 아주 높은 속도비율로 회전하도록 한다.

고속 회전은 터빈 휠(turbine wheel)에 극심한 원심하중을 부과하며, 같은 순간에 상승되는 온도는 재질의 강도를 저하시키는 결과를 초래한다. 결과적으로 엔진의 회전속도와 온도는 반드시 안전한계 내에서 터빈이 작동될 수 있도록 조절되어야 한다.

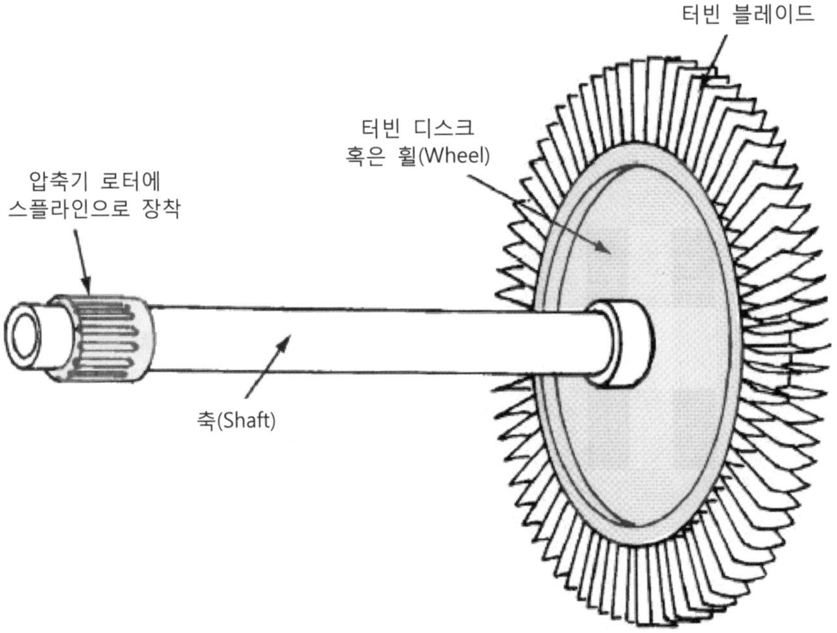

그림 2-53. 터빈 로터 어셈블리

터빈 디스크는 터빈 블레이드에 대해 닻의 역할을 하는 부품이며, 디스크에 고정되어 배기가스로부터 얻는 에너지를 로터 축(rotor shaft)에 전달한다.

디스크 림(disk rim)은 블레이드를 통과하는 뜨거운 가스에 노출되어 있어서 높은 열을 받게 되며, 터빈 블레이드로부터 전도에 의해서 열을 흡수하게 된다. 그러므로 디스크 림의 온도는 디스크의 안쪽 보다 훨씬 높은 온도를 가지고 있다. 이러한 온도차이의 열응력에 회전응력이 더해짐으로 이를 제거하기 위한 여러 방법들이 사용되고 있다. 한 가지 방법은 냉각공기를 디스크의 표면에 공급하는 것이다.

터빈 디스크의 열응력을 해소시키는 또 다른 방법은 블레이드 장착상의 방법이다. 블레이드의 루트(root) 부분에 적절한 홈 또는 디스크 림(disk rim)에 적절한 홈을 파여지도록 설계되어 있다. 열팽창을 고려한 이들 홈들은 터빈 블레이드로부터 디스크에 맞닿아 있으며, 디스크가 냉각 되었을 때 터빈 블레이드의 움직임을 허용하도록 블레이드 루트와 홈 사이에 충분한 간격이 주어져야 한다. 이는 엔진이 작동하는 동안에는 열팽창으로 간격이 좁아져서 블레이드 루트가 디스크 림에 팽팽하게 고정되도록 해준다.

터빈 디스크는 축(shaft)에 용접이나 볼트를 이용하여 연결시키는데, 후자의 방법이 널리 사용되고 있다. 터빈 축(turbine shaft)은 압축기 로터 허브(rotor hub)에 스플라인(spline)에 의해서 연결된다. 이 스플라인은 압축기와 터빈 축 중간에 있는 연결 장치 속에 끼워지게 되거나 이러한 연결 장치가 사용되지 않을 때는 터빈 축의 스플라인이 압축기 로터 허브의 내부에 있는 스플라인 된 곳에 고정될 수도 있다.

그림 2-54는 CFM56-7엔진의 저압터빈 축(LPT shaft module)으로서 고압로터 시스템(high pressure rotor system) 안쪽에 동심원으로 위치하고 있으며, 팬 축(fan shaft)과 연결되어 저압터빈의 동력을 저압압축기에 해당하는 팬과 부스터 모듈(fan & booster module)에 전달 해준다.

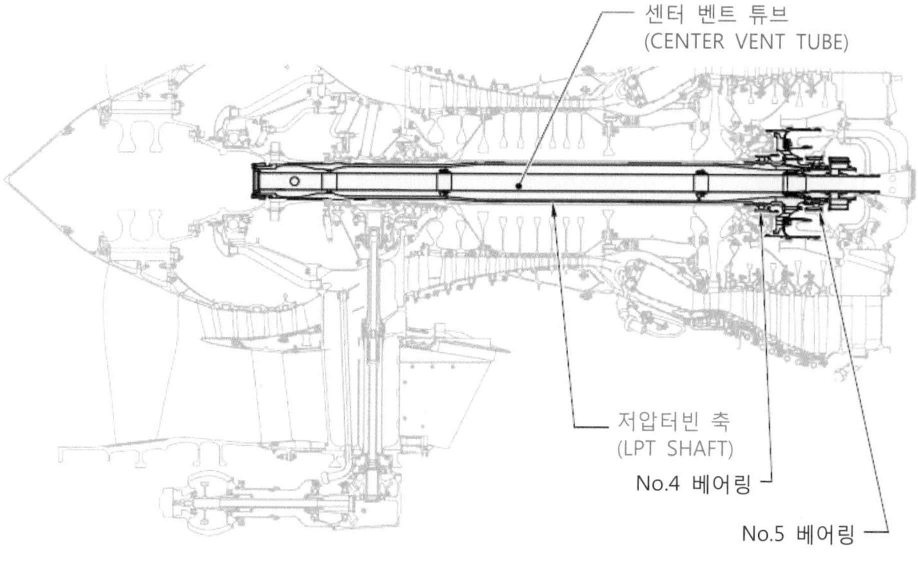

그림 2-54. CFM56-7 엔진 저압터빈 축(LPT SHAFT)

저압터빈 로터(LPT rotor)의 후방은 No.5 베어링(Bearing)에 의해 지지되며, 센터 벤트 튜브(center vent tube)를 통해서 오일 계통의 전방과 후방 섬프(forward and after sumps)의 브리더 공기(breather air)를 벤트(vent)시켜 준다.

CFM56-7 엔진의 저압터빈 축 모듈은 다음과 같이 구성되어 있다.

- 저압터빈 축(LPT shaft)
- 센터벤트 튜브(center vent tube)
- No.4 롤러 베어링(roller bearing)
- No.5 롤러 베어링(roller bearing)

5.3. 터빈 블레이드(TURBINE BLADE)

터빈 블레이드(Turbine Blade)는 고온가스로부터 최대 에너지를 추출할 수 있도록 날개 골(Airfoil) 형상으로 설계되어있다. 블레이드는 구조물 합금의 성분에 따라서 단조 또는 주조에 의해서 만들어지며 대부분의 블레이드들은 처음에 주조에 의해서 만들어진 후 요구되는 모양에 따라서 기계가공이 이루어진다. 초기에는 강 단조로 만들었으나, 니켈 내열합금의 정밀 주조로 교체되었다. 최근에는 비금속인 강화 세라믹으로 만들어져서 매우 높은 고온에서 작동하는 소형의 고속 터빈에 사용되고 있다.

5.3.1. 블레이드 설계(Blade Design)

터빈은 충동터빈, 반동터빈 및 반동-충동터빈(실용터빈)의 3가지 종류로 분류된다. 충동터빈(Impulse Turbine)은 그림 2-55와 같이 가스의 팽창이 전부 노즐 안에서 이루어지고, 로터 안에서는 전혀 가스팽창이 이루어지지 않는 터빈으로 반동도가 0인 터빈이다.

구조적으로는 노즐의 흐름통로 단면이 수축형 노즐인 것에 비해 로터의 흐름통로 단면이 일정하게 되어 있는 점이 충동터빈의 특징이다. 따라서 로터입구와 출구에서 상대속도의 스칼라(Scalar)량 및 압력은 일정하다.

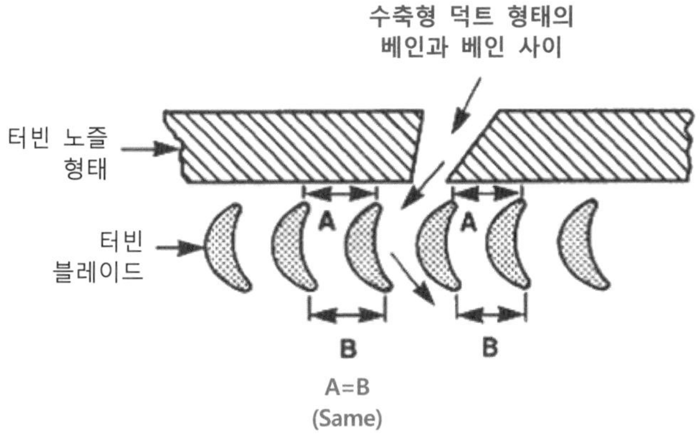

그림 2-55. 충동터빈(Impulse Turbine) 시스템

반동터빈(Reaction Turbine)은 공기역학적인 동작에 의해서 회전력을 얻는 것이다. 터빈 노즐 베인은 가스의 흐름을 터빈 블레이드로 유효한 각도로 흐르게 해주는 형태일 뿐 속도 증가는 없다. 그림 2-56과 같이 가스는 수축형 터빈 블레이드를 사이를 통과하면서 가스의 속도가 증가한다. 날개 꼴 모양의 블레이드 위로 가스가 흐르면서 회전면의 방향으로 힘 성분이 발생한다. 이 결과 노즐로부터의 유출가스 충격력과 로터 안에서 팽창한 가스의 반동력이 터빈 로터를 회전시킨다.

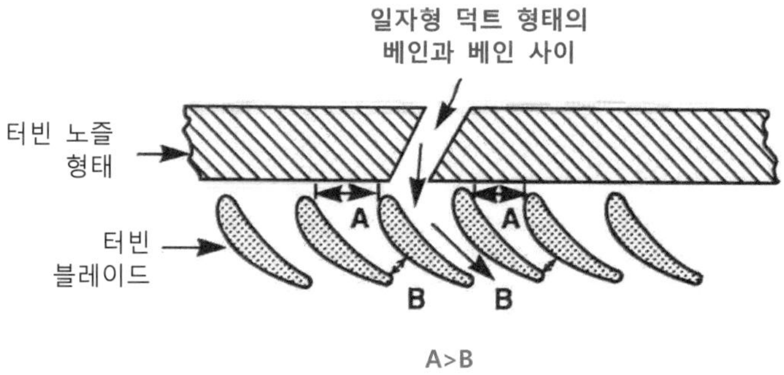

그림 2-56. 반동터빈(Reaction Turbine) 시스템

로터를 통과한 가스의 축류 속도와 압력분포를 균일하게 유지하기 위해서는 로터의 팽창력이 로터의 베이스에서 팁까지 전체에 걸쳐 균등하게 이루어 질 필요가 있다. 그런데 로터의 주변 속도는 베이스에서 팁으로 감에 따라서 반경에 비례해서 증가하기 때문에 로터에 대한 가스의 상대 속도는 베이스에서 팁으로 갈수록 작아지고, 따라서 로터의 팽창력도 베이스에서 팁으로 감에 따라 감소한다.

이것을 방지하기 위해 실제의 터빈에는 순수 충동터빈이나 반동터빈을 사용하지 않고, 그림 2-57과 같이 로터에 비틀림(twist)을 주어 베이스 쪽을 충동터빈으로 하고, 팁은 반동터빈(반동도 50%)으로 하여 충동과 반동을 조합한 반동-충동터빈(reaction-impulse turbine)이 유일하게 사용되고 있다.

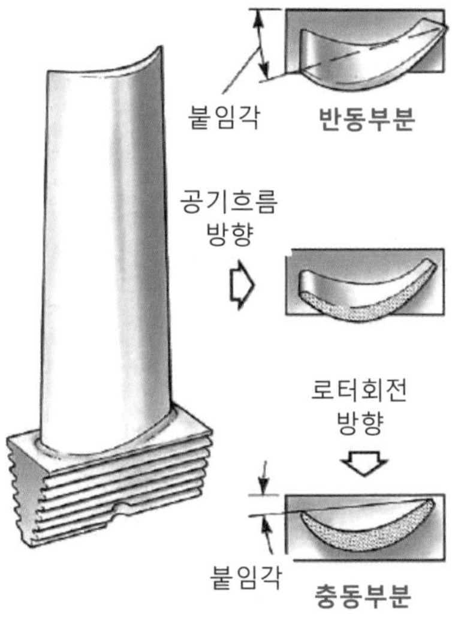

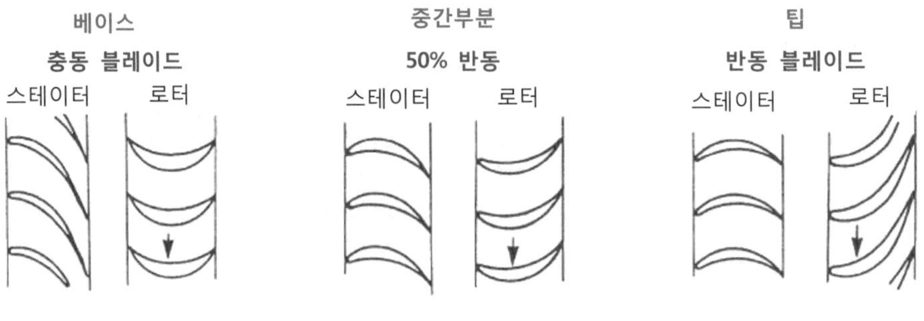

그림 2-57. 충동-반동터빈(Impulse-Reaction Turbine) 시스템

5.3.2. 블레이드 장착

터빈 블레이드는 엔진이 차가운 상태에서는 유격이 있는 상태로 장착되어 있지만, 엔진이 작동온도에 도달되면 유격이 없어진다. 터빈 블레이드를 디스크(disk)에 장착하는 일반적인 방법은 그림 2-58과 같이 전나무(fir-tree) 방식이다.

터빈 블레이드의 루트(root)는 일반적으로 전나무(fir tree)와 비슷한 형상을 하고 있으며, 이것을 디스크의 외부와 동일형상을 한 홈에 끼우고, 블레이드가 축 방향으로 빠져나가지 않도록 피닝(peening), 용접(welding), 고정 탭(locktabs)이나 리벳(riveting) 등으로 고정되어 있다. 이 형상은 지지가 확실하고 열팽창에 대해서도 적당한 여유가 있고 블레이드 루트(blade root)에 뒤틀림 응력 집중을 막기 때문에 널리 사용되고 있다.

터빈 블레이드는 블레이드 끝이 열려져 있거나, 덮혀져(shrouded) 있는데 이러한 두 가지 형태 모두 엔진에 사용되어지고 있다. 끝이 열려져 있는 블레이드(open tip blade)는 고속 휠(high speed wheels)에 사용되고 덮혀져 있는 블레이드는 저속으로 회전하는 휠에서 볼 수 있다.

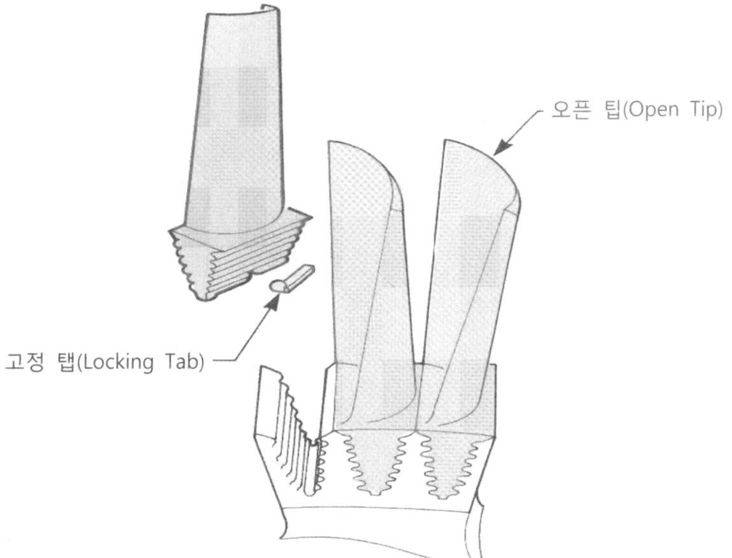

그림 2-58. 터빈 블레이드 장착방법(Fir-Tree)

덮혀져 있는 터빈 블레이드(shrouded turbine blade)는 터빈 휠의 바깥쪽 둘레에 테가 형성되어 있다. 이것은 가스가 새는 것을 방지하고 공력특성이 우수하여 높은 효율성과 진동특성을 향상(공진방지) 시켜주며, 블레이드를 얇게 만들 수 있어 중량을 감소시킬 수 있다. 반면에 구조가 복잡하고 터빈 속도를 제한하게 되고 더욱 많은 수의 블레이드를 요구하게 된다.

쉬라우드 바깥쪽 주위에 있는 나이프에지 시일(knife-edge seal)은 블레이드 팁에서 공기 손실을 감소시켜주고, 공기흐름을 축류방향으로 흐르게 하면서 반경방향의 손실(radial loss)을 최소화 시켜준다.

터빈의 단(stage)은 1열의 노즐(nozzle)과 바로 뒤에 위치하는 1열의 로터 블레이드(rotor blade)로 구성된다. 터보 팬(turbofan) 엔진의 형식에서는 앞쪽의 고압터빈 로터는 고압 압축기와 보기를 구동시키고, 뒤쪽의 저압터빈 로터로는 저압 압축기와 팬을 구동시킨다.

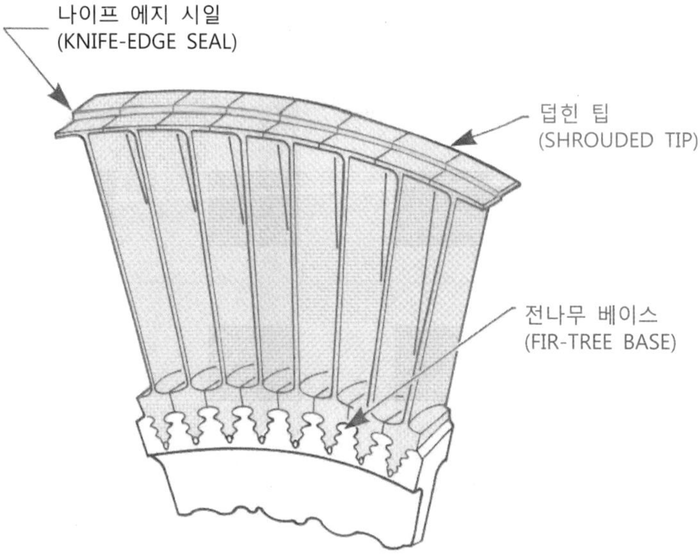

그림 2-59. 쉬라우드(Shrouded) 터빈 로터 블레이드

5.4. 냉각(cooling)

터빈의 각 부분을 살펴본 바와 같이 온도는 터빈 설계에서 아주 조심스럽게 다뤄져야 한다. 가스 터빈엔진에서 기본적인 작동 한계중의 하나가 터빈 입구온도(turbine inlet temperature : TIT)이다.

터빈 입구온도가 높으면 높을수록 압축기 압력비는 높아지고 따라서 추력 당 연료소모율(TSFC)이 감소하고 비추력이 증가하므로 가능한 터빈 입구온도를 높게 유지하는 것이 성능 면에서 유리하다.

그렇지만 터빈은 고속회전으로 인한 응력과 토크(torque)로 인하여 온도가 높아지면 구조적으로 안전하지 못하기 때문에 터빈 입구온도는 안전한 범위 내에서 작동되도록 제한된다.

터빈 엔진의 터빈 입구온도를 상승시키기 위한 노력이 지속적으로 이루어지고 있으며, 최근에는 터빈 입구온도가 내열 합금의 용융점(약 1,450℃)에 가까운 엔진들이 개발되고 있다.

이렇게 높은 작동온도를 가능하게 한 것은 니켈합금(nickel super alloys)의 개발, 내열피막(thermal barrier coating), 정밀주조 방법의 개량(single crystal casting), 그리고 터빈 블레이드의 냉각 기술의 도입에 의한 것이라고 할 수 있다.

그림 2-60은 CFM56-7 엔진의 고압터빈 로터 블레이드로서 고온에 잘 견딜 수 있도록 무게 대비 고강도인 단결정 니켈(single-crystal nickel) 합금으로 만들어 졌으며, 한 단(single stage)의 터빈로터로서 80개의 블레이드로 이루어져 있다.

터빈 블레이드 80개중 4개는 노치 블레이드(notch blade)로서 보어스코프 검사(borescope inspection)를 통해 블레이드의 마모상태를 확인할 수 있게 되어 있다.

압축기 방출공기(CDP air)가 블레이드 루트(root)를 통해 들어와서 블레이드 내부를 냉각시키고, 전연부(leading edge), 팁(tip), 후연부(trailing edge)의 구멍(hole)을 통해서 빠져 나간다.

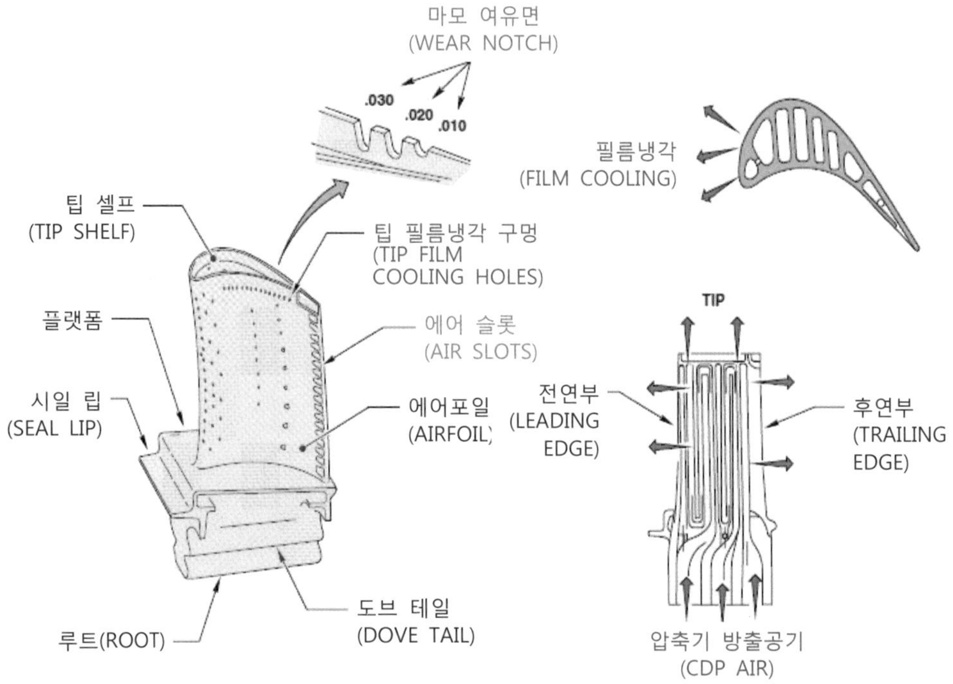

그림 2-60. 고압 터빈 블레이드(HP TURBINE BLADE)

5.4.1. 터빈 블레이드와 베인의 냉각

터빈 블레이드와 베인을 고온의 작동 온도에서 재질을 보호하기 위해서 블레이드와 베인의 내부에 압축기 브리드 공기(Bleed Air)를 유입시켜 냉각시킨다. 그러나 액체를 이용하는 냉각기술은 흐름통로, 기밀, 부식 등의 문제로 상용화되지 못하고, 대부분 공기를 이용한 냉각방법이 사용된다.

공냉 방식을 크게 분류하면 대류냉각, 충돌냉각, 공기 막 냉각, 증발냉각이 있다. 터빈 블레이드와 베인에는 이들 여러 공냉 방식이 적절히 조합되어 사용되고 있다.

(1) 대류냉각(CONVECTION COOLING)

대류냉각은 블레이드와 베인 내부의 다수의 공기통로에 냉각 공기를 지나가게 하여 뜨거운 공기와 찬 공기의 대류에 의해서 냉각하는 방법으로 가장 간단하기 때문에 가장 널리 사용되고 있다.

(2) 충돌냉각(IMPINGEMENT COOLING)

충돌냉각은 주로 블레이드 전연부(blade leading edge)의 냉각에 사용되는 방법으로 블레이드 내부에 작은 원통 모양의 튜브(tube)를 설치해서 이 구멍에서 유출하는 냉각 공기를 블레이드 전연부에 집중적으로 충돌시켜 냉각시킨다.

(3) 공기 막 냉각(FILM COOLING)

공기 막 냉각은 블레이드 표면의 작은 구멍에서 냉각 공기가 유출되도록 하여 그 냉각 공기가 블레이드 표면에 열차단막을 형성해서 고온가스의 직접적인 접촉을 막아주는 방법이다.

(4) 증발 냉각(transpiration cooling)

증발 냉각은 블레이드 전체를 다공성 재료(porous media)로 제작하여 블레이드 전체 표면에서 냉각 공기를 내뿜게 하여 뜨거운 공기가 직접적으로 닿지 못하게 하여 냉각하는 방식으로 이론적으로 가장 진보된 냉각 방식이지만 구조 강도의 문제로 실용화되어 있지 않다.

이러한 냉각기술은 1950년대에 터빈에 적용되기 시작한 이래 발전을 거듭하고 있다. 개발초기에는 단순한 대류냉각 기술을 적용하여 터빈입구의 허용온도를 200℃ 정도 높일 수 있었으며, 최근에는 복합적인 냉각기술을 적용하여 터빈입구의 허용온도를 600℃ 정도 증가시켰다. 대형 여객기에 사용되는 PW4000엔진의 최대 터빈입구온도는 약 1,400℃ 정도이고, 전투기 엔진에서는 훨씬 높은 터빈입구온도에서 작동된다.

그림 2-61은 터빈 블레이드의 냉각방식을 보여주고 있다.

그림(A)는 단일경로의 대류냉각 방식으로 1960년대 제작된 엔진에 주로 사용되었으며, (B)는 단일 경로의 대류냉각과 공기 막 냉각이 블레이드 전연부와 후연부에 집중되어 있는 형태로 1970년대 엔진에 주로 사용되었다.

그림(C)는 현용 엔진에 주로 채용되고 있는 냉각방식으로 다중경로 대류냉각과 공기 막 냉각이 광범위하게 이루어져 있으며, 전연부는 충돌냉각 방식이 적용된 형태를 보이고 있다.

냉각에 필요한 공기는 압축기 브리드 공기(bleed air)가 사용된다. 이것은 압축 공기의 손실과 터빈의 열손실보다 터빈입구온도 상승에 의한 엔진의 성능향상이 훨씬 이득이 크다고 할 수 있다.

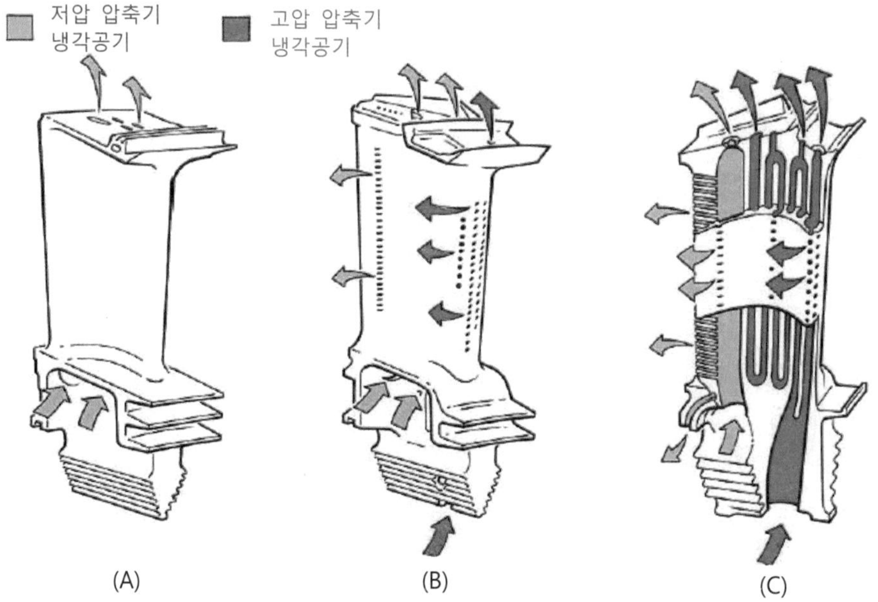

그림 2-61. 터빈 블레이드 냉각 유형

5.4.2. 터빈 케이스의 냉각

터빈 케이스 안쪽의 에어 시일(Air Seal)과 터빈 블레이드 팁과의 간격이 너무 작으면 서로 접촉해서 시일의 마멸과 손상을 일으키고, 또 너무 크면 가스가 누출되어 터빈 효율의 저하를 초래한다.

보통은 최대 출력(이륙)시에 간격이 최소가 되도록 구성되어 있지만 상승과 순항으로 옮겨지면 터빈 케이스의 열팽창에 비해서 터빈 블레이드의 열팽창이 부족하기 때문에 비교적 큰 팁 간격을 만들어 터빈 효율이 떨어진다.

이에 대한 대책으로 그림 2-62와 같이 터빈 케이스 외부에 공기 매니폴드(Manifold)를 장치하고, 이 매니폴드로부터 순항 시에 냉각공기를 터빈 케이스 외부표면에 내뿜어서 케이스를 수축시켜 블레이드 팁 간격을 적정하게 보정함으로써 터빈 효율의 향상에 의한 연비의 개선을 꾀할 목적으로 고안된 것이 능동 틈새조절 시스템(Active Clearance Control System : ACCS)이다.

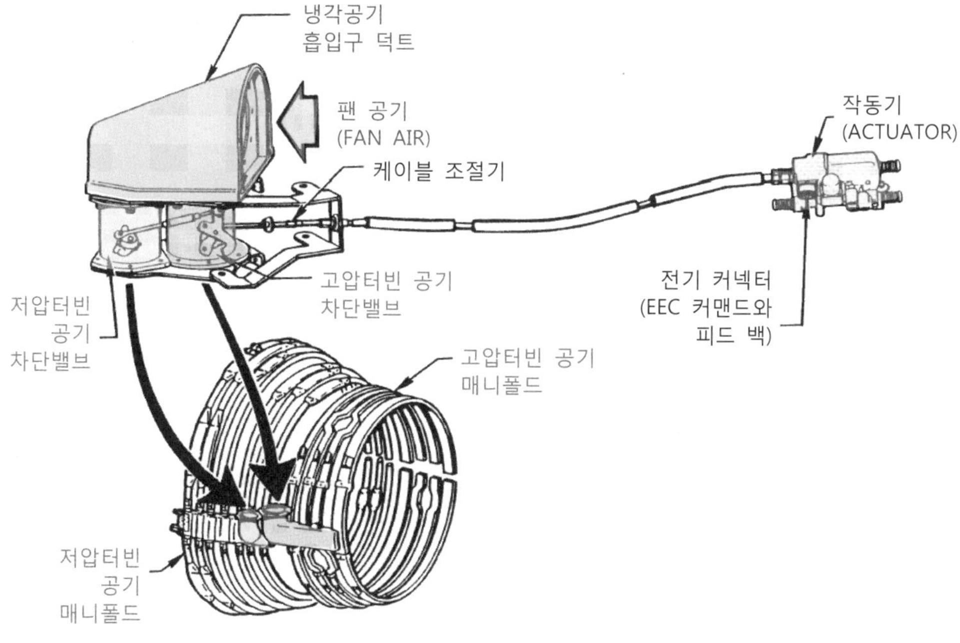

그림 2-62. PW4000 엔진 터빈케이스 냉각 시스템
(TURBINE CASE COOLING SYSTEM : TCCS)

또한 이 ACCS는 다른 말로 터빈케이스 냉각시스템(Turbine Case Cooling System : TCCS)이라고도 부른다.

초기의 터빈케이스 냉각은 고압터빈에만 적용되었으나, 현재는 고압과 저압 모두에 적용이 확대되고 있다. 또한 터빈 케이스 냉각시스템의 냉각공기에는 일반적으로 외부공기가 아니라 팬 공기(fan air)가 이용되고 있다.

5.5. 역회전 터빈(COUNTER-ROTATING TURBINE)

이중 스풀과 3중 스풀 엔진 중에서 역회전 터빈 휠을 가지고 있는 엔진이 있다. 일반적으로 대형엔진에는 일반화되지 않았으나, 터보 샤프트 엔진과 같은 소형엔진에서 찾아볼 수 있다. 일반적으로 공기역학적인 설계는 아니지만 자이로스코프 작용(gyroscopic effect)을 완충해주고, 엔진 진동을 감소시켜준다.

6. 배기 부분(EXHAUST SECTION)

터빈 엔진의 배기부분(exhaust section)는 배출 가스의 속도를 증가시킬 수 있으면서도 소용돌이가 생기지 않도록 하면서 뜨거운 가스를 뒤쪽으로 흐르게 해주어야 한다.

배기부분은 터빈의 바로 뒤에 위치하며 가스가 고속의 제트(jet) 상태로 내뿜어지는 부분이다. 배기부분의 구성품은 터빈 배기 케이스(Turbine Exhaust Case : TEC), 테일 파이프(tail pipe) 또는 배기노즐(exhaust nozzle)을 포함한다. 배기노즐 내부에 배기 플러그(exhaust plug) 또는 테일 콘(tail cone)이 장착되어 노즐을 형성하며, 배기가스가 부드럽고 빠른 가속으로 추력을 얻도록 한다.

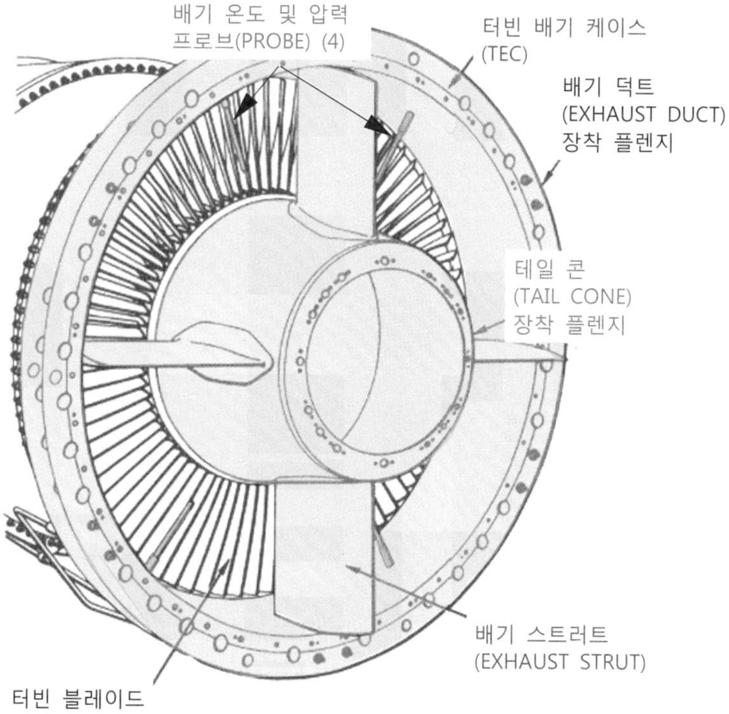

그림 2-63. 터빈 배기 케이스(TEC) 구조

그림 2-63과 같이 터빈 배기케이스(TEC)의 안쪽 벽(inner wall)과 바깥쪽 벽(outer wall)은 속인 빈 형태의 스트러트(hollow type strut)가 용접되어 전체를 지지하고 있으며, 이 배기 스트러트는 배출되는 배기가스를 곧바르게 해주는 중요한 기능을 하고 있다.

터빈 배기케이스(TEC)의 안쪽에는 후부 주 베어링(main bearing) 및 주 베어링의 지지 구조로 되어 있다. 또한 터빈배기케이스(TEC) 내부에는 배기가스온도 수감부 (thermo couple probe) 및 배기 압력 수감부가 설치되어 있다. 후부 주 베어링(배기 베어링) 및 그 지지 구조는 배기가스가 직접 접촉되지 않도록 배기 페어링(fairing)으로 덮여져 있다. 배기부분의 구성부품은 일반적으로 스테인리스(stainless)강과 내열합금으로 제작된다.

배기부분의 개별 구성부품의 기능을 비롯하여 역추력장치 등에 대해서는 제8장 배기계통에서 논하기로 한다.

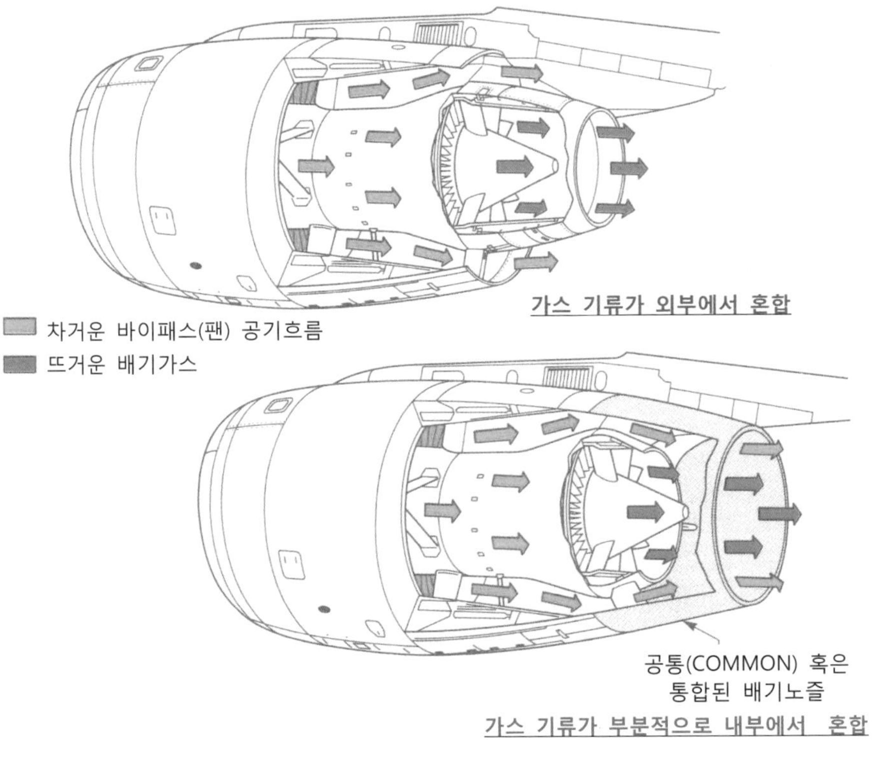

그림 2-64. 고 바이패스 비(HIGH BY-PASS RATIO)엔진의 배기 시스템

7. 보기부분(ACCESSORY SECTION)

가스터빈 엔진의 보기부분은 여러 가지 기능을 가지고 있다. 주 기능은 엔진을 작동하고 조절하기 위한 보기류를 장착하기 위한 공간을 제공하는 것이다. 엔진을 작동하기 위해서는 시동장치, 점화계통, 연료펌프, 연료조절장치 등 엔진 보기류 구동이 필요하다. 또한 항공기 기체의 전기, 전자계통에 전력을 공급하기 위한 발전기(generator)와 오일계통에 오일압력을 공급하기 위한 오일펌프 등의 구동도 필요하다. 이들 엔진 보기류와 장비품류는 보통 보기류 구동 기어박스(accessory drive gear box)에 연결 장착해서 구동되고 있다.

두 번째 기능으로는 오일 저장(oil reservoir) 혹은 오일 섬프(oil sump)와 같은 역할과 보기구동기어(accessory drive gears)와 감속기어(reduction gear)를 수용한다. 이를 위해 기어박스(gearbox)에는 엔진 오일계통(engine oil system)의 오일펌프, 스캐빈지 펌프(scavenge pump), 압력조절 밸브(pressure regulating valve), 오일 필터(oil filter)등도 위치한다.

기어박스는 이들 보기류와 장비품의 점검과 교환이 용이하도록 그림 2-65(A)와 같이 엔진 하부에 장착되어 있는 경우와 그림(B)와 같이 엔진의 흡입구와 배기구의 위치에 따라 전방 혹은 후방에 장착되는 경우가 있다.

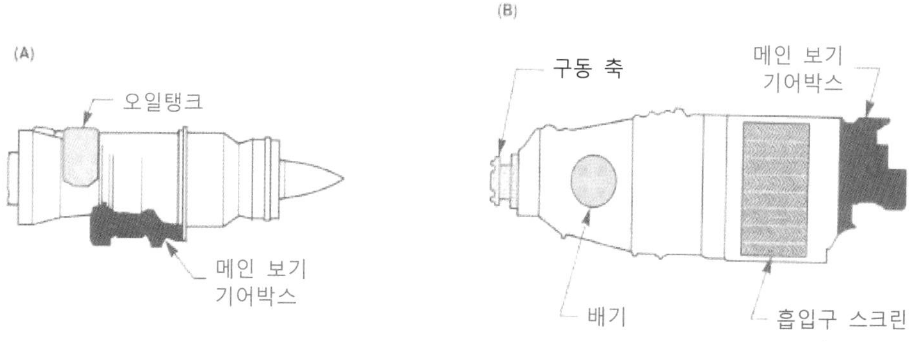

그림 2-65. 보기 기어박스(Accessory Gearbox) 장착 유형

그림 2-66은 PW4000엔진의 보기구동 기어박스로서 기어박스는 압축기 축과 베벨기어(bevel gear)로 연결되어 있으며, 중간 기어박스(Intermediate Gearbox : IGB) 또는 앵글기어박스(Angle Gearbox : AGB)등을 통하여 메인기어 박스(Main Gearbox : MGB)로 동력이 전달된다.

메인기어 박스는 각각의 보기구동 패드(accessory drive pad)에 동력을 분배 해준다.

대형 고 바이패스 터보 팬 엔진의 보기계통은 엔진으로부터 500마력 이상의 동력을 추출한다.

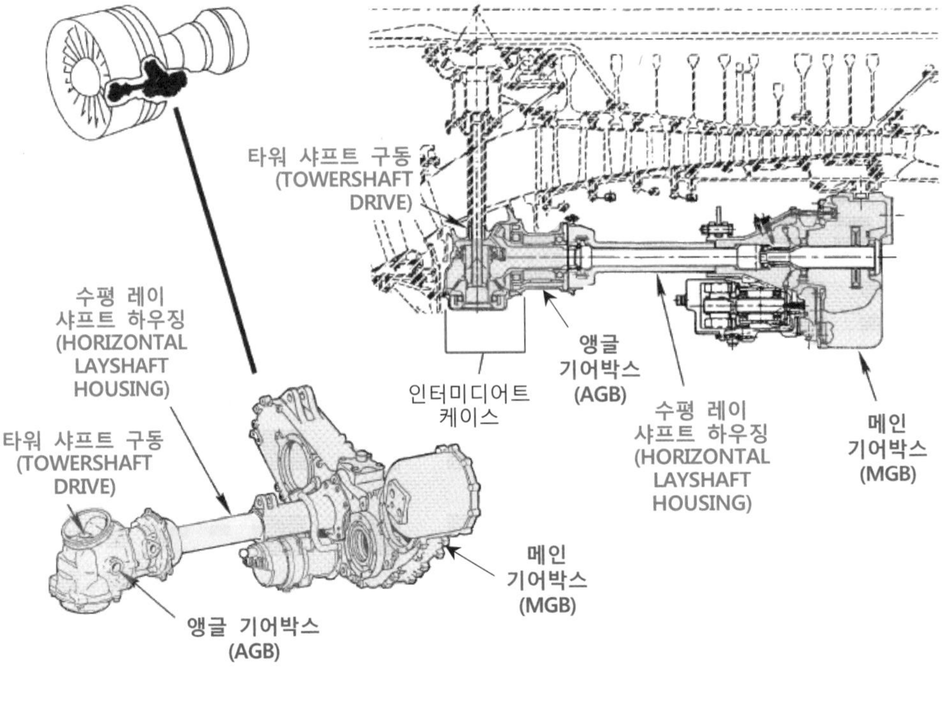

그림 2-66. PW4000 엔진 보기 구동계통

그림 2-67은 CFM56-7 엔진의 보기구동 시스템(accessory drive system)으로서 엔진 시동 시에 엔진 공기시동기(air starter)로부터 외부동력을 코

어(core) 엔진으로 전달해주고, 엔진이 정상 작동 중 일 때는 코어엔진 동력(core engine power)을 추출하여 기어박스(gearboxes)와 축(shaft)을 통하여 엔진과 항공기 보기들을 구동 시켜 준다.

또한, 정비작업 시에는 보기 기어박스(accessory gearbox)를 통하여 코어(core)를 수동으로 돌릴 수 가 있다.

보기구동 시스템(accessory drive system)은 엔진 9시 방향에 장착되어 있고, 다음과 같은 구성품으로 이루어져 있다.

- 고압압축기 전방 축(HPC Front Shaft)에서 동력을 취하는 인넷 기어박스(Inlet Gearbox : IGB)
- 트랜스퍼 기어박스(Transfer Gearbox)로 동력을 전달 해주는 레이디얼 구동 축(Radial Drive Shaft : RDS)
- 토크(Torque)의 방향을 전환해주는 트랜스퍼 기어박스(Transfer Gearbox : TGB)
- 트랜스퍼 기어박스에서 보기 기어박스(Accessory Gearbox)로 동력을 전달해주는 수평 구동 축(Horizontal Drive Shaft : HDS)
- 엔진과 항공기 보기류를 지지하고 구동 시켜주는 보기 기어박스(Accessory Gearbox : AGB)

보기 기어박스(AGB Assembly)는 엔진 팬 프레임(Fan Frame) 좌측 9시 방향에 2개의 클레비스 마운트(Clevis Mounts)에 의해 장착되어 있으며, 하우징(Housing)은 알루미늄(Aluminum)합금으로 주조되어 있다.

각 보기의 구동요구 조건을 충족하기 위하여 회전속도를 감소 혹은 증가시키는 기어 트레인(Gear Train)으로 구성되어 있으며 각 패드(Pad)에 장착되는 보기류는 그림 2-68과 같다.

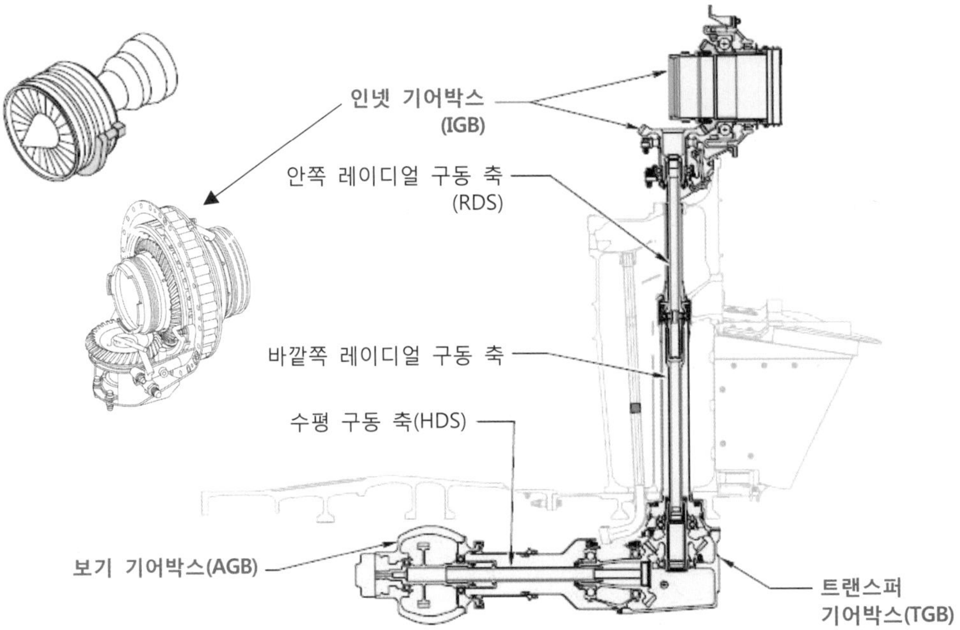

그림 2-67. 보기 구동 시스템(ACCESSORY DRIVE SYSTEM)

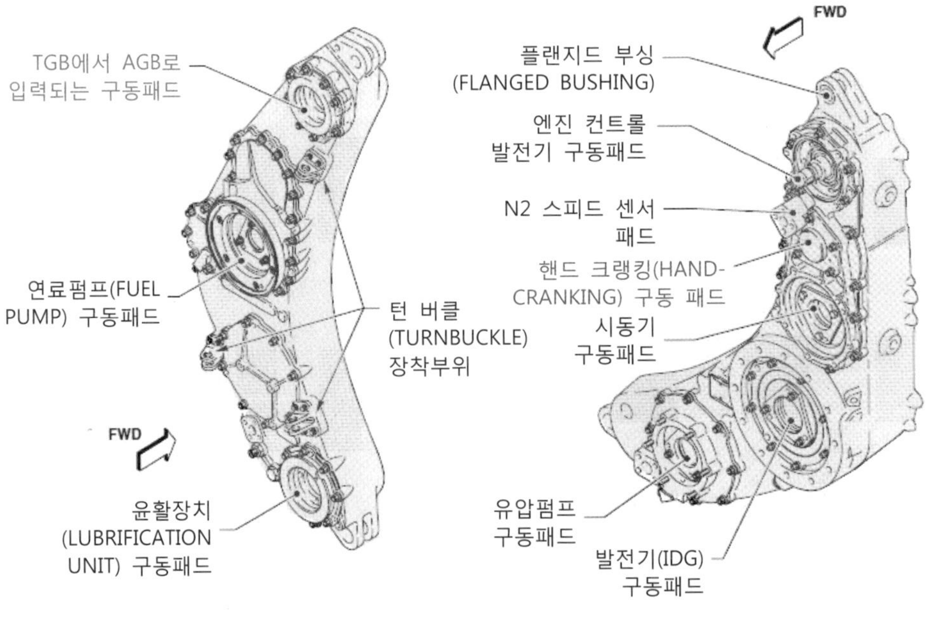

그림 2-68. 보기 기어박스 하우징(ACCESSORY GEARBOX HOUSING)

MEMO

Part 03

1. 터빈엔진 연료
2. 터빈엔진 연료조정계통(FUEL CONTROL SYSTEM)
3. 터빈 엔진 연료분배계통

터빈엔진 연료계통

[TURBINE ENGINE FUEL SYSTEM]

제3장. 터빈엔진 연료계통 (TURBINE ENGINE FUEL SYSTEM)

터빈엔진 연료계통의 기능은 지상과 비행 중의 어떠한 상태에서도 엔진으로 정확한 연료량을 공급하는 것이다. 또한, 증기폐쇄(vapor lock)와 같은 위험한 작동특성으로부터 자유로워야하며, 어떠한 작동조건에서도 요구되는 추력을 유지하기 위하여 출력을 증가시키고 감소시킬 수 있어야 한다.

이러한 것은 연소실로 들어가는 연료를 조절하는 연료조정장치(fuel control unit)에 의해서 성취되어진다. 조종사는 동력레버(power lever)와 같은 제어장치를 사용하여 연료의 유량을 조절한다. 조종사는 레버를 특정 출력위치에 위치시킴으로서 원하는 추력으로 연료를 조절한다.

연료조종은 엔진의 여러 파라미터들을 감지하여 그 수치에 따라 엔진 작동한계를 초과하지 않는 범위에서 원하는 출력을 생산하기 위해 엔진에 충분한 연료유량을 공급한다. 이것은 자동적인 형태로 농후하거나 희박한 혼합비에 의한 연소정지와 과열(over temperature)이나 과속(over speed) 현상을 방지한다.

1. 터빈엔진 연료

터빈엔진에 사용되는 연료는 왕복엔진에 사용되는 연료와 다르다. 제트연료로도 불리는 터빈엔진 연료는 터빈엔진에만 사용하여야 하며, 왕복엔진 연료계통에 사용되는 항공 가솔린(aviation gasoline)과는 혼용을 금하여야 한다.

1.1. 터빈엔진 연료특성

터빈엔진 연료의 특성은 항공가솔린과 크게 다르다. 터빈엔진 연료는 높은 점도의 탄화수소 화합물로서 가솔린에 비해, 훨씬 낮은 휘발성과 높은 끓는점(비등점)을 가지고 있다. 원유 증류과정에서 보면 제트 연료는 나프타 또는 가솔린 보다 높은 온도에서 응축된다. 터빈엔진 연료의 탄화수소 분자는 항공가솔린보다 많은 탄소로 구성되어 있다. [그림 3-1]

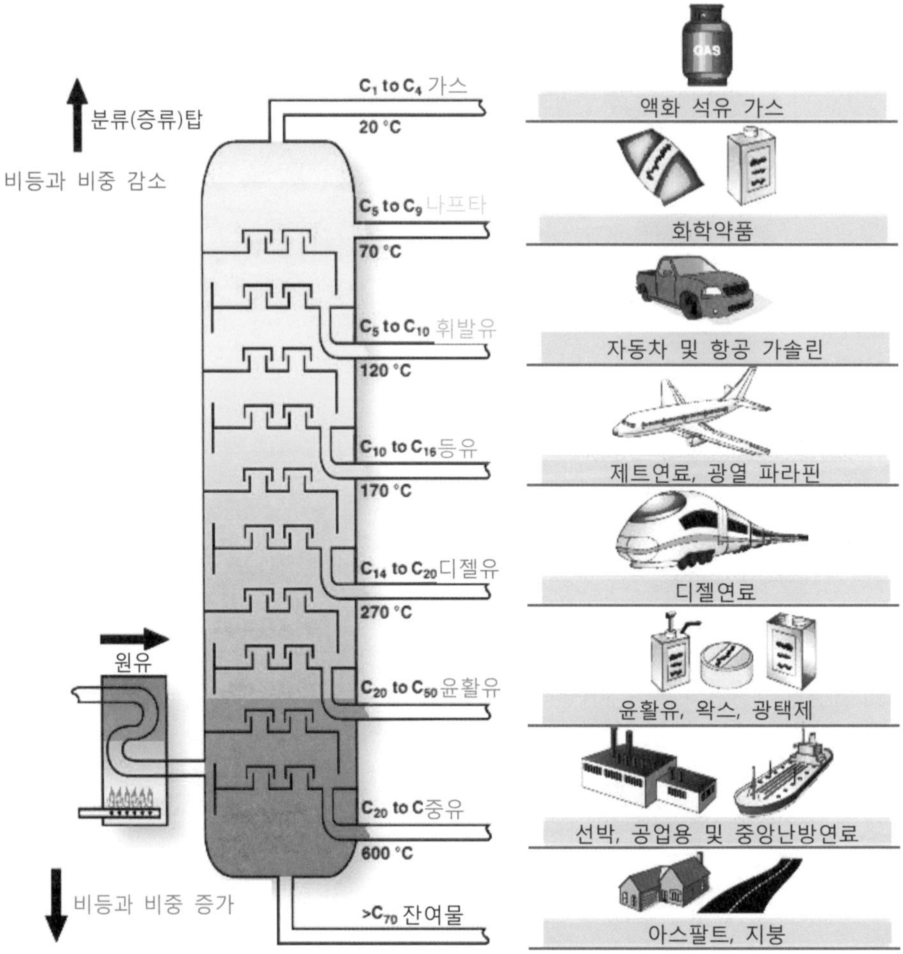

그림 3-1. 원유 정제과정

항공용 터빈 연료는 터보제트, 터보 프롭 및 터보 샤프트엔진 등에 시용된다. 현재 사용되는 터빈연료는 2가지로서 케로신(등유) 유형(Kerosene Type)인 JET A와 JET A-1, 케로신에 가솔린(휘발유)을 첨가한 JET B가 있다.

JET A-1의 빙점(어는점)은 -47℃(-52.6°F)이고, JET A는 -40℃(-40°F)로 나타나 있으며, 공군과 같은 군용에 사용되는 JP-4와 유사한 JET B는 빙점이 -50℃(-58°F)이다.

케로신은 열에너지(Heat Energy)가 1파운드(Pound)당 약 18,500 BTU이고, 1갤런(gallon) 당 무게는 6.7 파운드인 반면, 왕복기관에 사용되는 항공용 가솔린(aviation gasoline)은 1 파운드 당 20,000 BTU이고, 무게는 갤런 당 6 파운드이다. 즉, 케로신이 항공용 가솔린에 비해 무게 당 낮은 열에너지를 갖고 있지만, 갤런 당 더 높은 열에너지를 갖고 있다는 것을 의미한다.

많은 항공용 가스터빈 제작사들은 터빈 연료를 사용할 수 없을 경우에 항공용 가솔린 사용을 제한적으로 적은양의 사용을 허용하기도 하지만, 항공 가솔린의 사용을 제한하는 이유는 두 가지인데, 항공 가솔린에 첨가된 사에틸납(TEL: tetraethyl lead)이 터빈 블레이드에 침전되어 터빈 블레이드의 효율을 떨어뜨리고, 케로신에 비해 윤활성이 떨어지기 때문에 가솔린을 많이 사용할 경우에는 연료 조종 장치의 과도한 마모를 초래할 수 있다.

1.2. 연료 첨가제

일부 항공기/엔진 조합은 방빙(anti-icing)이나 항균제(antimicrobial agents)와 같은 연료 첨가제를 필요로 한다.

미생물은 제트연료의 물속에서 살고 번식한다. 이 조직체는 고인 물에서 보는 찌꺼기와 비슷한 모양으로 진흙처럼 붉거나 갈색 혹은 회색이거나 검다. 이런 조직체는 탄화수소를 먹고 살지만 번식하기위해서는 물이 필요하다. 이 미생물은 서로 얽히는 성질이 있어 대게 갈색의 담요처럼 보이는데 이것이 수분을 더 많이 흡수하기 위해 압지 같은 역할을 하며 따라서 미생물의 성장을 촉진시킨다. 이 미생물의 성장은 연료흐름과 연료량 지시에 간섭할 뿐 아니라, 더욱 중요한 것은 전해질의 부식작용(electrolytic corrosive acton)을 일어나도록 한다.

방빙 첨가제는 아주 낮은 온도의 경우를 제외하고는 데워진 연료를 사용하지 않고도 연료 속에 함유된 수분이 어는 것을 예방한다. 미생물 억제제는 미생물, 곰팡이와 연료계통에 점액형태로 눌러 붙은 박테리아를 죽인다.

첨가제는 연료 공급자에 의해 사전에 대부분 혼합되어있지만, 그렇지 않을 경우에는 항공기에 연료를 보급할 때 반드시 첨가하여야 한다.

첨가제는 그림 3-2와 같이 방빙과 미생물 억제제를 혼합한 대표적 상표인 프리스트(PRIST®)를 많이 사용하는데 연료 보급할 때 첨가할 수 있도록 만들어져 있다. 첨가제 종류와 양은 기후조건과 연료계통의 감항성을 유지하는 선에서 결정되어야 한다.

터빈엔진에 첨가제를 사용할 경우, 정비사는 사용이 승인된 제품인지 항공기 운용지침서(aircraft operator' s manual) 혹은 형식증명자료(type certificate data sheet)등을 반드시 확인하여야 한다.

그림 3-2. 연료 첨가제(PRIST)

2. 터빈엔진 연료조정계통(FUEL CONTROL SYSTEM)

2.1. 제트 연료조정 장치(JET FUEL CONTROLS)

연료조정 장치는 기계, 유압, 전기 또는 압축공기 힘 등으로 다양하게 조합된 장치로서 엔진으로 구동되는 보기(accessory)이다. 연료조정 장치는 기본적으로 유압-기계식(hydro-mechanical type)과 전자식(electronic type) 두 가지로 분류된다.

2.1.1. 유압-기계식(HYDRO-MECHANICAL)

유압-기계식 연료조정 장치의 센싱부(sensing section)는 파워레버 각도, 플라이 웨이트, 액체가 밀봉된 봉입 벨로우즈, 공기압 벨로우즈 등에서 입력신호를 감지하고 컴퓨팅부(computing section)는 유압 서보피스톤, 입체캠, 레버 등 각종 메커니즘의 조립으로 필요연료량을 계산하고 그 결과를 미터링부(metering section)의 연료 미터링 밸브에 전하여 연료량을 조절하는 일종의 유압-기계식 컴퓨터라고 말할 수 있는 극히 정밀하고 복잡한 장치이며, 근대 항공기 터빈엔진의 연료조정장치의 주류를 이루어 왔다.

그림 3-3은 유압-기계식으로 작동하는 가스터빈 연료 조정 장치를 단순화한 그림이다. 연료를 조절하는 기능은 다음과 같다.

(1) 미터링 부(METERING SECTION)

엔진 시동 사이클 중에 차단레버(shut-off lever:10)를 열림(open)위치로 움직이면 연료는 엔진으로 들어가기 시작한다.

차단레버가 연료 차단밸브(fuel shutoff valve)를 열어주고, 최소흐름정지(minimum flow stop:11)가 메인 미터링 밸브(main metering valve:4)를 완전히 닫히지 못하게 하기 때문이다. 이것이 파워레버(power lever:1)가 완전 후방 위치에서 아이들(idle) 위치가 되게 하여 파워레버가 연료의 차단

기능까지 해야 할 필요성을 없애준다. 차단레버는 또한 시동 사이클 중에 연료조정장치 내부에 정확한 작동 연료압력을 만들어 준다. 이것은 다시 말하면 연료조정장치가 연료를 조절하기 이전에 연료가 엔진으로 들어가는 것을 방지해 준다.

연료공급(fuel supply) 계통으로부터 연료는 주 연료펌프(main fuel pump:8)를 지나면서 가압되어, 메인 미터링 밸브(main metering valve:4)로 보내진다.

밸브의 테이퍼에 의해 만들어지는 오리피스를 지나는 연료유량은 압력강하가 발생한다. 미터링 밸브를 지나서 연료노즐까지의 연료를 조절된 연료(metered fuel)라고 한다. 여기서 연료는 체적(volume)보다는 무게(weight)에 의해 조절(metering)된다. 이것은 연료의 열 포텐셜(파운드 당 BTU)이 연료 온도에 관계없이 일정하지만, 단위 체적 당 BTU는 그렇지 않기 때문이다. 연료는 정확하게 조절된 상태로 연소실로 흐르게 된다.

엔진의 출력이 일정한 상태로 한 가지조건으로 작동된다면, 연료 미터링 오리피스는 고정된 크기로 하나만 있으면 된다. 그러나 항공기 엔진은 출력을 변경해야 한다. 이것은 파워레버(power lever:1)를 움직여서 이루어진다.

파워레버를 앞으로 움직이면 오리피스 면적(4)은 계속 커진다. 이 작용이 수학적인 변수를 만든다. 즉 열림(opening)의 크기가 변하면, 흐르는 연료의 무게도 비례해서 변화한다.

차압 조절밸브(differential pressure regulating valve:9)에 의하여 연료 바이패스는 일정하게 변하는데, 이것은 오리피스 크기에 관계없이 압력차이가 일정한 수치로 유지되기 때문이다. 조절된 연료(metered fuel)를 차압 조절 다이아프램의 스프링 쪽에 보내서 차압이 스프링 장력(spring tension)에 가게 된다. 스프링 장력은 일정한 값이기 때문에 오리피스의 차압(△P) 또한 일정하게 된다.

이해를 돕기 위해 연료펌프와 같이 생각하면, 연료펌프는 항상 연료조정장치가 필요로 하는 연료보다 많은 양을 보내게 되는데, 이때 차압 조절밸브(differential pressure regulating valve)는 계속해서 초과된 잉여연료를 펌프 입구로 돌려보낸다.

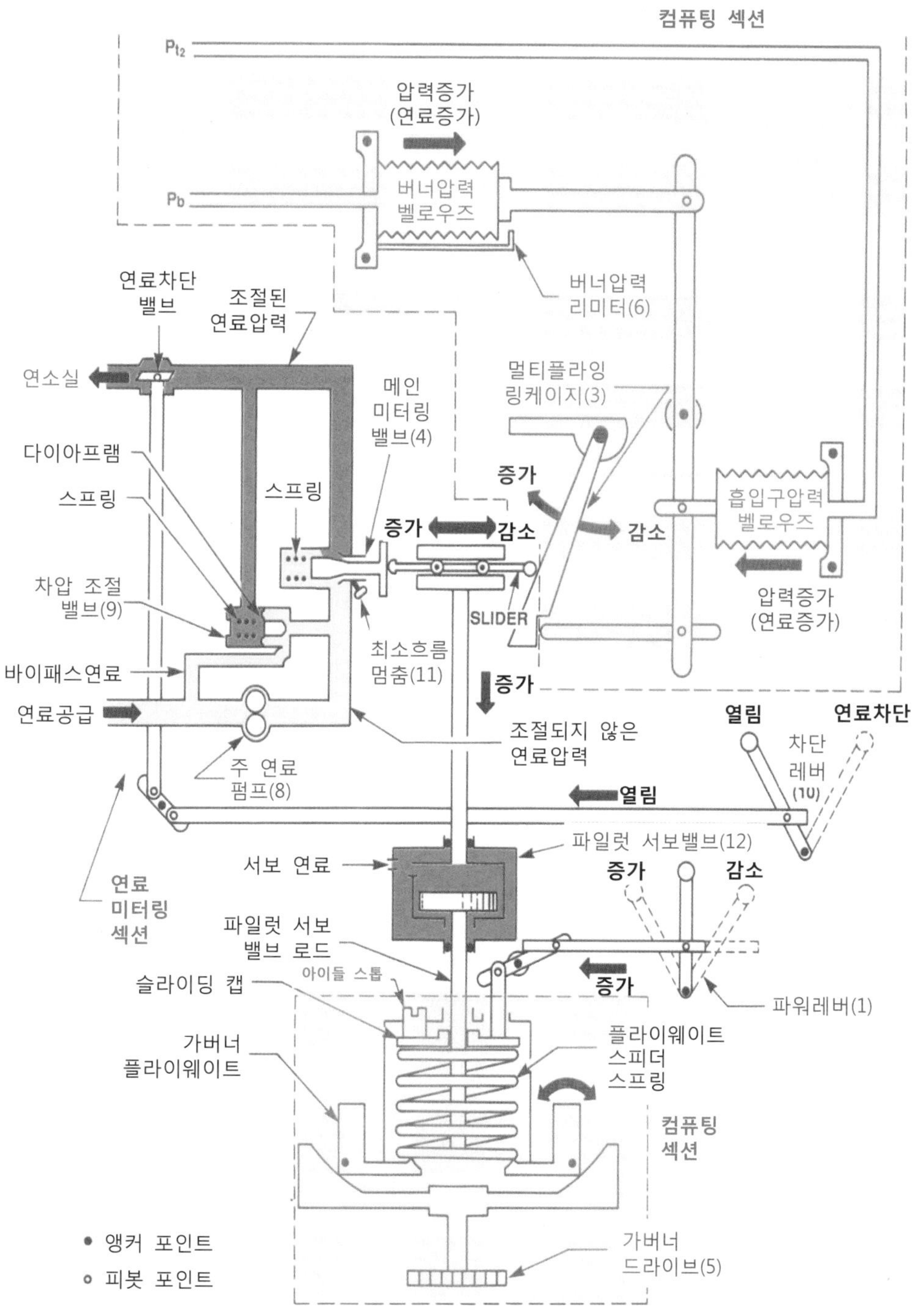

그림 3-3. 유압기계식 가스터빈 연료조정장치 개략도

(2) 컴퓨팅부(COMPUTING SECTION)

엔진작동 중에 파워레버(power lever:1)를 앞으로 밀면, 슬라이딩 캡(sliding cap)이 파일럿 서보밸브 로드(pilot servo valve rod:2)를 밑으로 눌러 플라이웨이트 스피더 스프링(flyweight speeder spring)을 압축한다.

이렇게 해서 스프링이 밑으로 눌리고 이 눌리는 힘이 플라이웨이트를 안쪽으로 움직여서 파일럿 서보밸브 로드(pilot servo rod)는 아래쪽으로 내려오게 한다. 파일럿 서보 밸브(pilot servo valve:12)의 기능은 위쪽의 서보연료(servo fuel)가 아래쪽으로 바뀌면서 생기는 갑작스런 움직임을 방지하는 것이다.

멀티플라잉 링케이지(multiplying linkage:3)가 정지 상태로 있다면 슬라이더(slider)는 경사진 판을 따라 아래로 움직이면서 동시에 좌측으로 움직인다. 슬라이더가 좌측으로 움직이면, 슬라이더는 미터링 밸브(metering valve:4)를 밀어서 미터링 밸브의 끝에 있는 스프링 장력을 이기고 좌측으로 움직이게 된다.

미터링 밸브가 좌측으로 움직이면 연료흐름이 증가하고, 엔진의 속도는 빨라지면서 가버너 축(governor drive:5)을 더 빠르게 돌린다.

연료흐름이 증가하면 엔진의 속도는 증가하고, 일정속도에 도달되면 엔진에 걸리는 부하가 줄어들고 엔진은 계속 가속하려는 경향으로 과속상태(over speed condition)가 된다.

이때 플라이웨이트는 원심력에 의해서 스피더 스프링 힘을 이기고 밖으로 벌어져서, 연료흐름을 줄여줌으로서 엔진을 정속상태(on-speed condition)로 유지시켜 주고, 플라이웨이트는 스피더 스프링 힘과 평형을 이루게 된다.

대부분의 엔진에서 연소실(burner can)의 정압은 공기 흐름양을 측정하는 좋은 예이다. 만약 공기 흐름양을 알고 있으면, 연료/공기 혼합비(fuel/air ratio)는 더욱 미세하게 조절할 수 있다. 연소실 압력(burner pressure: Pb)이 증가함에 따라 연소실 압력 벨로우(burner pressure bellows)가 우측으로 팽창한다. 과도한 움직임은 연소실 압력 리미터(burner pressure limiter:6)에 의해 제한된다.

만약 파일럿 서보밸브 로드(pilot servo valve rod)가 제자리에 머물러 있다고 가정하면, 연소실 압력 벨로우 팽창에 의해 멀티 플라잉 링케이지는 슬라이더를 좌측으로 밀어서 미터링 밸브를 열어주어 연료를 더 내보내서 증가된 공기 흐름양과 연료흐름이 같아지게 한다. 이런 상태는 항공기의 기수 하향 상태에서 생기는데, 이것은 흡입구 램 공기속도와 엔진의 공기 흐름양 등이 증가된 상태이다.

흡입구 압력(P_{t2})의 증가는 흡입구 압력 벨로우(Inlet Pressure Bellows:7)를 팽창시켜서 멀티 플라잉 링케이지를 좌측으로 움직이게 하는 힘으로 작용하고 미터링 밸브를 더 크게 열게 한다.

2.1.2. 전자식(ELECTRONICS)

현대의 고 바이패스 터보팬 엔진의 작동은 수많은 요인에 대한 정확하고 신뢰성 있는 제어를 위해서 항공사와 엔진제작자가 함께 개발한 것이 전자식 엔진제어장치(Electronics Engine Control: EEC)이다.

전자식 엔진제어장치는 엔진의 수명, 연료의 절감, 신뢰성의 향상, 비행 승무원의 작업량 감소와 정비비용의 절감을 가지게 되었다.

이러한 모든 효과를 동시에 얻기 위해서 2가지 타입의 전자식 엔진제어장치가 개발되었으며, 하나는 감시 엔진제어장치(Supervisory Engine Control: SEC)이고, 다른 하나는 전자동 디지털 엔진제어장치(Full Authority Digital Engine Control: FADEC)계통이다.

감시엔진제어장치는 B-767항공기에 장착되는 JT9D-7R4 엔진에 최초로 사용되었으며, 엔진작동에 필요한 여러 가지 파라미터(Parameter)의 정보를 받는 컴퓨터와 유압-기계식(Hydro-mechanical)인 연료조정장치가 포함되어 있어 보다 효과적인 엔진작동을 수행한다. 유압-기계식 연료조정 장치는 EEC의 명령을 받아 엔진을 직접 조정하는 장치로 구성되어 있다.

전자동 디지털 엔진제어장치(FADEC)는 엔진 작동을 위해 필요한 모든 데이터를 받는 시스템으로서 보다 안전하고 효과적인 엔진작동을 필요로 하는 제한조건에서 엔진의 파라미터를 조절하고 제한하여 여러 형태의 작동기에 명령을 만들어내는 계통이다. 이 계통은 PW4000계열 및 CFM56-7엔진을 비롯한 최근에 개발되고 있는 대부분의 엔진에 적용하여 사용되고 있다.

엔진의 모델에 따라 운용체계가 약간씩 상이하여 엔진 모델 별 FADEC의 소개는 어려우므로 우리나라 대형항공사 뿐만 아니라 저비용 항공사 등에서 주력기종으로 운영되고 있고, 공군의 조기경보기로도 도입되어 운용 중인 B737NG 항공기의 CFM56-7B엔진의 FADEC 시스템을 제4장에서 소개하기로 한다.

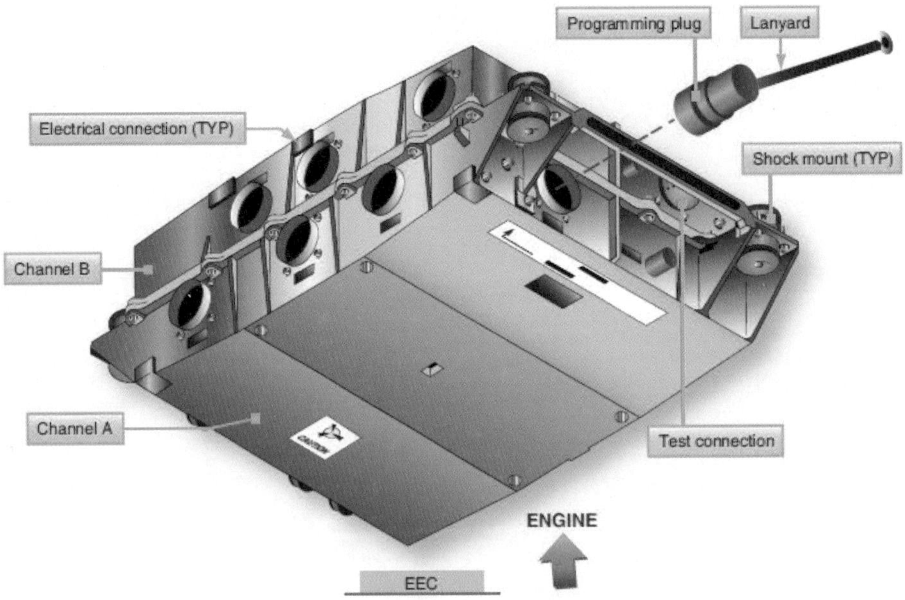

그림 3-4. 전자식 제어장치(ELECTRONIC ENGINE CONTROL)

2.2. 터빈엔진의 물 분사 계통(WATER INJECTION SYSTEM)

가스터빈 엔진에서의 물 분사는 엔진 추력을 증가시킨다는 의미이다. 최대추력은 엔진을 통하는 공기흐름의 밀도와 무게에 따라서 만들어진다. 물 분사는 물이나 물-메탄올(water-methanol) 혼합물에 의해 공기흐름을 냉각시켜서 이륙 시에 추가적인 출력을 얻는데 사용된다. 메탄올은 부동액과 같은 용도로 물에 첨가된다.

물은 압축기 입구나 연소실로 직접 분사된다. 연소실 입구에 분사하는 방법은 축류형 압축기를 사용하는 엔진에 좀 더 적합하다. 연소실 입구에 분사하는 것이 정확하게 분배하고 더 많은 양의 액체를 분사할 수 있다.

압축기 입구에 오로지 물만 분사할 경우에는 터빈 입구온도(turbine inlet temperature)가 감소한다. 메탄올의 첨가는 메탄올이 연소실에서 연소되면서 온도 손실을 보상해준다.

이러한 출력 보상은 연료흐름의 조절 없이 이루어진다. 냉각제가 연소실 입구로 분사되면 압축기를 통과하는 질량유량(mass flow)에 비해 상대적으로 터빈을 통과하는 질량유량이 증가한다. 이것은 압력을 감소시키고 터빈 쪽의 온도를 떨어뜨려서 추가적인 추력을 의미하는 엔진 출구(tail pipe)의 압력을 높이는 결과를 초래한다.

터빈 입구 온도의 감소는 연료흐름을 증가시키는 것을 허용하여 추가적인 추력을 마련한다. 메탄올을 사용할 때에는 터빈 입구온도는 연소실에서 메탄올이 연소되는 것을 반영하여야 한다.

3. 터빈 엔진 연료분배계통

최근의 터보 팬 엔진의 연료분배 계통은 연소를 위한 연료를 엔진 연소실에 보내주고, 연료계통의 서보기구(servo mechanism)에 깨끗하고 얼지 않은 연료를 공급해주며, 엔진 오일과 통합구동 발전기(Intergrated Drive Generator: IDG)의 오일을 냉각 시켜준다.

3.1. 연료계통 구성품

연료계통의 구성품은 크게 기체연료계통과 엔진연료계통으로 나뉜다. 기체 연료계통의 구성품은 연료탱크의 밑 부분에 있는 부스터 펌프(booster pump)에 의하여 가압되어 선택 및 차단 밸브를 거쳐 연료 튜브(tube) 또는 호스(hose)에 의해 엔진 연료 계통으로 공급된다.

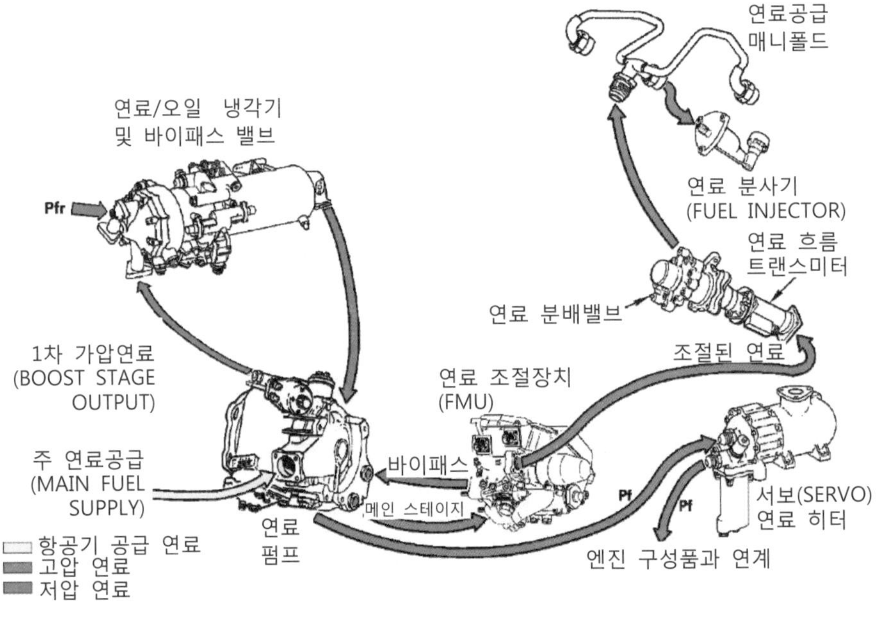

그림 3-5. B-777(PW4090) 엔진 연료계통 구성품

기본적인 엔진의 연료계통 구성품은

주 연료 펌프(main fuel pump) → 연료 필터(fuel filter) → 연료 조절 장치(fuel control unit) → 여압 및 드레인 밸브(P&D valve) → 연료 매니폴드(fuel manifold) → 연료 노즐(fuel nozzle)로 구성된다.

이외에도 그림 3-5의 PW4090 엔진 연료계통과 같이 오일냉각을 위한 연료-오일 냉각기(fuel-oil cooler)와 연료의 방빙을 위한 연료 히터(fuel heater), 연료유량 트랜스미터(fuel flow transmitter)가 있으며, 여압 및 드레인 밸브 대신에 연료분배 밸브(fuel distribution valve)가 있다. 엔진 연료계통의 감지를 위해 조종실 엔진 계기판에는 각 엔진별 연료량 계기와 저 연료 압력(low fuel pressure) 경고등이 장착되어 있다. 또한, 연료 압력계와 연료 온도계를 갖춘 계통도 있다.

그림 3-6은 CFM56-7 엔진의 연료분배 시스템 작동을 보여주는 개략도이다.

연료는 항공기 탱크로부터 연료공급라인(fuel supply line)을 통해서 엔진 연료펌프(fuel pump)로 들어간다. 펌프를 통해서 거쳐 나간 가압된 연료는 통합구동 발전기 오일 냉각기(IDG oil cooler)와 주오일/연료 열교환기(main oil/fuel heat exchanger)로 가서 IDG와 엔진 배유오일(scavenge oil)을 냉각 시키고, 다시 펌프로 돌아와서 연료 필터(fuel filter)를 거치고 2차로 가압되어 2개의 연료흐름(fuel flow)으로 나누어진다.

주 연료흐름(main fuel flow)은 연료조정장치 미터링 시스템(hydro mechanical unit metering system)을 거쳐서 연료흐름 트랜스미터(fuel flow transmitter)와 연료노즐필터(fuel nozzle filter)를 통해 20개의 연료노즐(fuel nozzle)로 분사된다.

또 다른 연료흐름(fuel flow)은 민감한 서보계통(servo system)으로 얼음 조각들이 들어가는 것을 방지하기 위하여 연료를 데워주는 서보연료 가열기(servo fuel heater)를 거침으로서 연료는 뜨거워지고, 이 뜨거운 연료는 연료조정장치 서보기구(HMU servo-mechanism)를 통해서 연료로 작동하는 여러 형태의 구성품(components)으로 간다.

또한, 연료조정장치(HMU)에서 사용되지 않은 잉여연료는 주오일/연료 열교환기(main oil/fuel heat exchanger)로 되돌아간다.

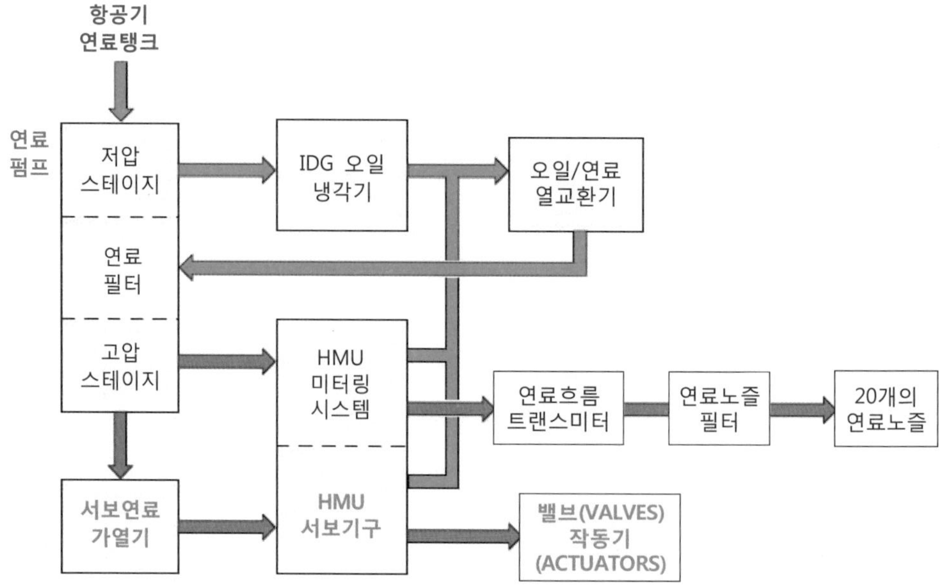

그림 3-6. CFM56-7 엔진 연료분배계통 개략도

3.2. 주 연료 펌프(MAIN FUEL PUMP)

주 연료펌프는 엔진으로 구동되는 보기(accessory)로서 엔진 속도가 빨라지면 펌프의 속도도 빨라져서 더 많은 연료를 공급해준다. 펌프는 엔진에서 필요로 하는 연료보다 더 많은 연료를 연료조정 장치에 계속해서 공급하도록 설계되어져 있다. 연료조정 장치는 연소실에서 요구되는 연료의 양으로 조절한 후, 잉여 연료를 연료펌프 입구로 돌려보낸다.

일반적으로 주 연료 펌프는 1개 혹은 2개의 스퍼기어형식(spur gear type)과 원심 부스트(centrifugal boost)로 구성되어 있다. 기어펌프는 회전당 고정된 유체의 양을 제공하기 때문에 용적 형(positive displacement type)으로 분류된다. 이러한 측면에서 기어타입 오일펌프와 매우 유사하다.

그림 3-7에서 전형적인 터빈 엔진 연료펌프를 보여주고 있다. 부스트 압력(boost pressure)인 원심 펌프의 임펠러(impeller)는 고압 부분인 기어 펌

프에 연결되어 기어 펌프보다 빠르게 회전하면서 연료를 2개의 기어 펌프에 공급한다.

병렬로 연결된 2개의 기어 펌프의 구동축에는 전단부분(shear sections)이 있어서 한쪽 기어펌프가 고장일 경우, 축이 전단되어 다른 한쪽이 기능을 계속하면서 충분한 연료를 공급할 수 있도록 설계되어 있다. 또한, 더욱 가압된 연료는 2개의 체크 밸브(check valve)를 통하여 펌프 출구로 나가게 되며, 한쪽 기어 펌프가 고장인 때에는 그쪽 체크 밸브가 닫혀 고장 난 펌프 쪽으로 연료가 역류하는 것을 방지한다.

릴리프 밸브(relief valve)는 펌프 출구 압력이 규정치 이상으로 높아지면 열려서 기어 펌프 입구로 되돌려 보낸다. 연료 조절 장치에서 사용하고 남은 연료는 바이패스 연료 입구를 통하여 기어 펌프 입구로 보내진다. 이러한 형식의 펌프는 연소실에 연료를 분무하기 위해 고압력이 필요한 엔진에 적합하다. 대형 기어펌프는 1,500 psi이상의 압력을 만들어 내고, 시간 당 30,000 파운드 이상의 연료량을 처리한다.

일부 소형 엔진 연료펌프는 연료조정 장치에 붙어있거나, 연료조정 장치에 내장되어 연료펌프 자체로 분리되지 않는 경우도 있다.

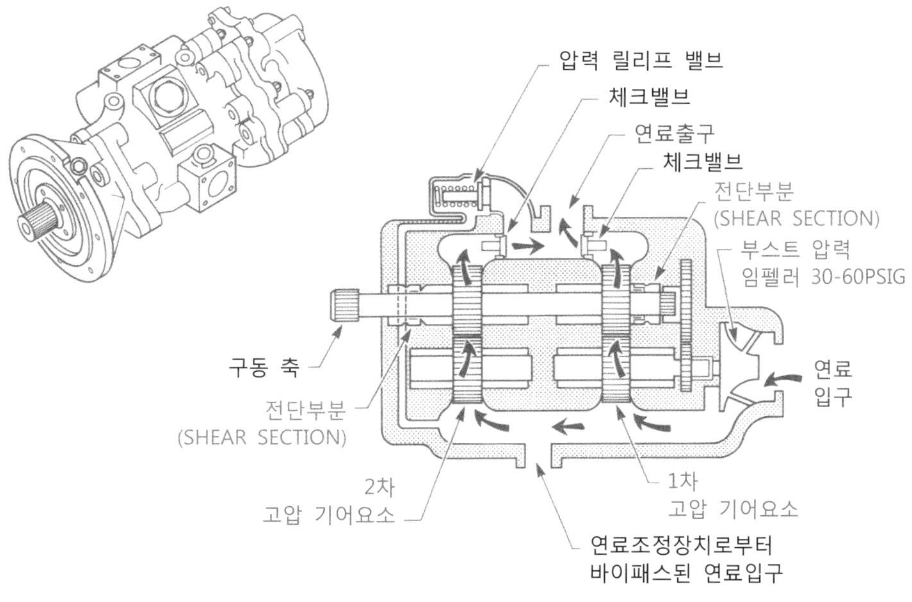

그림 3-7. 터빈엔진 구동 연료펌프

3.3. 연료 히터(FUEL HEATER)

연료 가열은 연료 속에 함유된 수분에 의해서 생기는 얼음조각을 방지하기 위하여 공급된다. 얼음조각이 생기면 연료필터가 막혀서 연료필터를 바이패스하게 되는 원인이 되어, 찌꺼기가 걸러지지 않은 연료가 연료 구성품으로 흐르게 된다. 심한 경우에는 얼음조각이 연료조정 장치 같은 부품으로 들어가 연료흐름을 중단시켜서 엔진 연소정지가 될 수도 있다.

어느 것을 중요시 여기는 엔진에서는 필터 바이패스(filter by-pass)쪽에 압력 스위치(pressure switch)를 장착하기도 한다. 필터에 얼음조각이 낀 경우, 압력이 떨어지게 되어 조종실에 경고 등(light)이 들어오게 한다.

연료가열은 연료온도가 32° F 부근에서 사용되도록 설계되어져 있다. 연료가열은 물의 빙점(freezing point) 이상인 3~5° F에서 자동적으로 작동되어지거나 아래위로 젖히게 되어있는 조종실의 토글스위치(toggle switch)에 의해서 작동된다.

이 시스템에서 엔진 저압필터(low pressure filter)로 가는 길에 연료는 히터 어셈블리(heater assembly)의 코어를 통과한다. 솔레노이드는 브리드 공기(bleed air)가 코어를 통과하여 연료를 따뜻하게 데워주게 한다.

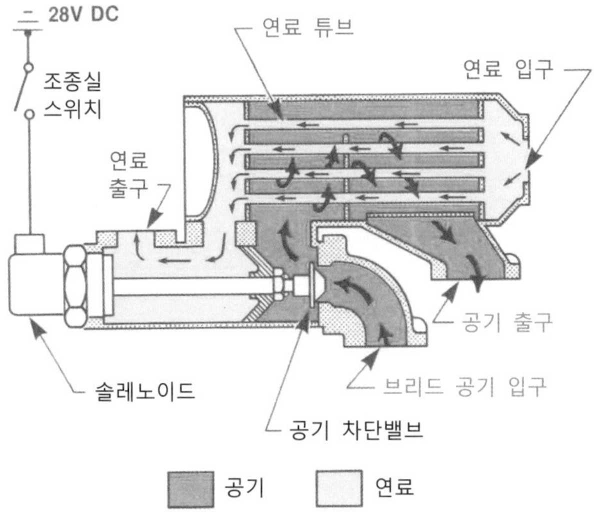

그림 3-8. 터빈엔진에 사용되는 연료히터

일반적인 작동제한은 다음과 같다.

① 이륙하기 전에 1분 동안 작동하고, 비행 중에는 매 30분마다 1분 동안 작동한다. 과도한 가열은 증기폐쇄(vapor lock)나 연료조정 장치에 열 손상을 초래할 수 있다.

② 항공기가 이륙, 접근 또는 복행(go around)하는 동안에는 기화로 인해 연소정지 가능성이 있음으로 작동하지 말아야 한다.

일부 엔진 연료히터에는 사이클 시간이 자동으로 전기 타이머와 게이트밸브 조절에 의해 제어된다. 시스템 사이클과 같은 작동을 점검하려면 정비사는 다음과 같이 EPR, 오일온도(oil temperature) 및 연료 필터 등(fuel filter light)의 게이지 지시를 관찰할 수 있다.

① EPR은 블리드 공기의 흐름에 따라 압축이 손실되므로 떨어질 것이다.

② 오일 온도(Oil temperature) 오일 냉각기(oil cooler)로 흐르는 연료 온도가 높아져서 증가할 것이다.

③ 필터에 얼음이 형성되어 필터 바이패스 경고등(filter by-pass light)이 들어왔을 경우, 시스템 사이클이 동작하면 등은 꺼질 것이다.

④ 연료 바이패스 필터 경고등이 꺼지지 않을 경우에는 정비사는 얼음 조각이 아닌 고체 오염물이 연료필터에 존재하는지 확인하여야 한다.

일부 항공기에서는 연료-오일 냉각기(fuel-oil cooler)만으로도 연료가 어는 것을 충분히 방지할 수 있기 때문에 별도의 연료 가열시스템을 장착하지 않는다. 공기-오일 냉각기(air-oil cooler)를 사용하는 경우에는 연료 가열 시스템이 일반적으로 사용된다.

3.4. IDG 오일 냉각기(IDG OIL COOLER)

현용 터보 팬 엔진에 주로 사용되는 발전기 형태는 정속구동장치(Constant Speed Drive: CSD)가 내장된 IDG(Intergrated Drive Generator)를 사용하고 있으며, 차거운 연료를 이용하여 IDG의 오일을 냉각 시킨다.

그림 3-9와 같이 IDG 오일 냉각기 내부에는 오일흐름(oil flow)과 연료흐름(fuel flow)의 서로 다른 2종류의 흐름들이 있다.

연료는 튜브 다발(tube bundle) 안쪽으로 흐르고, 오일은 튜브다발(tube bundle) 주변을 순환하면서 열을 연료로 전달한다.

몸체는 튜브 플레이트(tube plate), 7개의 배플(baffle)과 U자 형태의 알루미늄 합금 튜브들로 구성 되어 있으며, 하우징(Housing)은 오일공급 포트(oil supply port), 오일출구 포트(oil out port)와 오일 드레인 포트(oil drain port)를 포함하고 있고, 커버(Cover)는 연료공급 포트(fuel supply port), 연료 출구포트(fuel out port)와 압력 릴리프 밸브(pressure relief

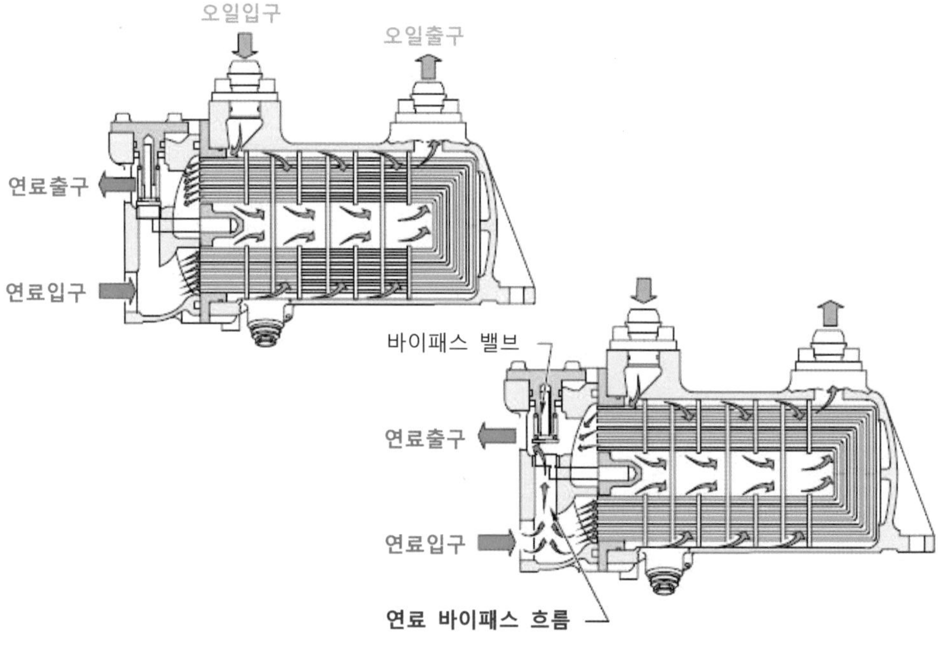

그림 3-9. IDG 오일 냉각기

valve)를 포함하고 있다.

압력 릴리프 밸브(pressure relief valve)는 연료입구 포트(fuel inlet port)와 출구포트(outlet port)사이에 장착되어 차압이 24 pasid 이상이 되면, 연료를 열교환기(heat exchanger)쪽으로 바이패스(by-pass) 시킨다.

3.5. 주오일/연료 열교환기 (MAIN OIL/FUEL HEAT EXCHANGER)

주오일/연료 열교환기(Main oil/fuel heat exchanger)의 주목적은 교환기(exchanger) 내부에 흐르는 오일(oil)과 연료(fuel)의 열 교환에 의하여 차가운 연료로 엔진 내부의 베어링 등을 윤활하고 배유된 오일(scavenged oil)을 냉각 시키는 것이다.

열교환기(Heat exchanger)는 관모양의 형태로 설계되어, 장탈 가능한 코어(core)와 하우징(housing)과 커버(cover)로 구성되어 있다.

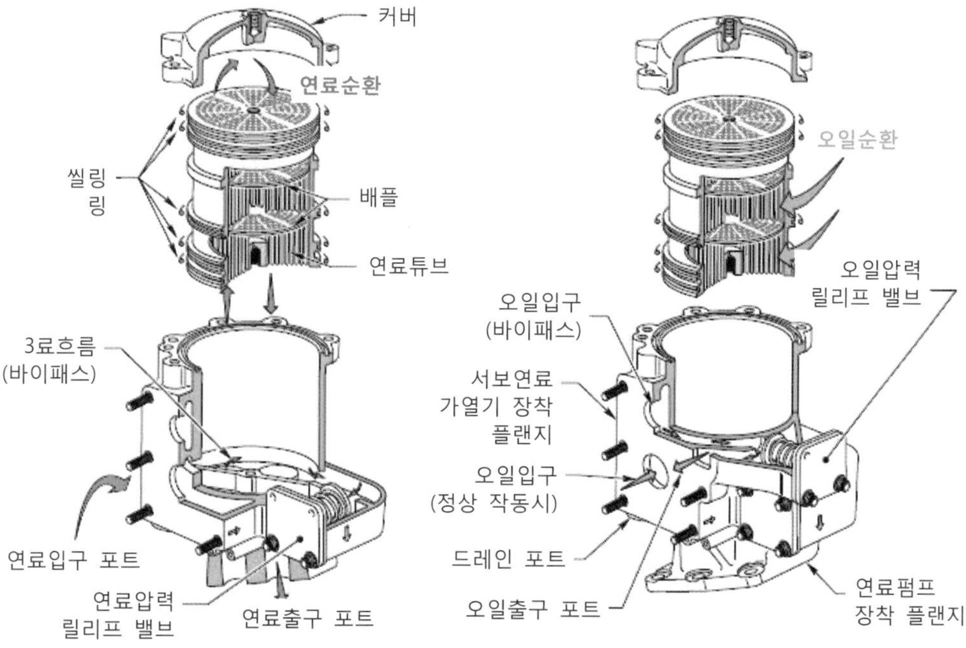

그림 3-10. 주오일/연료 열교환기(Main oil/fuel heat exchanger)

코어는 2개의 엔드 플레이트(end plate)와 연료 튜브(fuel tube)들과 2개의 배플(baffle)을 가지고 있으며, 튜브는 엔드 플레이트와 오일이 연료입구 튜브(fuel inlet tube) 주변을 순환 할 수 있도록 배플의 안쪽에 길이 방향으로 장착되어 있고, 씰링 링(Sealing ring)이 코어에 장착되어 오일과 연료영역(fuel area) 사이를 격리 시킨다.

연료가 오염되었을 경우에는 주오일/연료 열교환기(main oil/fuel heat exchanger)를 반드시 교환 해주어야 한다.

3.6. 연료 필터(FUEL FILTER)

터빈 엔진 연료 계통에서 2가지 정도의 여과가 필요하다. 공급 탱크와 엔진 사이에 저 압력 거친 필터(coarse mesh filter)를 설치하고, 연료 펌프(fuel pump)와 연료조정 장치(fuel control) 사이에 고운 필터(fine mesh filter)를 설치한다. 연료조정 장치는 매우 정밀한 통로와 미세한 허용공차를 갖고 있는 장치이기 때문에 10~200 마이크론 등급의 고운 필터(fine filter)가 필요하다.

3.6.1. 연료필터의 종류

여러 가지의 필터(filter)가 연료 계통에 사용된다. 웨이퍼 스크린(wafer screen), 스틸 메쉬 플레이트 스크린(steel mesh pleated screen), 스틸 메쉬 실린더형 스크린(steel mesh cylindrical screen)과 셀룰로오스 섬유(cellulose fiber)등이다. 셀룰로오스 섬유 필터는 동등한 미크론 등급이 있다. 즉, 웨이퍼 스크린 유형의 35 마이크론 필터는 35 마이크론의 직경의 사각형 구멍이 되며, 시스템을 통해 통과하는 직경 35 마이크론 보다 큰 입자를 걸러낼 수 있다. 셀룰로오스 요소는 상대적으로 같은 크기의 입자를 걸러낸다.

그림 3-11(A)는 웨이퍼 스크린의 바울 형(bowl type) 필터로서 바이패스 밸브(bypass valve)를 갖고 있다. 이 바이패스 밸브는 8~12 psid의 차압에서 열린다. 들어가는 쪽 압력과 나가는 쪽의 압력이 12 psid 차이가 날 때

작동하며, 이는 주로 얼음 조각이나 오염 물질 등이 쌓이기 시작할 때이다.

그림 3-11(B)에서 하나는 2개의 필터를 갖고 있다. 주름 망 엘리먼트(pleated mesh element)가 주 계통 연료를 걸러서 연소실로 보내며 40 마이크론의 여과 등급을 가지고 있다.

바이패스 밸브(bypass valve)는 필터가 막혔을 때 28~32 psid에서 연료를 바이패스 한다. 원통형 그물망(cylindrical mesh) 필터는 10 마이크론 필터로서 연료조정 장치를 통하여 서보 메카니즘(servo mechanism)을 작동하는 연료를 거른다. 연료 시스템에서 이 부분에 최소한의 흐름은 매우 고운 필터의 사용을 허용한다. 이 고운 필터(fine filter)는 연료조정 장치의 고 정밀 부품을 보호하고 많은 작은 유체 통로의 막힘을 방지하기 위해 필요하다.

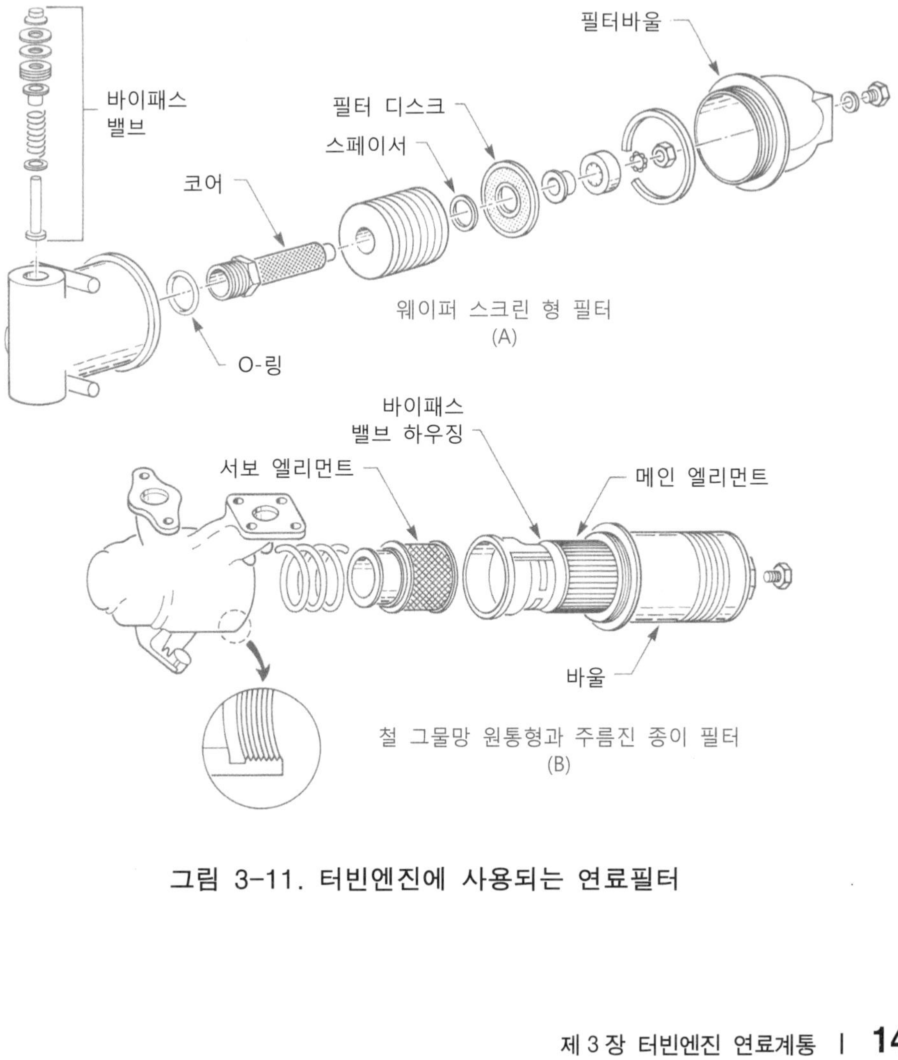

그림 3-11. 터빈엔진에 사용되는 연료필터

3.6.2. 연료필터의 점검

연료필터 점검은 정비사에 의해서 주기적으로 검사해야하는 항목이다. 물이나 금속 오염물질이 필터나 필터 바울(filter bowl)에서 발견되는 경우에는 정비사는 항공기 운항 전에 문제의 근원이 어디인지를 반드시 확인 하여야 한다.

그림 3-12는 CFM56-7 엔진의 연료펌프 필터로서 필터 카트리지(filter cartridge)와 바이패스 밸브(by-pass valve)로 구성되어 있다.

필터 카트리지는 38 마이크론(micron)의 여과 용량을 가지고 있으며, 연료펌프 몸체(fuel pump body)내에 장착되어 있다.

연료는 필터 카트리지의 바깥쪽에서 안쪽으로 순환되고, 필터가 막혔을 경우에는 바이패스 밸브가 열려서 연료펌프의 고압 단(HP stage)으로 연료가 통과 하도록 해준다.

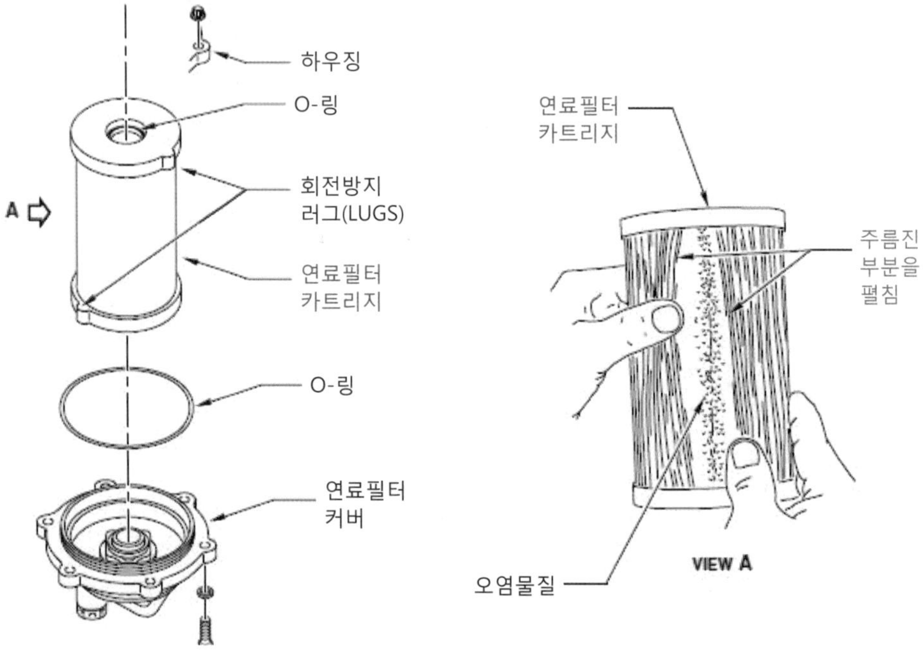

그림 3-12. 연료필터 카트리지의 육안검사

필터 하우징(Filter housing)의 태핑(tapping)은 필터의 막힘 상태를 항공기 감시시스템(monitoring system)으로 보내주는 차압 스위치(differential pressure switch)의 장착이 가능하게 한다.

조종실의 "FILTER BYPASS" 경고등이 지시되거나 필터 커버(filter cover) 아래쪽에 심각한 오염이 발견되었을 경우에는 반드시 필터를 장탈하고, 육안 검사를 실시하여야 하는데, 이 검사는 항공기 혹은 엔진 연료계통의 오염원을 알아내는데 큰 도움이 된다.

3.7. 연료 분사 노즐과 연료 매니폴드 (FUEL SPLAY NOZZLES AND FUEL MANIFOLDS)

연료 분사기라고도 부르는 연료 노즐은 연료 시스템의 마지막 지점에 있다. 연소실 라이너(combustion liner)의 입구에 장착되어 규정된 양의 연료를 연소실에 분사한다. 연료는 액체 상태로는 연소할 수 없으므로 우선먼저 분무 또는 기화에 의에 정확한 비율로 공기와 혼합되어야한다.

3.7.1. 분무식 노즐(ATOMIZING TYPE NOZZLES)

분무식 노즐은 매니폴드에서 연료를 받아서 미세하게 분무화 시켜서 연소실에 정밀하게 분사한다.

원뿔(cone)모양의 분무된 분사형태는 아주 미세한 연료방울의 큰 연료 표면적을 제공한다. 이것이 최적의 연료/공기 혼합을 만들어 준다. 보다 높은 압축비에서 가장 바람직한 불꽃 형태가 이루어지며, 시동 및 기타 설계속도에 미치지 못하는 속도에서는 압축의 부족으로 불꽃의 길이가 길어진다.

분사형태 또한 연소실 라이너 중심에서 벗어나는 경우에는 불꽃은 연소실 벽면에 닿게 되어 벽면에 열점(hot spot)이 발생하거나 타 버릴 수(burn) 있다.[그림 3-13 참조]

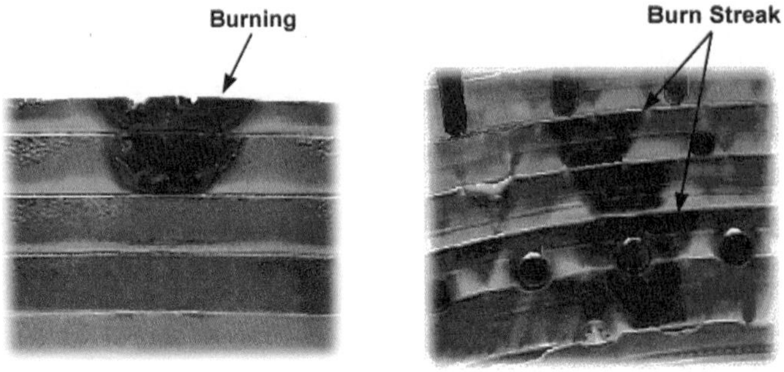

그림 3-13. 연소실 라이너의 Burning과 Burn Streak 현상

분사 형태를 왜곡시키는 또 다른 문제는 노즐 내에 오염된 입자(contaminated particles), 또는 노즐 오리피스(nozzle orifice) 주변에 탄소가 축적되어 과열 줄무늬(hot streaking)를 발생시키는 원인이 될 수 있으며, 이는 분무화 되지 않은 연료흐름이 연소실의 냉각공기 블랭킷(cooling air blanket)을 잘라내게 되어 연소실 라이너나 터빈 노즐(turbine nozzle)과 같은 연소실 출구 부품들과 충돌하게 된다.

(A) (B)

그림 3-14. 연료노즐의 탄소축적으로 인한 막힘과 연소실 조각탈락

일부 연료 노즐은 검사를 위해 쉽게 장탈 할 수 있도록 엔진 외부 패드에 장착되어 있다. 그 외에는 엔진 내부에 장착되어 연소실을 장탈 해야만 접근이 가능한 경우도 있다. 그림 3-15(B)에 엔진 외부에 장착된 복식노즐

(duplex nozzle)을 보여주고 있다. 단식노즐(simplex nozzle)은 그림 3-15(A)에 나타나 있다.

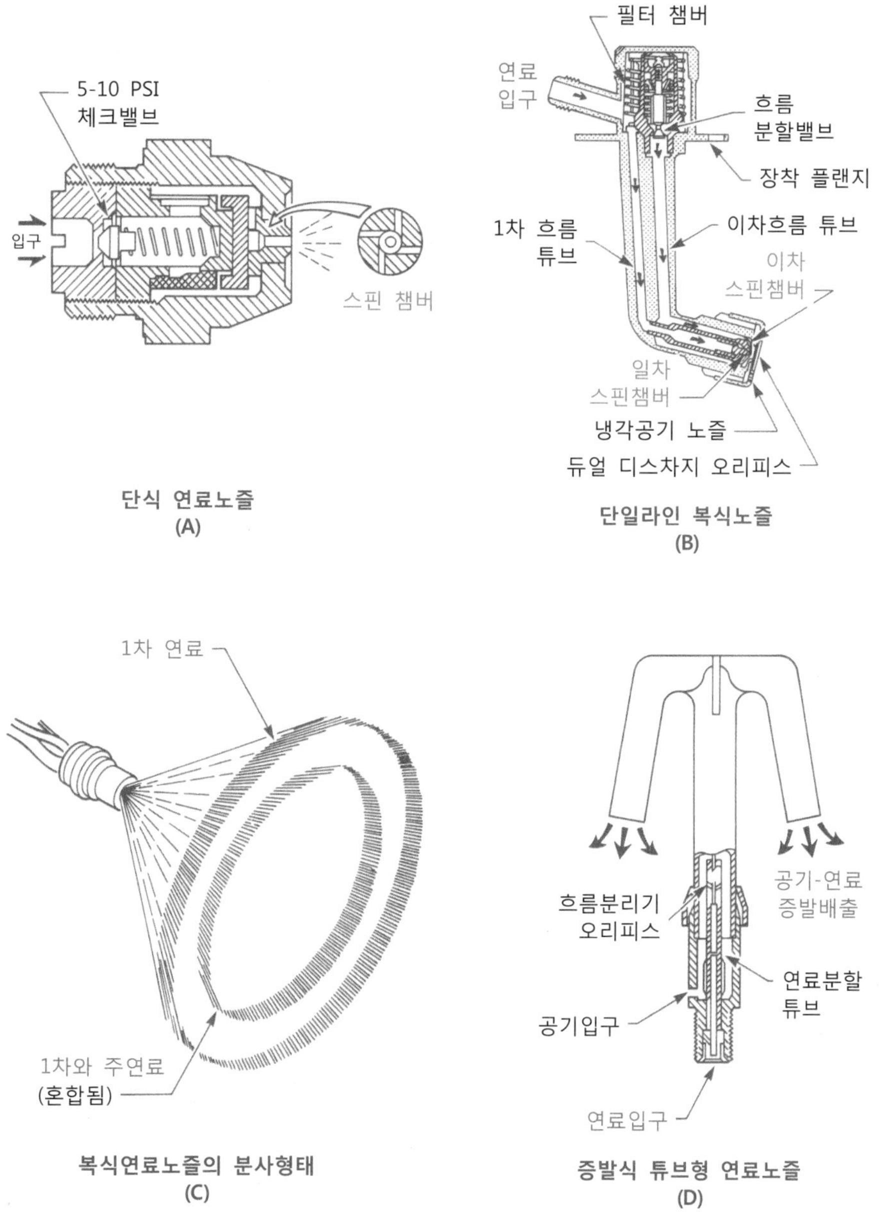

그림 3-15. 터빈엔진의 연료노즐

(1) 단식노즐(simplex nozzle)

단식노즐은 하나의 분사형태를 제공하고 오리피스 출구에 좀 더 나은 분무를 위하여 소용돌이를 만들어 주고, 연료의 축 속도를 줄이기 위해 홈 붙이 스핀 챔버(fluted spin chamber)가 내장되어 있다.

단식노즐 그림에 나타나 있는 내부의 체크 밸브(check valve)는 엔진 정지 후, 연료 매니폴드(fuel manifold)에서 연소실로 연료가 떨어지는 것을 방지한다.

단식 노즐을 가진 일부 연료계통에서는 연소정지를 개선하기 위하여 아주 미세하게 열은 안개처럼 분무화시켜 분사하는 프라이머(primer) 또는 시동노즐(starting nozzle)이라고도 부르는 아주 작은 단식노즐이 주 연료 분사장치에 부가적으로 내장되어 있다.

(2) 복식 노즐(duplex nozzle)

복식 연료 노즐(duplex fuel nozzles)에는 싱글라인(single-line)과 듀얼라인(dual-line)의 두 가지 종류가 있다.

그림 3-15(B)와 같이 싱글라인 복식노즐은 하나의 연료 입구포트(inlet port)에서 연료를 받아 흐름 분할기(flow divider)에서 두 개의 분사 오리피스(spray orifices)로 연료가 분배된다.

파일럿(pilot) 또는 일차연료(primary fuel)라고 부르는 중앙의 오리피스는 엔진시동과 아이들(idle)로 가속 중에 넓은 각도로 분사해준다. 주(main) 연료 혹은 이차연료(secondary fuel)로 지칭되는 바깥쪽 오리피스(outer orifice)는 파일럿 연료(일차연료)로 흐르는 연료압력이 일정 값에 도달되면 열리게 된다.

바깥쪽 오리피스로 흐르는 더 많은 양의 연료와 압력이 분사형태를 좁게 만들어주어 고 출력에서 연료가 연소실 라이너에 닿지 않게 한다.

복식노즐 또한 각각의 오리피스에 스핀 챔버(spin chambers)를 활용한다. 이러한 배열은 연료압력의 넓은 범위이상에서 효율적인 연료 분무와 혼합 체류시간을 만들어준다. 높은 압력이 공급되어 만들어진 분사형태는 혼입된 오염물질로부터 오리피스가 막히는 것을 방지해준다.

연료노즐의 머리(head)는 일반적으로 약간의 연소를 위한 일차공기(primary air)를 제공하는 공기구멍(air holes)이 설계되어 있지만, 이러한 구멍들은 주로 노즐 머리(nozzle head)와 분사 오리피스(spray orifices)를 냉각하고 세척하는데 사용된다.

냉각공기흐름은 일차연료(primary fuel)가 연료흐름이 시작될 때 이차 오리피스(secondary orifice)로 역류되는 것을 방지해주고, 또한 탄소가 형성(carbonizing)되는 것을 방지해준다.

노즐 머리 주변에서의 탄소 축적은 오리피스를 일그러뜨려 분사형태를 왜곡 시킬 수 있다. 이러한 축적은 보어스코프 점검으로 발견할 수 있으며, 탄소가 많이 끼어있는 경우에는 노즐을 장탈하여 세척작업을 수행하여야 한다.

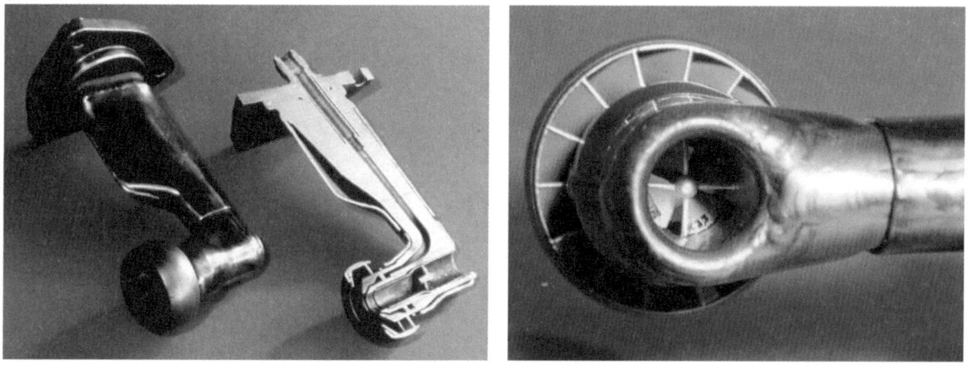

그림 3-16. 복식 연료 노즐과 스핀 챔버(Spin Chamber)

3.7.2. 기화식 노즐(VAPORIZING TYPE NOZZLES)

기화식 노즐의 배열은 분무식 노즐과 유사하게 연료 매니폴드(fuel manifold)에 연결되지만, 분무식처럼 연소실의 일차공기(primary air)로 연료를 직접 전달하지 않고, 증발관(vaporizing tube)에서 일차공기와 연료를 미리 혼합한다.

노즐 주변 연소실 열(Combustor heat)이 혼합물이 연소실 화염지역으로 나가기 전에 기화시켜 준다. 일부 기화기는 오직 하나의 출구(outlet)가 있으며 지팡이 모양처럼 생겼다고 해서 지팡이 형 기화기(cane-shaped vaporizer)라고 한다.

그림 3-15(D)는 이중 출구(dual outlet) T-형 기화기(T-shaped vaporizer)를 보여주고 있다. 기화 노즐(vaporizing nozzles)은 시동하는 동안 효과적인 분사 형태를 제공하지 못 하기 때문에 엔진 시동시 사용하기 위하여 작은 분무식 분사노즐을 추가로 장착하기도 한다.

이 시스템은 일반적으로 프라이머(primer) 또는 시동 연료시스템(starting fuel system)이라고 부른다. 초음속 여객기인 콩코드(Concord)의 올림푸스 엔진(Olympus engine)은 기화 연료노즐과 프라이머 연료노즐 시스템을 사용하였다.

3.7.3. P&D 밸브(PRESSURIZING AND DUMP VALVE)

P&D 밸브는 일반적으로 이중 입구 라인 형식(dual inlet line type)의 복식 연료노즐(duplex fuel nozzle)에 사용된다.

단일 라인 복식(single-line duplex)처럼 각 노즐로 흐르는 연료를 나누어주는 흐름 분할기(flow divider)와는 달리 이 배열은 압력과 덤프 밸브라는 하나의 중앙 흐름 분할기라고 할 수 있다.

연료조정 장치와 연료 매니폴드의 중간에 위치하고 있는 P&D 밸브는 연료 매니폴드로 가는 1차 연료와 2차 연료를 분배하는 역할을 갖고 있다.

그림 3-17에서 엔진 시동을 위하여 파워레버가 열려질 때 연료조정 장치로부터 압력신호가 P&D 밸브로 전달된다. 그림 3-17(A)와 같이 압력신호(pressure signal)는 덤프 밸브를 왼쪽으로 밀어서 배출 포트를 닫아주고, 매니폴드로 가는 통로를 열어준다.

조절된 연료압력(metered fuel pressure)은 인넷 체크 밸브(inlet check valve)에서 스프링 장력을 이길 때까지 축적되어 연료가 입구 필터를 통하여 1차 매니폴드로 연료가 흐르게 한다. 엔진속도가 지상 아이들(ground idle)

이상에 도달되면 연료압력은 압력밸브 스프링 힘을 충분히 이길 수 있게 되어 연료는 또한 2차 매니폴드로 흐르게 한다.

조종실의 연료레버를 차단(off)쪽으로 이동시키면 엔진은 차단된다. 그림 3-17(B)와 같이 연료조정장치 압력신호는 없어지게 되고, 스프링 압력은 덤프 밸브를 오른쪽으로 밀어내어 덤프 밸브 포트(dump valve port)를 열어준다. 동시에 인넷 체크밸브는 닫혀서 조절된 라인(metered line)에 차 있는 연료를 보관하여 재시동 시에 빠르게 사용할 수 있도록 해준다.

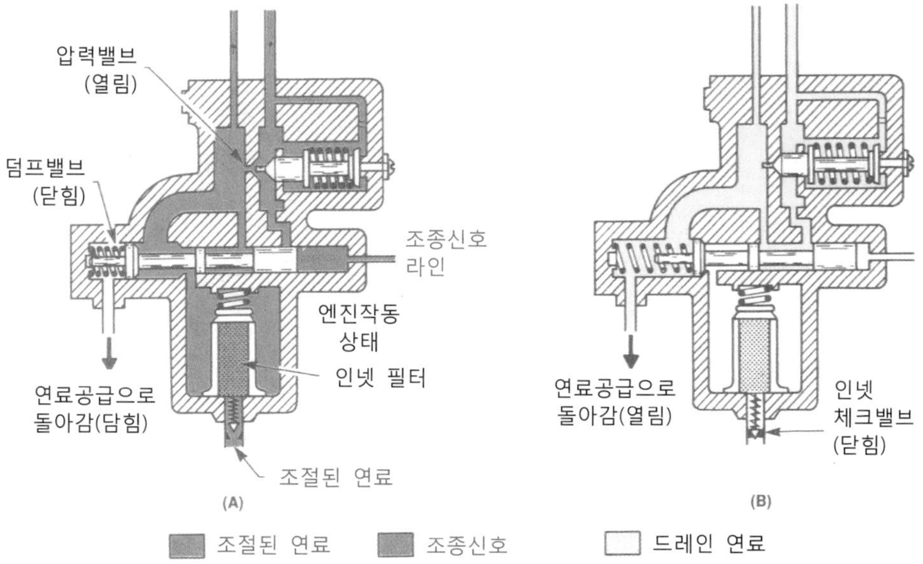

그림 3-17. P&D 밸브(PRESSURIZING AND DUMP VALVE)

그림 3-18은 P&D 밸브가 없는 단일라인 복식노즐을 보이고 있다.

연료는 인넷 필터(Inlet Filter)를 통해서 몸체인 카트리지 어셈블리(cartridge assembly)로 들어와서 스프링 힘을 받는 체크밸브(spring-loaded check valve)에 도달되는데, 연료 압력이 15psig가 되면 스프링은 압축되어 체크밸브가 열려서 미터링 세트(metering set)의 중앙으로 좁은 각도로 1차 연료흐름(primary fuel flow)을 만들어 준다.

연료압력이 120psig 이상이 되면, 흐름분할기 미터링 밸브(flow divider metering valve)가 열려서 1차 연료는 계속 흐르면서 제한된 오리피스(restricted orifice)를 통해서 지지대(Support)의 바깥쪽 튜브(outer tube)를 통해 미터링 세트(metering set)의 벤튜리 형태의 오리피스(Venturi type orifice)를 통하여 넓은 각도로 연소실에 분사된다.

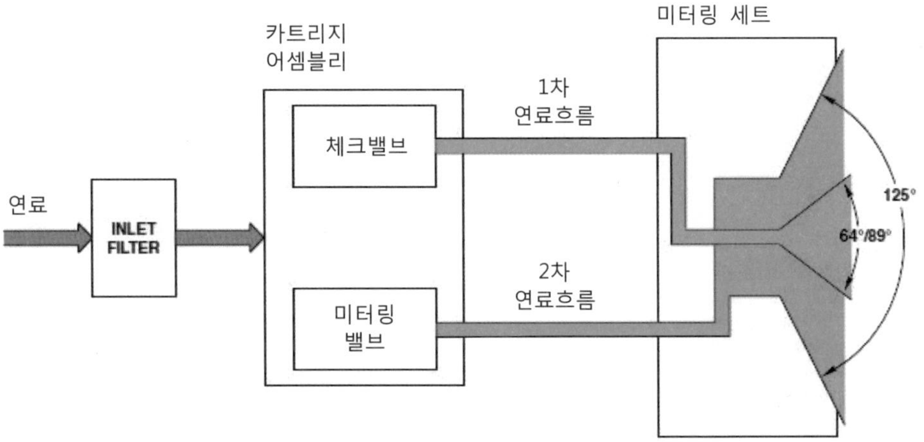

그림 3-18. 단일라인 복식노즐의 연료분사 형태

3.7.4. 드레인 밸브(Drain Valves)

엔진이 정지한 후 매니폴드 내에 연료가 남아 있으면 탄화를 발생시키기도 하고 이것이 연소실 내에 남아서 연소 위험의 이유로 덤프 밸브(Dump Valve)가 열려 매니폴드 안의 1차 연료를 드레인 탱크 안으로 배출시킨다.

과거에는 드레인 탱크의 연료를 이륙 중에 대기 중으로 방출시켰으나, 이런 연료의 방출이 광화학 스모그의 원인 물질의 하나라고 고려되므로 최근 엔진에는 대기 오염 방지 대책의 일환으로서 드레인 탱크의 연료를 수동으로 배출하거나 저장 탱크 덤프 밸브의 방출구를 막아서 사용하지 않는다.

수동 드레인에 대한 필요성을 제거하려면 재활용 시스템의 몇 가지 유형이 진전되고 있다. 대표적인 하나는 연료 차단레버가 작동되면 공급탱크에 연료를 돌려보내는 시스템이 있다. 또 다른 하나는 덤프 포트에 블리드 공기를 도입하여 연료 노즐의 바깥쪽으로 연료를 불어내는 방법이다. 이것은 연료가 없어질 때까지 연소가 약간 연장된다.

여전히 또 다른 하나는 덤프 포트를 막아서 연료가 아래쪽 노즐 밖으로 나가서 연소실 안에서 증발되게 하는 방법이다. 이것은 물론, 노즐이 잔류 열로부터 내부적으로 탄소 형성에 영향을 미치지 않는 곳에만 사용할 수 있다.

3.8. 연료 지시계통(FUEL INDICATING SYSTEM)

연료지시계통은 연료흐름(fuel flow), 연료 압력(fuel pressure) 및 필터 차압신호를 조종실에 보여준다.

그림 3-19는 PW4000 엔진의 연료지시계통을 보여주고 있다. 연료조절장치(fuel metering unit) 상부에 장착되어 있는 연료흐름 트랜스미터(fuel flow transmitter)는 연료분배 밸브(fuel distribution valve) 입구의 연료 질량 -흐름 비(mass-flow rate)를 측정하여 조종실에 아래쪽 EICAS에 연료흐름 비/연료 사용 계기(fuel flow rate/fuel used indicator)에 지시해준다.

연료 필터 차압 스위치(fuel filter differential switch)는 연료필터의 입구와 출구의 압력을 모니터하여 연료 필터의 막힘을 감지한다. 스위치가 닫히면(closed), 조종사에게 "ENG X FUEL FILTER" 경고 메시지를 제공한다.

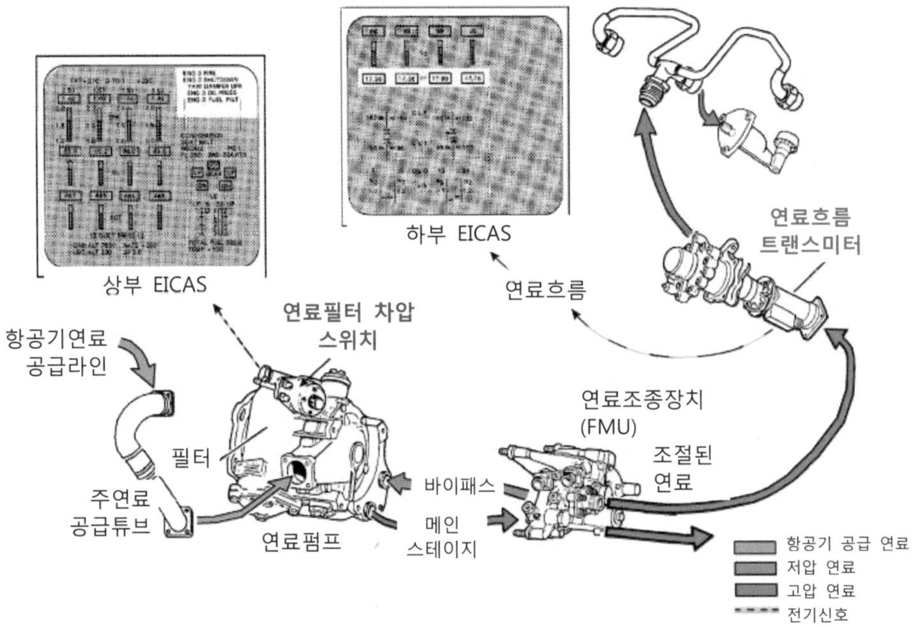

그림 3-19. B747-400(PW4000) 엔진연료 지시계통

MEMO

Part 04

1. FADEC 계통일반(SYSTEM GENERAL)
2. 전자식 엔진제어장치(ELECTRONIC ENGINE CONTROL)
3. 엔진 센서(ENGINE SENSORS)

전자동 디지털 엔진제어 계통

[FULL AUTHORITY DIGITAL ENGINE CONTROL]

제4장. 전자동 디지털 엔진제어 계통
(FULL AUTHORITY DIGITAL ENGINE CONTROL)

1. FADEC 계통일반(SYSTEM GENERAL)

CFM56-7B 엔진을 비롯한 현용의 엔진들은 FADEC(Full Authority Digital Engine Control)이라고 불러지는 시스템을 통해 작동된다.

1.1. FADEC의 목적

FADEC은 항공기로부터 입력되는 명령에 따라서 엔진 시스템을 완벽하게 제어하면서 조종실에 엔진의 작동상태를 지시해주고, 엔진의 상태 감시(engine condition monitoring) 및 정비관리(maintenance reporting), 고장탐구(trouble shooting)등을 위한 정보 등을 제공 해줄 뿐만 아니라 그림 4-1과 같이 다음과 같은 주요기능을 수행한다.

- 연료를 조절하고, N1과 N2의 회전수가 한계를 초과하지 않도록 제어한다.
- 지상에서 엔진 시동 중에 엔진 파라미터들을 제어하여 배기가스온도가 한계를 초과하지 않도록 해준다.
- 수동(manual)과 자동추력(autothrust)의 2가지 모드에 따라 추력을 제어해준다.
- 압축기 공기흐름(compressor airflow)과 터빈 간격(turbine clearance)을 조절하여 최적의 엔진 작동을 만들어 준다.
- 추력레버 인터라크 솔레노이드(thrust lever interlock solenoid)와 역 추력 장치를 제어해준다.

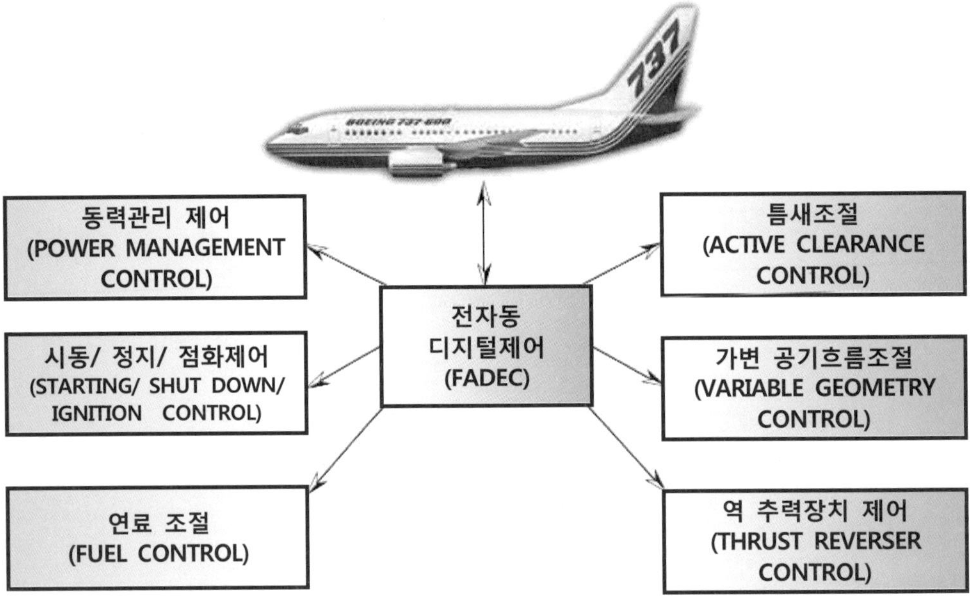

그림 4-1. FADEC의 목적

1.2. FADEC 구성

FADEC 시스템은 전자식 엔진 제어장치(Electronic Engine Control: EEC), 유압기계식 장치(Hydrao-Mechanical Unit : HMU)와 엔진을 제어하고 감시하는 밸브(valves), 작동기와 센서(actuators and sensors)등과 같은 주변장치로 구성되어 있다.

EEC는 채널(channel) A와 B로 명시된 동일한 2개의 컴퓨터가 내장 되어 있으며, 전자적으로 엔진을 제어하고 엔진 상태를 감시한다.

HMU는 EEC로부터 받은 전기적인 신호를 엔진의 각종 밸브들과 작동기(actuator)들을 구동시키기 위한 유압(hydraulic pressure)으로 전환 해준다.[그림 4-2 참조]

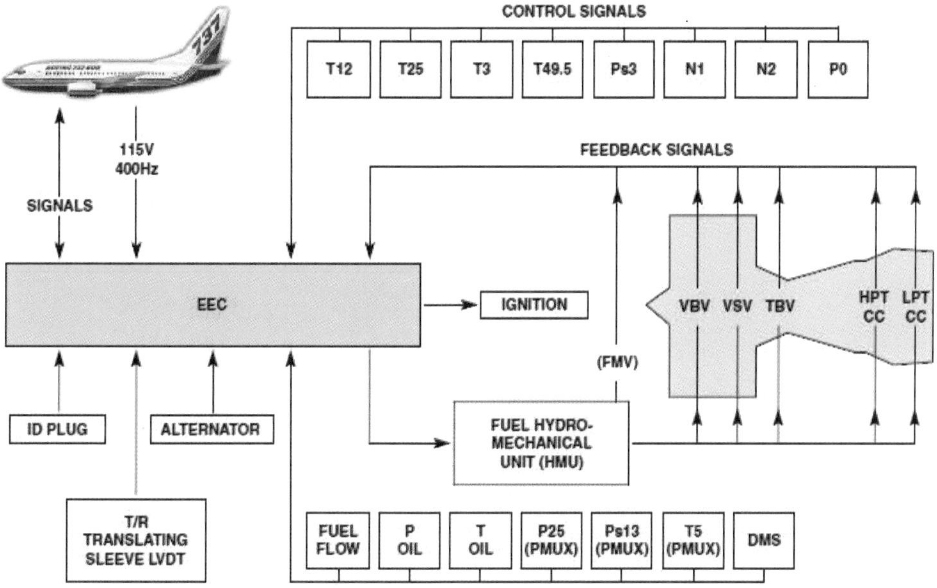

입력 제어신호(CONTROL SIGNALS)		피트 백 신호 (FEEDBACK SIGNALS)
• T12 : 엔진입구 온도 • T25 : 저압 압축기 출구온도 • T3 : 고압 압축기 출구온도 • T49.5: 엔진배기가스온도 • Ps3 : 압축기 출구정압 • N1 : 팬 속도 • N2 : 코어 엔진속도 • P0 : 대기압력	• FUEL FLOW : 연료흐름 • P OIL : 오일압력 • T OIL : 오일온도 • P25 : 저압압축기 출구 압력 • Ps13 : 팬 출구압력 • T5 : 엔진출구 온도 • DMS : 오일계통 이물질 감시	• FMV : 연료조절밸브 • VBV : 가변 브리드 밸브 • VSV : 가변 정익 • HPTCC : 고압 터빈 케이스 틈새 • LPTCC : 저압 터빈 케이스 틈새

그림 4-2. FADEC 구성

1.3. FADEC 인터페이스(INTERFACE)

엔진의 모든 작동을 위해 FADEC 시스템은 EEC를 통해서 항공기 컴퓨터들과 서로 연결되어 있다.

그림 4-3과 같이 항공기 시스템과 인터페이스 되어있는 EEC는 공통 화면표시 계통/화면 표시 전자장치(Common Display System : CDS/Display Electronic Unit : DEU)를 통해서 작동 명령(operational commands)을 받는다.

CDS-DEU 1과 2는 2개의 대기자료 관성기준장치(Air Data and Inertial Reference Unit : ADIRU)와 비행관리 컴퓨터(Flight Management Computer : FMC)로부터 추력계산(thrust calculation)을 위한 대기자료(air data)를 받아서 EEC로 제공한다.

대기자료 요소(air data parameters)는 고도, 총 대기온도(total air temperature), 전압과 마하 넘버(total pressure and mach number)등이다.

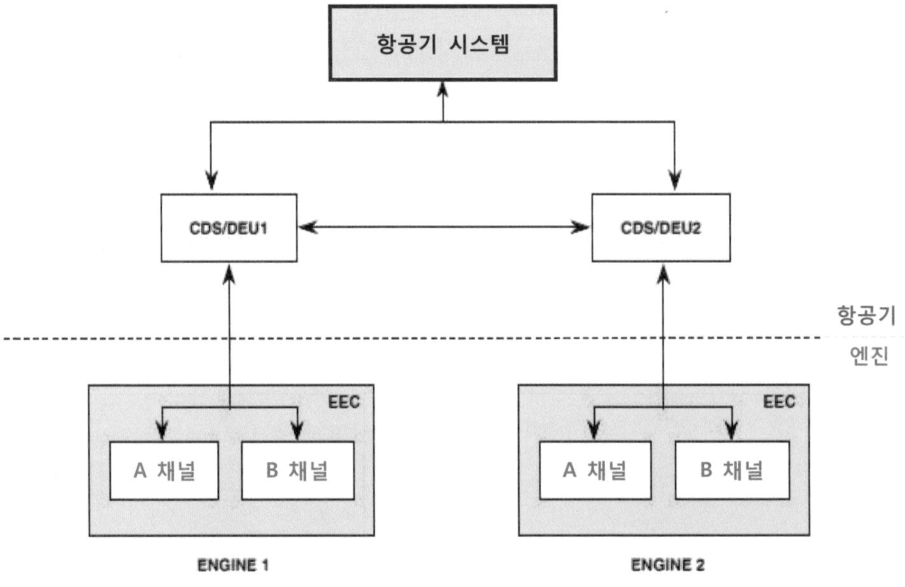

그림 4-3. FADEC 인터페이스

1.4. FADEC 설계

FADEC 시스템은 자체진단 시험장비가 내장되어 있는 시스템(Built In Test Equipment : BITE system)으로 자체적인 시험을 통하여 자체 내부 결함은 물론 외부결함까지도 감지할 수 있다.

또한 EEC는 2개의 채널(channel)로 이중 구조로 되어 있으며, 단일 센서(single sensor)와 공유된 센서(shared sensor)를 제외하고 대부분의 센서들은 이중조절센서(dual control sensor)로서 2개의 채널에 각각 독립적으로 신호들을 제공 해준다.

시스템의 신뢰도를 강화하기 위해서 하나의 채널로 입력된 값은 상호채널 데이터 링크(Cross Channel Data Link : CCDL)에 의해서 서로 다른 채널에서 공유할 수 있도록 되어 있는데, 이는 입력 신호 중 하나가 고장일 때 정상적으로 작동하는 채널의 값으로 작동할 수 있도록 해준다.

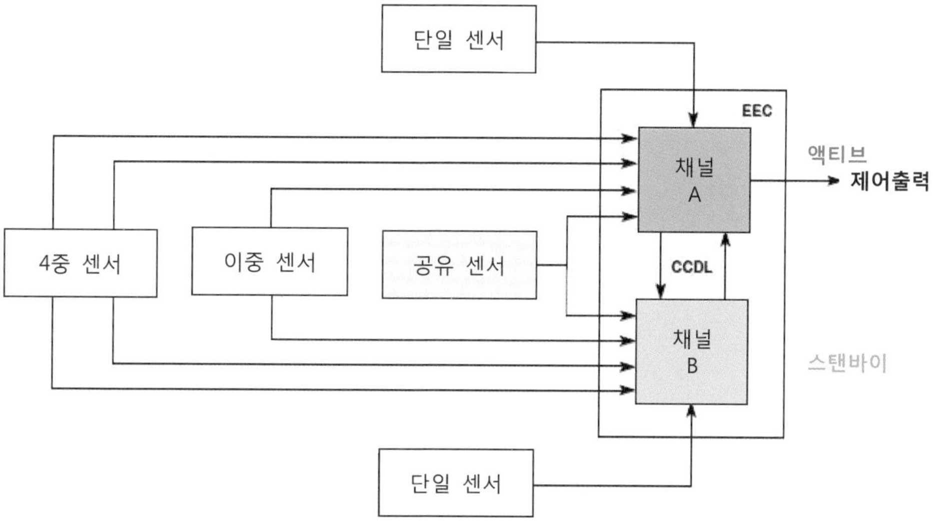

그림 4-4. FADEC 설계 개념도

EEC는 채널 “A” 와 채널 “B” 로 동일한 2개의 채널로 구성되어 있는데 모든 입력을 동시에 받아서 처리하지만 실제 엔진을 제어하는 것은 하나의 채널에서 이루어지며, 이때 작동중인 채널을 액티브 채널(active channel)이라고 부르고, 작동하지 않는 다른 채널은 스탠바이 채널(stand-by channel)이라고 부른다.

액티브와 스탠바이 채널의 선택은 내장되어 있는 고장 진단시스템(BITE system)에 의해서 상태가 좋은 쪽이 액티브 채널이 되는데, 2개의 채널 모두 양호할 경우에는 매 엔진 시동 시 마다 번 갈아서 액티브 채널이 된다.

2. 전자식 엔진제어장치(ELECTRONIC ENGINE CONTROL)

전자식 엔진 제어장치(EEC)는 이중 채널 컴퓨터(dual channel computer)로 구성되어 알루미늄 섀시(aluminum chassis)에 내장되어 있으며, 진동과 충격으로부터 보호하기 위해 충격 완충장치(shock absorber)와 함께 볼트로 팬 케이스 우측 2시 방향에 장착되어 있다.

2.1. EEC 냉각계통

EEC의 정확한 작동을 위해서 EEC 내부는 적정 온도로 유지되어야 하는데, 이를 위해서는 EEC 내부의 냉각(cooling)이 요구 된다.

팬 인넷 카울(fan inlet cowl) 우측의 공기 흡입구(air scoop)를 통해 들어온 대기 공기(ambient air)는 냉각공기 입구(cooling air inlet)를 거쳐 EEC 내부 챔버(internal chamber)로 들어가서 EEC 내부를 냉각시키고 냉각 출구(cooling outlet)를 통하여 외부로 배출된다.[그림 4-5 참조]

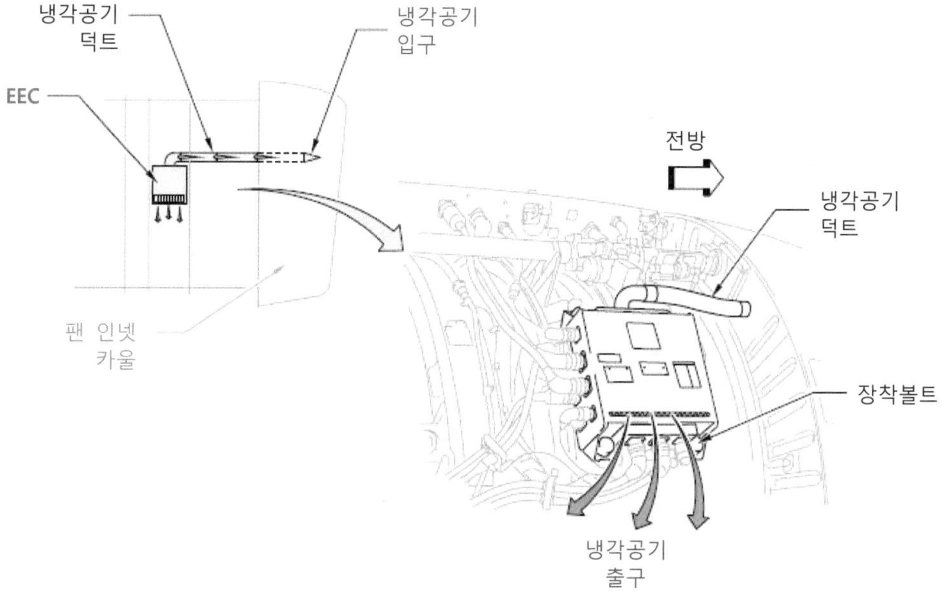

그림 4-5. 전자식 엔진제어장치(ELECTRONIC ENGINE CONTROL) 냉각계통

2.2. EEC 구조

EEC는 전기 섀시 어셈블리(Electrical Chassis Assembly : ECA)와 압력 서브시스템(Pressure Subsystem : PSS)으로 구성되어 있다.

ECA는 알루미늄 섀시, 입력과 출력신호의 통로 역할을 하는 전방 패널어셈블리(Front Panel Assembly : FPA)와 측면 인터페이스 어셈블리(Side Interface Assembly : SIA)로 구성되어 있으며, FPA와 SIA는 순간 전압으로부터 EEC를 보호할 수 있는 장치를 가지고 있다.

EEC 후방 커버(rear cover)를 통해서 A 채널과 B 채널의 기판에 접근할 수 있으며, 똑 같은 모양의 이 두 기판들은 FPA의 부품인 이중 채널 다중기판 마더보드 어셈블리(dual-channel multilayer motherboard assembly)에 연결되어 있으며, 금속 격판에 의해 A 채널과 B 채널의 모듈(module)은 각각 분리 되어있다.

알루미늄 섀시에 쌓여져 있는 PSS는 매니폴드(manifold), 트랜스듀서(transducer)와 관련 연결 장치들로 구성되어 있으며, 트랜스듀서는 매니폴드를 통해 받은 공기 압력(air pressure)을 EEC에서 처리(processing)할 수 있도록 디지털 신호(digital signal)로 변환 시켜 준다.

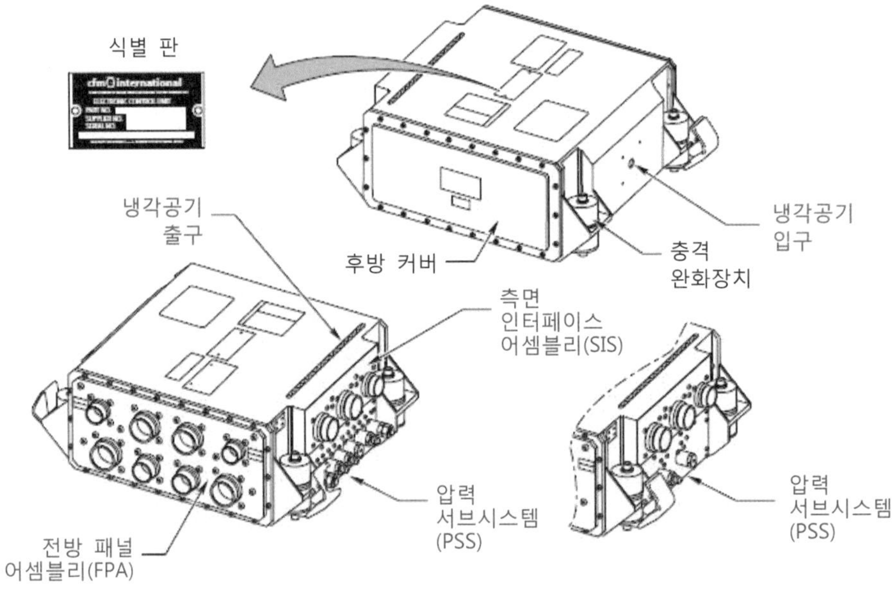

그림 4-6. EEC 섀시(CHASSIS)

2.3. EEC 전기연결장치(ELECTRICAL CONNECTOR)

EEC 전방 패널과 측면 인터페이스 어셈블리에는 그림 4-7과 같이 11개의 커넥터(connector)가 있으며, 각각의 커넥터들은 해당되는 케이블 플러그(cable plug)만 장착될 수 있도록 유닉키(unique key) 형태로 되어 있다.

커넥터들은 주기되어 있는 번호로 식별 되는데, 전방패널에는 J1부터 J8까지 측면 인터페이스 어셈블리에는 J9, J10, P11등의 번호가 주기되어 있으며, 모든 엔진의 입력(input)과 명령 출력 신호(command output signal)들은 각각 분리된 케이블과 커넥터들을 통하여 A 채널과 B 채널을 통하게 된다.

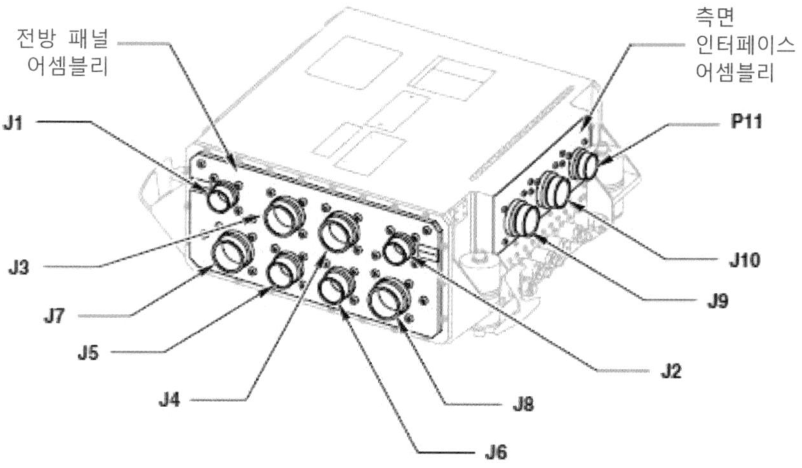

A 채널 커넥터 (홀수)	B 채널 커넥터 (짝수)	기 능
J1	J2	점화 전원(115V)
J3	J4	역추력 장치
J5	J6	유압-기계식 연료조절장치(HMU), N2, 연료흐름 지시계, 오일온도.
J7	J8	N1, 엔진입구온도(T12), EEC 발전기, 오일 & 연료필터 막힘, 오일압력 등
J9	J10	고압 압축기 입구온도(T25), 저압 및 고압터빈 케이스 틈새조절, 가변정익(VSV), 가변 브리드 밸브(VSV), 트랜션 브리드 밸브(TBV), 고압압축기 출구온도(T3), 배기개스온도(T49.5), 엔진출구온도(T5)
P11	공유	엔진식별 플러그(ID PLUG), 테스트 인터페이스

그림 4-7. 전기 커넥터(ELECTRICAL CONNECTOR)

2.4. 엔진 정격 / 식별 플러그
(ENGINE RATING / IDENTIFICATION PLUG)

식별 플러그(Identification : ID Plug)는 원활한 엔진 작동을 위하여 엔진 환경설정 정보(configuration information)를 EEC에 제공 해 주는데, P11 커넥터에 연결되며, 금속 띠(metal strap)로 팬 케이스에 부착되어 있어서 EEC가 교체되어도 엔진에 남아 있다.[그림 4-8]

EEC는 비휘발성 메모리(Non-Volatile Memory : NVM)로서 가능한 모든 엔진 설정정보의 스케줄을 저장하고 있는데, 초기화 중에 식별 플러그의 특정 핀(pin)들의 위치와 전압을 감지하여 특정한 엔진의 스케줄을 선택하게 된다.

ID 플러그가 유실되거나 손상되었을 경우에는 EEC는 비휘발성 메모리에 저장된 이전의 플러그 설정(plug configuration) 값을 사용한다.

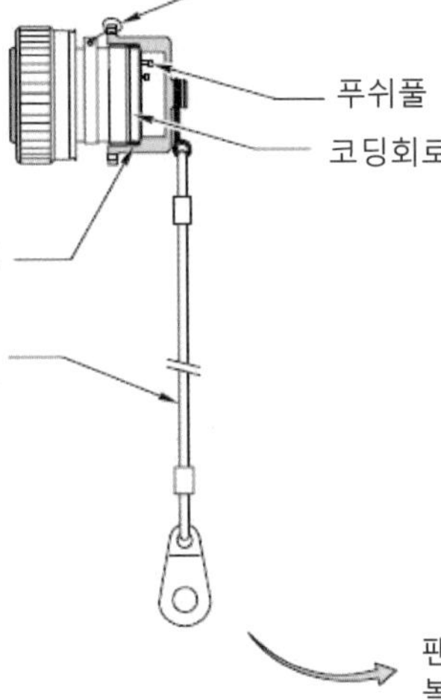

그림 4-8. ID 플러그

ID 플러그는 EEC에 다음과 같은 환경설정 자료를 제공한다.

- 엔진계열과 모델(Engine family and model)
- N1 트림 수정(trim modifier)
- 정격추력(Thrust rating)
- 추력승급 옵션(Bump option)
- 엔진상태감시(Engine condition monitoring)
- 엔진 연소실 형태(Engine combustor configuration)
- 연소실 스테이지 밸브의 작동여부(BSV active, or inactive)

2.5. EEC 전원공급(power supply)

EEC에 사용되는 전원은 그림 4-9와 같이 항공기의 트랜스퍼 버스(transfer bus) 1 & 2에서 받는 115VAC 400HZ와 엔진 기어박스(gear box)에 장착되어 있는 교류발전기(alternator)로부터 공급 받는데, 교류발전기는 엔진의 속도가 N2, 12% 이상에서 전원공급이 가능하다.

EEC는 전원이 중단되지 않고 안정적으로 공급 받을 수 있는 전원(power source)을 자동으로 선택하는 논리회로(logic circuit)를 가지고 있다.

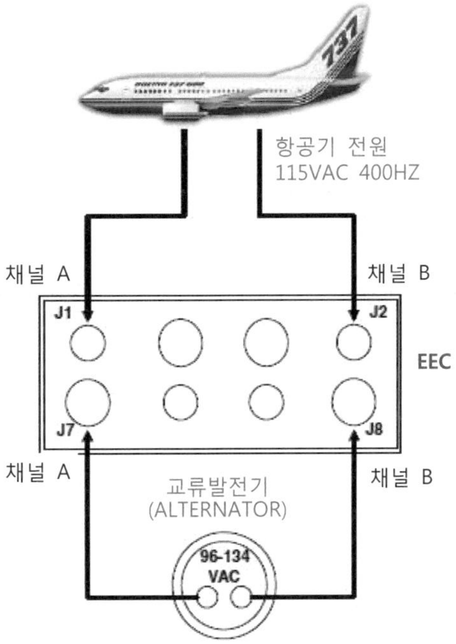

그림 4-9. EEC 전원공급(POWER SUPPLY)

2.5.1. EEC 전원공급 논리(POWER SUPPLY LOGIC)

각 채널의 EEC 논리(logic)는 그림 4-10과 같이 EEC 내부 스위치들에 의해 항공기로부터 오는 교류전원(alternate power)을 다음조건에 따라 EEC 전원공급 장치(power supply unit)에 공급하거나 차단한다.

- N2 < 12% : 스위치는 접속되어 항공기 28-VDC 전원이 들어와서 교류전원 릴레이(alternate power relay)를 자화 시켜서 115-VAC 교류전원(alternate power) 공급
- N2, 12 ~ 15% : EEC 내부 릴레이 자화되고, 스위치 변화 없이 현 상태 유지
- N2 > 15% : 스위치는 차단(open)되고, EEC 교류발전기(alternator)로부터 전원공급

엔진이 정상작동 중에는 각각의 EEC 채널들은 1순위로 엔진 보기 기어박스(accessory gear box)에 의해 구동되는 EEC 교류발전기로부터 전원이 공급된다. 그러나 EEC 교류발전기가 작동하지 않거나 고장일 때는 차선책으로 항공기 115VAC 400HZ 전원이 공급된다.

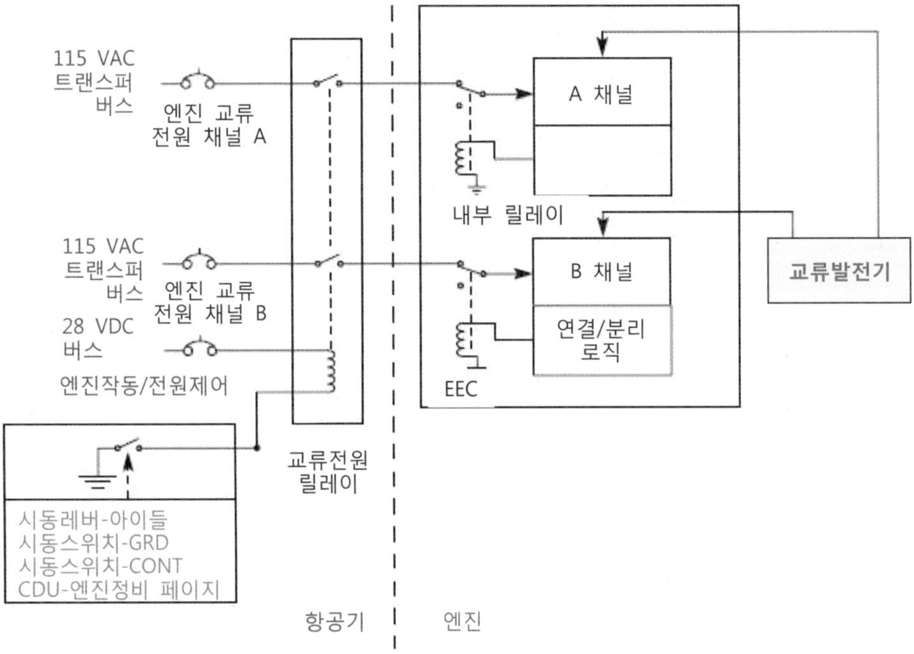

그림 4-10. EEC 전원 공급 로직

2.5.2. EEC 제어 교류발전기(CONTROL ALTERNATOR)

EEC 제어 교류발전기는 EEC의 1차적인 동력원으로서 보기 구동기어박스(Accessory Gear Box : AGB)의 전방 상면에 장착되어 있다.

구성품은 보기 구동기어박스 마운트 패드(mount pad)에 3개의 볼트로 고정되어 있는 스테이터 하우징(stator housing)과 각각의 EEC 채널에 연결되는 2개의 전기 커넥터(electrical connector), 보기 구동기어박스 기어 축(gear shaft)에 너트로 고정되어 있는 로터(rotor)로 이루어져 있다.

교류발전기는 습식 형(wet type) 발전기로서 보기 구동기어박스 엔진 오일로 윤활 된다.

둘로 나누어져 있는 고정자 권선(stator winding)들은 전압을 공급해주는데, 하나의 권선이 결함일 경우에는 다른 권선이 EEC로 전원을 공급해주고, 두 개가 모두 결함일 때에는 항공기 트랜스퍼 버스(transfer bus)로부터 전원이 공급된다.

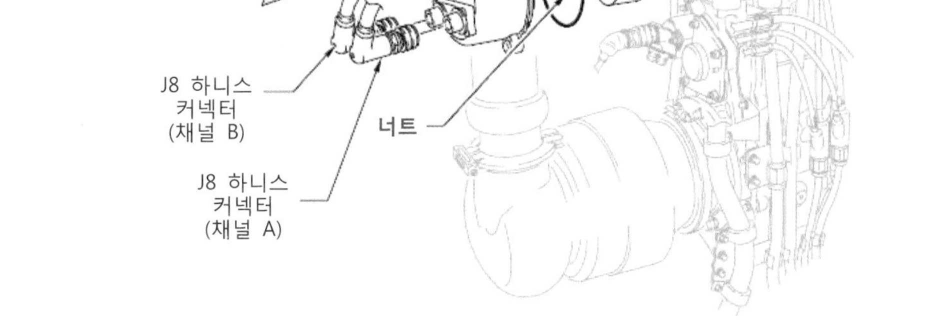

그림 4-11. EEC 제어 교류발전기

3. 엔진 센서(ENGINE SENSORS)

EEC는 운항조건에 따라 엔진을 제어하기 위해서는 엔진의 가스통로(gas path)와 작동상태를 나타내는 파라미터(parameter)등의 정보를 필요로 한다.

이러한 정보는 엔진의 공력 스테이션(aerodynamic station)과 여러 위치에 장착되어 있는 센서(sensor)에 의해서 측정되어 EEC 서브시스템(subsystem)으로 제공된다.

공력 스테이션에 장착되어 있는 센서들은 스테이션 번호(station number)를 부여한다.

예를 들어 T25 센서의 경우에는 스테이션 번호 25의 온도를 의미한다. 또한 특별한 곳에 장착된 경우에는 해당 부분의 명칭을 붙인다. 예를 들어 케이스(case)에 장착된 경우에는 Tcase 센서로 명명된다.

엔진의 센서들은 다음과 분류된다.

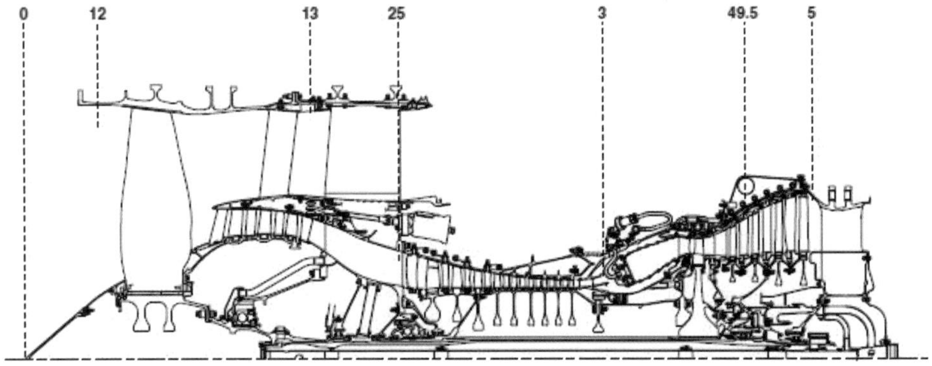

그림 4-12. 공력 스테이션(AERODYNAMIC STATION)

- 속도센서(Speed sensors)
  - N1 : 저압 회전시스템 속도
  - N2 : 고압 회전시스템 속도

- 온도센서(Temperature sensors)
  - 측온 저항체(Resistive Thermal Device : RTD Sensors)
    - T12 : 팬 입구온도
    - T25 : 고압압축기 입구온도
  - 열전대(Thermocouples)
    - T3 : 압축기 출구온도
    - T49.5(EGT) : 배기가스온도
    - T5 : 저압터빈 출구온도

- 압력센서(Pressure sensors)
  - P0 : 대기정압
  - PS3(CDP) : 고압 압축기 출구정압
  - PS13 : 팬 출구 정압
  - P25 : 압축기 입구 전압

☞ 압력은 EEC안에 있는 트랜스듀서(transducers)에 통해서 측정된다.

- 진동센서(Vibration sensors)
  - No.1 베어링 진동센서(accelerometer)
  - 팬 프레임 압축기 케이스 수직(fan frame compressor case vertical : FFCCV) 가속도계(accelerometer)

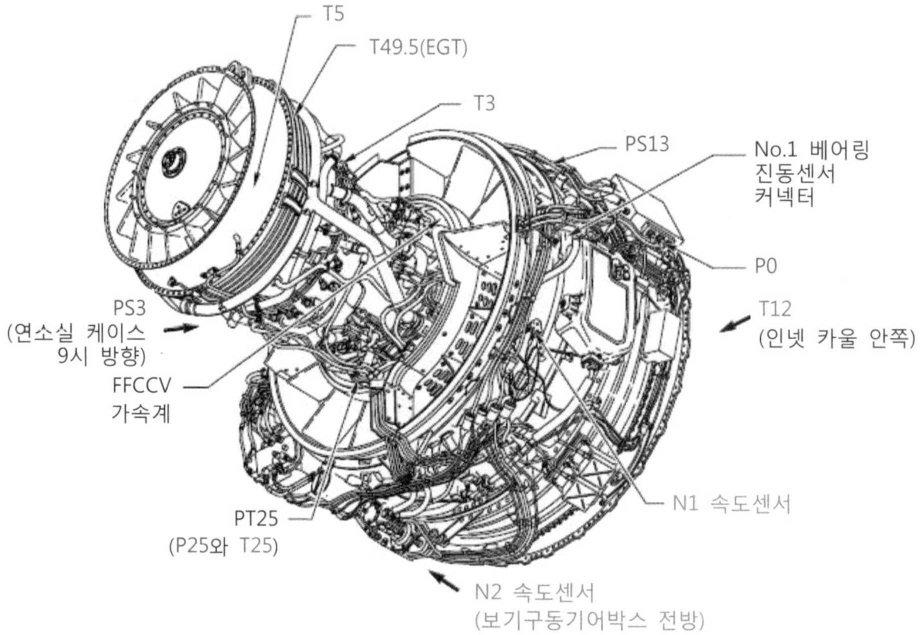

그림 4-13. CFM56-7 엔진 센서장착 위치

3.1. 속도센서(Speed sensor)

속도센서는 N1과 N2의 회전속도를 나타내는 신호를 EEC 채널 A와 B로 보내주는데, 나머지 각 센서의 세 번째 커넥터는 진동센서(vibration sensor)에서 감지된 데이터와 함께 진동분석(vibration analysis)를 위해 AVM 시그널 컨디셔너(signal conditioner)로 신호를 보내준다.

N1과 N2 속도센서들은 전기적인 출력 신호를 내보내는 유도형 회전계(induction type tachometer)이며, 출력은 교류신호로서 주파수는 로터(rotor)의 회전속도와 정비례한다.

각 센서는 전자석으로 되어있는 3개의 감지소자(sensing element)를 갖고 있으며, 각각 격리되어 독립적으로 감지된 값을 해당 커넥터로 보내준다.

센서 치차 링(Sensor tooth ring)의 움직임은 철심 주변에 자장이 생성되어 코일(coil)내에 자속의 변화를 일으켜서 코일에 펄스(pulse)가 유도되는데, 각 치차(tooth)에 의해서 발생되는 펄스의 수는 센서 링 속도(sensor ring speed)와 비례한다.

Note : N1 센서 링 : 30개 치차

N2 센서 링 : 71개 치차

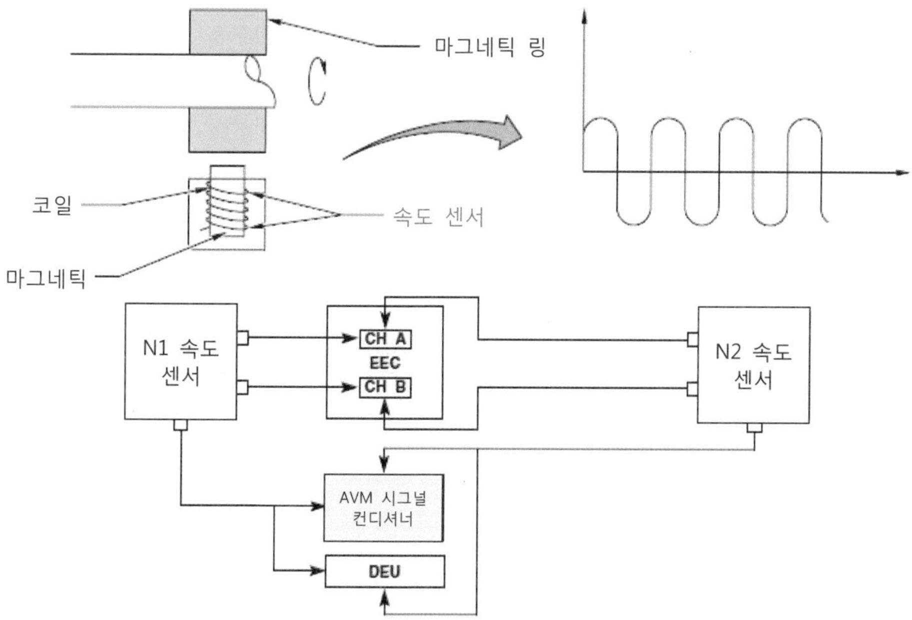

그림 4-14. 속도센서 설계개념

3.1.1. N1 속도센서(SPEED SENSOR)

N1 속도센서는 팬 프레임 버팀대(fan frame strut) 4시 방향에 장착되어 있으며, 2개의 볼트로 고정되어 있는데, 장착 후에는 센서 몸체(Sensor body)와 리셉터클(receptacle)만 외부로 노출되고, 나머지는 엔진 안쪽으로 들어간다.

리셉터클에는 3개의 커넥터(connector)가 있는데, 2개는 EEC로 출력신호(output signal)를 보내주고, 나머지 하나는 DEU/AVM 시그널 컨디셔너와 연결되어 있다.

N1 센서 링(sensor ring)의 30개의 치차 중 한 개가 다른 것 보다 크고 두껍게 되어 있는데, 이 하나가 센서에 보다 강한 펄스(pulse)를 생성하게 된다.

센서 내부에 있는 인장스프링(tension spring)은 열팽창 등에 의한 길이(dimensional) 변화에 대응하여 센서 프로브(sensor probe)가 항상 일정한 간격을 유지할 수 있도록 해주고, 외부에 있는 2개의 댐핑 링(damping ring)은 엔진 진동으로부터 프로브를 격리 시켜준다.

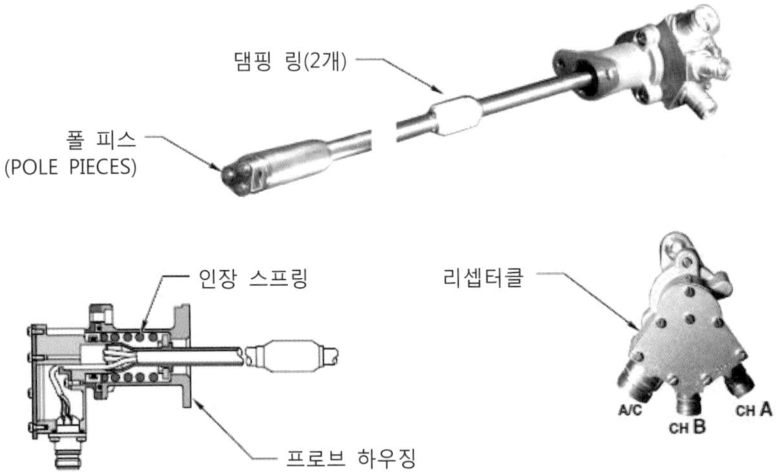

그림 4-15. N1 속도 센서(SPEED SENSOR)

3.1.2. N2 속도센서(SPEED SENSOR)

N2 속도센서는 보기구동기어박스 전방 9시 방향에 2개의 볼트로 장착되어 있다. 센서 하우징(Sensor housing)에는 3개의 커넥터가 있는데, 2개는 EEC 채널 A와 B로 나머지 한 개는 DEU/AVM 시그널 컨디셔너로 연결된다.

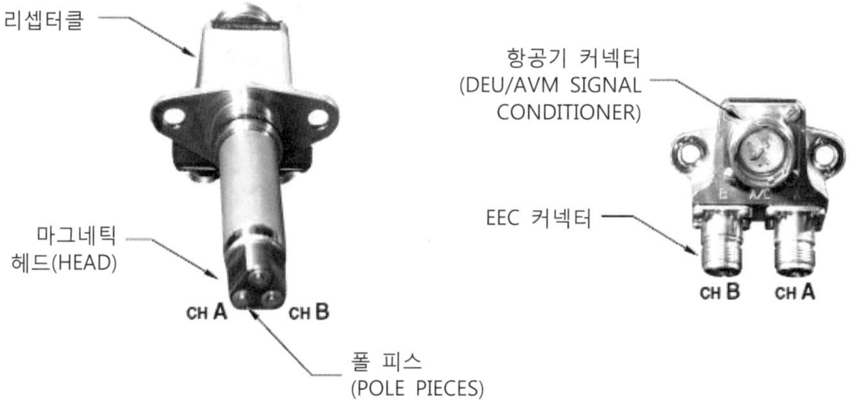

그림 4-16. N2 속도 센서(SPEED SENSOR)

3.2. 측온 저항체 형식 온도센서 (TEMPERATURE SENSORS-RTD TYPE)

측온 저항체(Resistive Thermal Devices : RTD)는 엔진 스테이션 12와 25에 장착되어 있으며, T12와 PT25 센서로 불려진다.

EEC는 감지소자(sensing element)의 전기적인 저항 값에 따라 온도를 측정하는데, 감지소자는 에어스트림(airstream)에 삽입되어 있는 프로브 하우징(probe housing)안에 있으며, 백금선(platinum wire)으로 감겨져 있는 세라믹 코어(ceramic core)로 만들어져 있다.

공기흐름(Airflow)에 의해서 소자(element)가 가열되면 소자의 전기저항이 변화되는데, 공기온도가 높으면 소자의 저항도 비례해서 증가하며, EEC는 소자로 전기 자극 신호(electrical excitation signal)를 보내서 전압이 떨어지는 결과를 측정해서 저항 값을 구한다.[그림 4-17 참조]

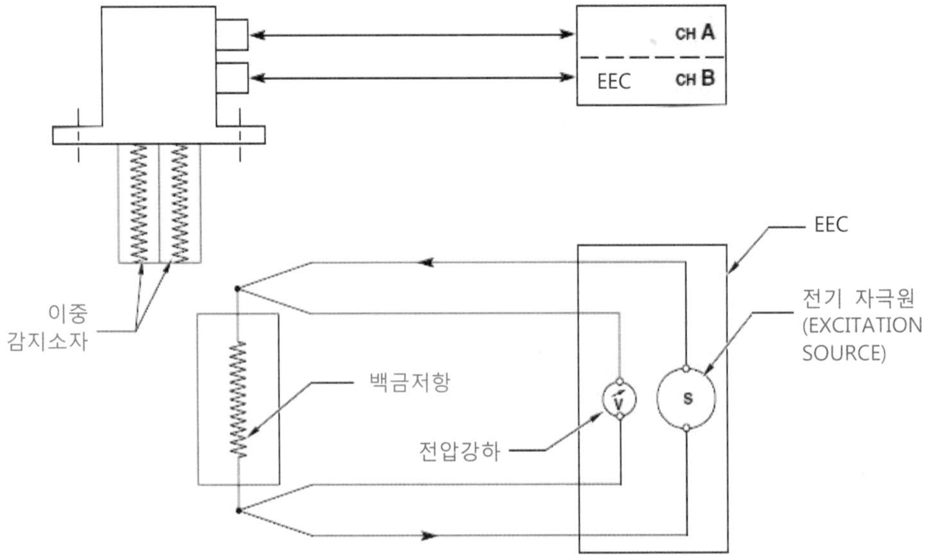

그림 4-17. 측온 저항체(RESISTIVE THERMAL DEVICE : RTD)

3.2.1. T12 센서(SENSOR)

T12 센서는 팬 인넷 케이스(fan inlet case) 2:30 방향에 장착되는데, 하나의 하우징(housing)에 2개의 백금소자(platinum element)와 EEC로 연결되는 2개의 커넥터(connector)로 구성되며, 팬 입구(fan inlet) 온도를 감지하여 추력산출계산(thrust management calculation)을 위해 EEC로 보내준다.

총 공기온도(Total Air Temperature : TAT)는 EEC가 엔진제어(control)를 위해 사용하는 온도로서 T12는 T12 센서에 의해서 감지된 총 공기 입구온도(total air inlet temperature)이다.[그림 4-18 참조]

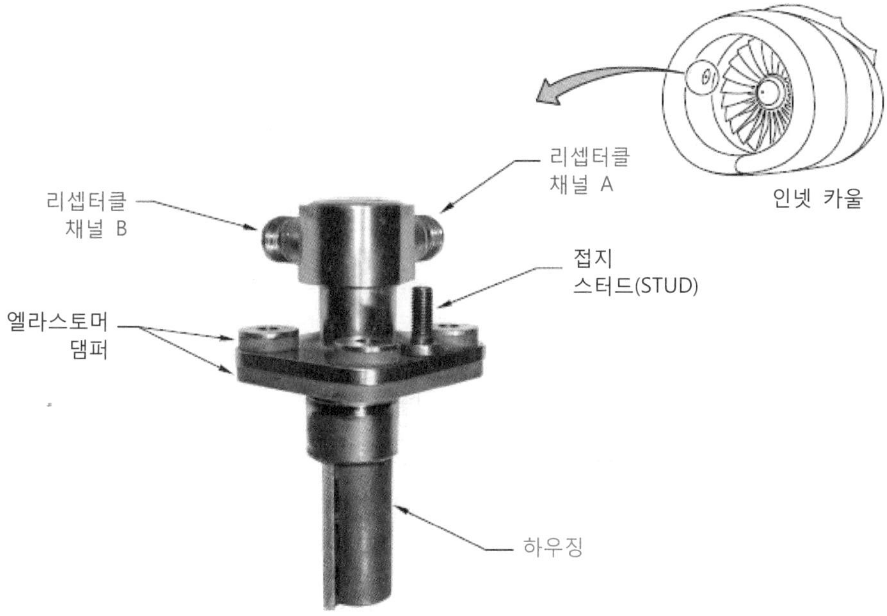

그림 4-18. T12 센서(SENSOR)

3.2.2. PT 25 센서(SENSOR)

PT 25 센서는 팬 프레임 미드 박스 구조물(fan frame mid-box structure) 7시 방향에 장착되어 있으며, 하나의 하우징(housing)에 2개의 백금소자(platinum element)와 EEC로 연결되는 2개의 커넥터(connector)로 구성되어 있다.

램 공기압력 튜브(ram air pressure tube)가 센서 프로브(sensor probe)의 한 부분으로 포함되어 있다.

PT25 센서의 한 부분인 T25 온도센서(temperature sensor)는 연료조절 밸브(fuel metering valve), 가변 스테이터 베인(VSV), 가변 브리드 밸브(VBV), 트랜지션 브리드 밸브(Transition Bleed Valve), 고압터빈 능동 틈새 조절(HPT Active Clearance Control)등의 논리제어(logic control)를 위한

고압압축기 입구온도를 EEC로 제공 해준다.

선택사항인 P25 램 공기압력(ram air pressure)은 엔진 상태감시(condition monitoring) 목적으로 EEC로 제공되는데, 공기압력(air pressure)는 EEC로 직접 들어가고, 들어온 압력신호(pressure signal)는 EEC에 의해서 전기신호(electrical signal)로 변환된다.

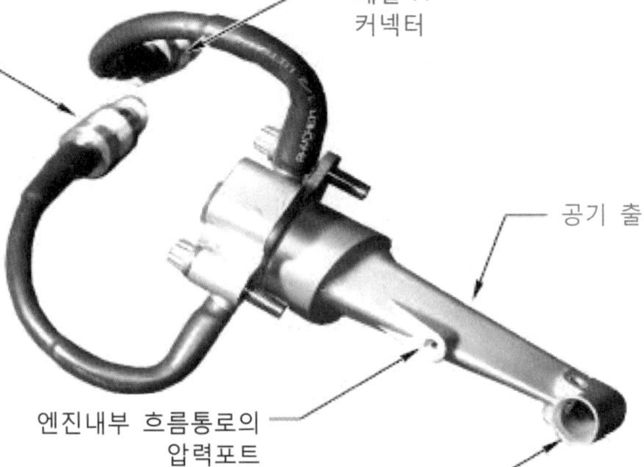

그림 4-19 . PT25 센서(SENSOR)

3.3. 열전대식 온도센서 (TEMPERATURE SENSORS – THERMOCOUPLE TYPE)

열전대 센서(Thermocouple sensor)는 EEC와 같이 고온을 신호(signal)로 변환시켜 준다.

열전대(Thermocouple)의 원리는 그림 4-20과 같이 크로멜(chromel: +)과 알루멜(alumel: -)의 이질금속이 서로 연결된 회로를 이루고 있는데, 실제 1차 공기흐름(primary airflow)의 온도를 감지한 열 접점(hot junction)과 EEC내의 냉 접점(cold junction)과의 온도 차이에 비례해서 기전력이 발생한다.

즉, 1차 공기흐름(primary airflow)의 온도가 증가하면 온도 차이는 더 커지게 되고 비례해서 기전력이 더 커지게 된다.

열 접점은 센서 안에 포함되어 있고, 냉 접점은 EEC내에 장착되어 있다.

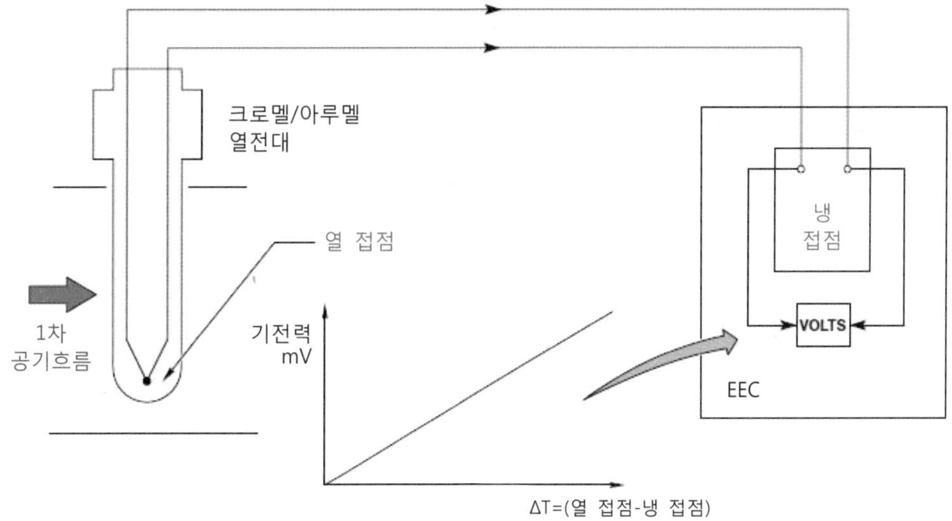

그림 4-20. 열전대 원리(THERMOCOUPLE PRINCIPLE)

3.3.1. 압축기 출구온도 T3 (COMPRESSOR DISCHARGE TEMPERATURE T3)

T3 센서는 그림 4-21과 같이 연소실 케이스(combustion case) 12시 방향의 연료노즐(fuel nozzle) 바로 뒤에 장착되어 있다.

같은 하우징(housing)안에 두 개의 열전대(thermocouple)가 들어 있고, 리지드 리드(rigid lead)를 통해 정션 박스(junction box)로 연결되고 2개의 플러그는 EEC 각 채널로 전기신호(electrical signal)를 보내 준다.

T3 센서는 9단계 공기(압축기 출구)의 온도를 감지하여 고압터빈 케이스 틈새 조절 밸브(HPTACC valve)의 제어 로직(control logic)을 위한 데이터를 보내준다.

바이메탈릭(Bi-metalic : chromel-alumel) 센서는 온도와 비례해서 미리 암페어(miliampere : mA)를 만들어 낸다.

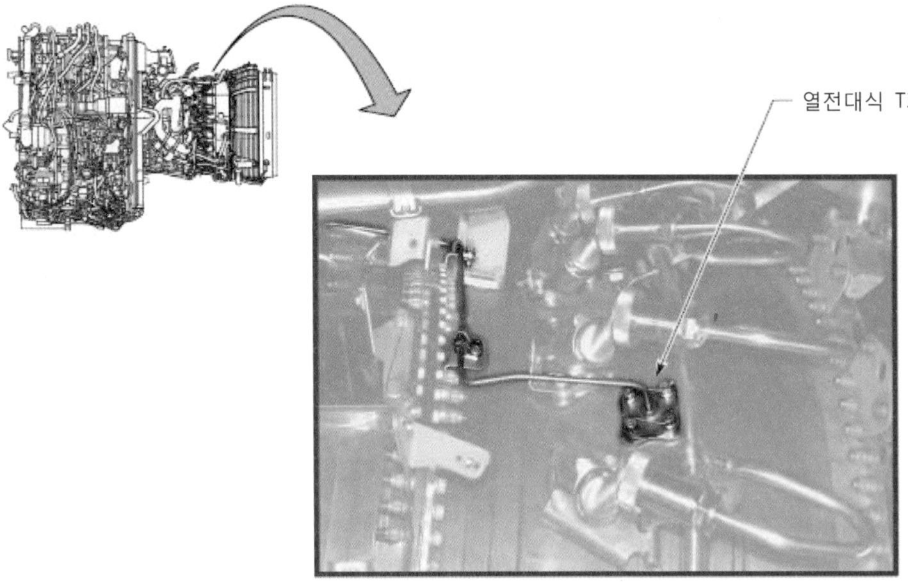

그림 4-21. T3 온도센서

3.3.2. 배기가스온도(EXHAUST GAS TEMPERATURE : EGT)

EGT 감지시스템(sensing system)은 엔진 스테이션(station) 49.5에 위치하고 있으며, EGT값은 엔진의 상태(condition)를 감시(monitor)하는데 사용된다.

시스템은 저압터빈 케이스(LPT case)에 장착되어 있는 8개의 프로브(probe)를 포함하고 있는데, 각 감지소자(sensing element)들은 저압터빈(LPT) 2단계 노즐(nozzle)속으로 들어가 있다.

각각의 열전대(thermocouple)는 감지 프로브(sensing probe)의 온도에 비례해서 전기신호(electrical signal)를 만들어 내는데, 8개의 센서는 인접한 프로브들 끼리 교류배선으로 조합되어 있다.

4 쌍에서 측정된 값은 EEC로 보내지는데, 엔진 우측의 2개의 값은 A 채널로 좌측 2개의 값은 B 채널로 간다.

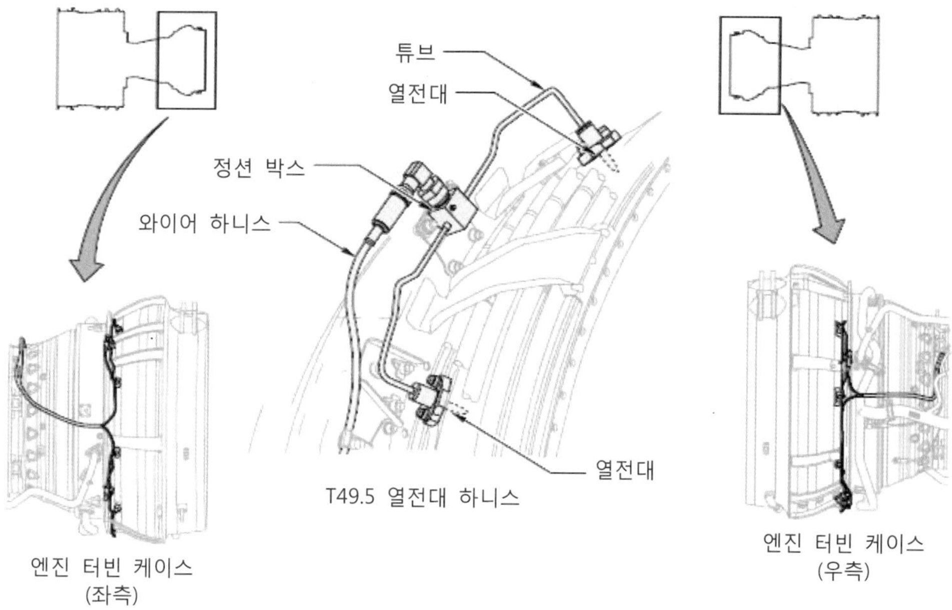

그림 4-22. EGT 열전대와 하니스(EGT THERMOCOUPLE AND HARNESS)

3.3.3. 저압터빈 출구온도 T5 (LPT DISCHARGE TEMPERATURE T5)

T5 온도 센서는 저압터빈 후방 프레임(LPT rear frame) 4시 방향에 장착되어 있다.

이 센서는 엔진 상태감시 키트(monitoring kit)의 일부로서 항공사의 선택사항 중의 하나이며, 2개의 열전대 프로브를 가지고 있는 금속몸체(metal body)와 엔진에 장착하기 위한 플랜지(flange)로 구성되어 있다.

2개의 열전대는 정션 박스 안에서 병렬로 연결되어 하나의 신호가 EEC 채널 A로 보내준다.

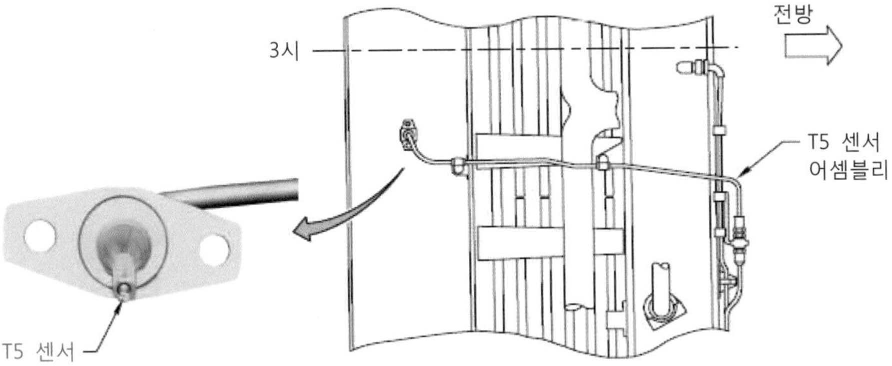

그림 4-23. T5 온도 센서(TEMPERATURE SENSOR)

3.4. 압력 센서(PRESSURE SENSORS)

3.4.1. 대기 정압(AMBIENT STATIC PRESSURE) P0

P0 센서는 대기 정압(ambient static pressure)을 감지하는데, EEC에 장착되어 있는 압력 판(pressure plate)의 벤트 플러그(vent plug)를 통해서 측정된다. [그림 4-24 참조]

3.4.2. 고압압축기 출구압력(HPC DISCHARGE PRESSURE) PS3

PS3 센서는 연료와 엔진제어를 위해 그림 4-24와 같이 고압압축기 출구압력(HPC discharge pressure)을 EEC로 보내 주며, PS3 정압(static pressure)은 연소실케이스(combustion case) 10시 방향에 2개의 연료노즐(fuel nozzle) 사이에서 감지한다.

압축기 출구압력 라인(CDP line)의 가장 아랫부분의 배수구멍(weep hole)을 통해서 물을 빼낼 수 있다.

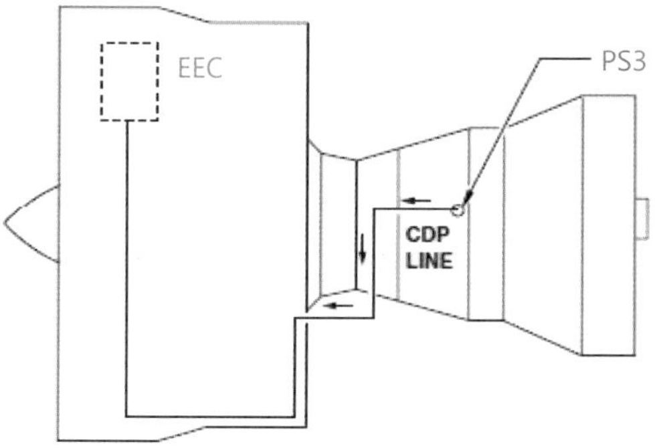

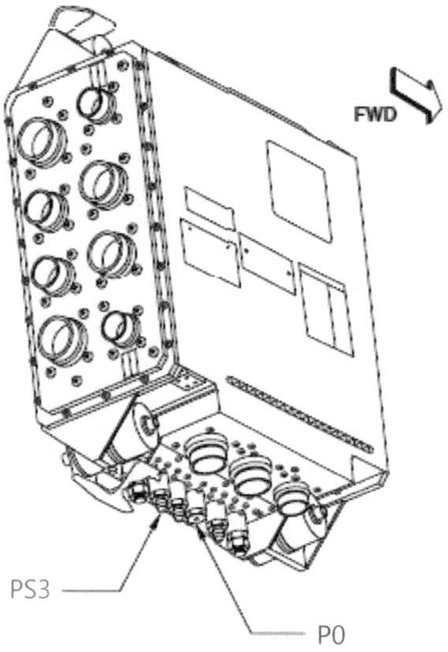

그림 4-24. PS3 센서

3.4.3. 팬 출구 정압(FAN DISCHARGE STATIC PRESSURE) PS13

PS13은 엔진 감시 키트의 한 부분으로 항공사 선택사항 중의 하나로서 팬 아웃렛 가이드 베인(fan outlet guide vane : OGV)의 출구 쪽 약 1시 방향에서 압력을 감지한다. 감지된 신호는 EEC 채널 A에서만 처리된다.[그림 4-25 참조]

3.4.4. 고압 압축기 입구 전압(HPC INLET TOTAL PRESSURE) P25

P25 역시 PS13과 마찬가지로 엔진 감시 키트의 한 부분으로 항공사 선택 사항 중의 하나이다.

P25 프로브는 그림 4-25와 같이 팬 프레임 미드박스(fan frame mid-box) 구조물 약 7시 방향에 장착되어 있으며, 감지된 신호는 EEC 채널 B에서만 처리된다.

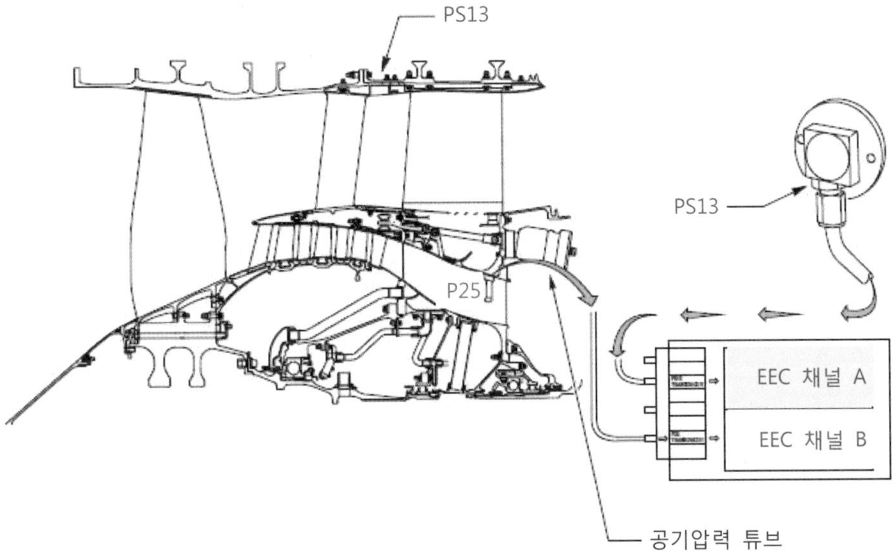

그림 4-25. PS13과 PS25 센서

3.5. 진동 센서(VIBRATION SENSORS)

엔진은 엔진의 상하운동을 감지하고 측정할 수 있는 2개의 가속도계(accelerometer)를 장착하고 있다.

이러한 센서들은 질량(mass)과 베이스(base)사이에 압전 디스크(piezo-electric disc)를 갖고 있는 압전형(piezo-electric type)으로서 가속도계(accelerometer)가 진동(vibration)에 직면하게 되면, 질량(mass)은 디스크(disc)에 하중(load)을 가하게 되고, 이 하중은 중력하중(G-load)에 정비례한 전류량을 생성한다.

센서들은 지시(indicating), 진동분석(vibration analysis)과 트림 밸런스(trim balance)를 위해서 비행 중 진동 감시 시그널 컨디셔너(Airborne Vibration Monitoring signal conditioner)에 연결되어 있으며, 진동 신호들은 저압 혹은 고압 로터(rotor)에 대한 진동수준(vibration level)을 식별할 수 있도록 여과된다.

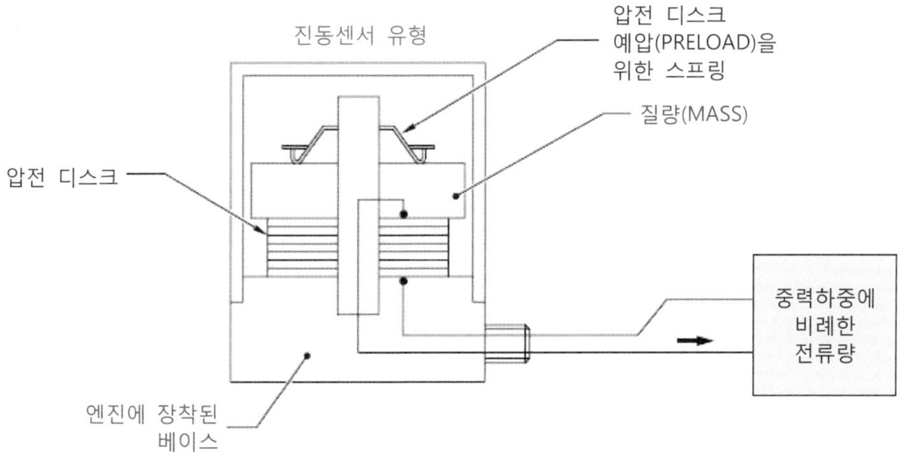

그림 4-26. 진동센서 유형

3.5.1. NO.1 베어링 가속계(BEARING ACCELEROMETER)

베어링 가속계는 No.1 베어링 지지대 전방 플랜지(bearing support front flange) 9시 방향에 장착되어 있는 진동센서(vibration sensor) 구조로서 100 pc/g 압전 센서(piezo-electric sensor)이다.

진동센서는 반강성 케이블(semi-rigid cable)에 의해 그림 4-27과 같이 엔진 팬 프레임(fan frame)을 거쳐 팬 프레임 바깥쪽 배럴(fan frame outer barrel) 3시 방향에 위치한 전기출력 커넥터(electrical output connector)와 연결되어 있다.

케이블의 보호를 위해 진동이 발생되는 부분과 접촉되는 부위에는 충격흡수장치(shock absorber)들이 장착되어 있다.

NO.1 베어링 가속계는 장착위치의 영향으로 좀 더 민감하게 팬과 저압압축기 진동을 영구적으로 모니터 하지만 N2와 저압터빈(LPT)의 진동 또한 감지한다. 데이터는 팬 트림 밸런스(fan trim balance) 수행에 사용되며, 센서는 운항(line)에서 교환할 수 없다.

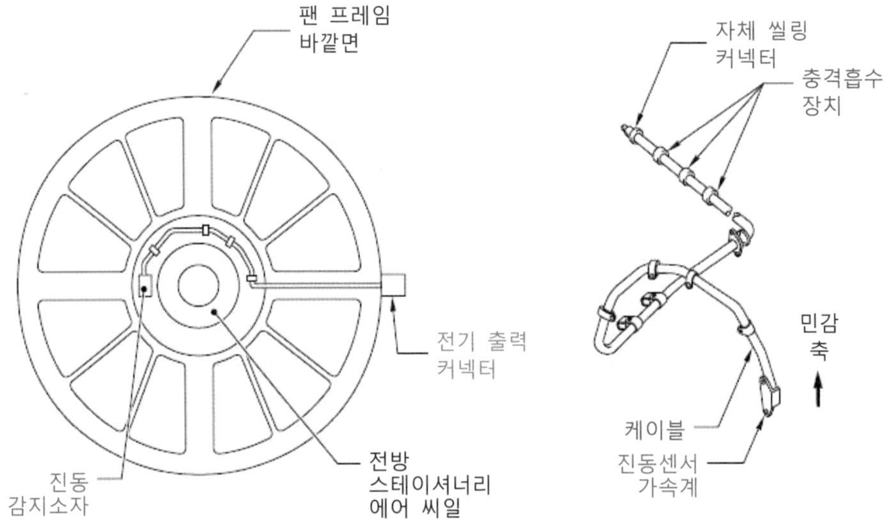

그림 4-27. No.1 베어링 가속계(BEARING ACCELEROMETER)

3.5.2. 팬 프레임 압축기 케이스 수직 가속계 (FFCCV ACCELEROMETER)

팬 프레임 압축기 케이스 수직 가속계(Fan frame compressor case vertical accelerometer)는 미드 박스 구조물(mid box structure) 3시 방향에 장착되어 있는 고체소자 어셈블리(solid state assembly)로서, 100 pc/g 압전 센서(piezo-electric sensor)이다.

센서 리드(Sensor lead)는 고압압축기 상부 스테이터 케이스(HPC upper stator case) 11시 방향의 브래킷(bracket)으로 지지된다.

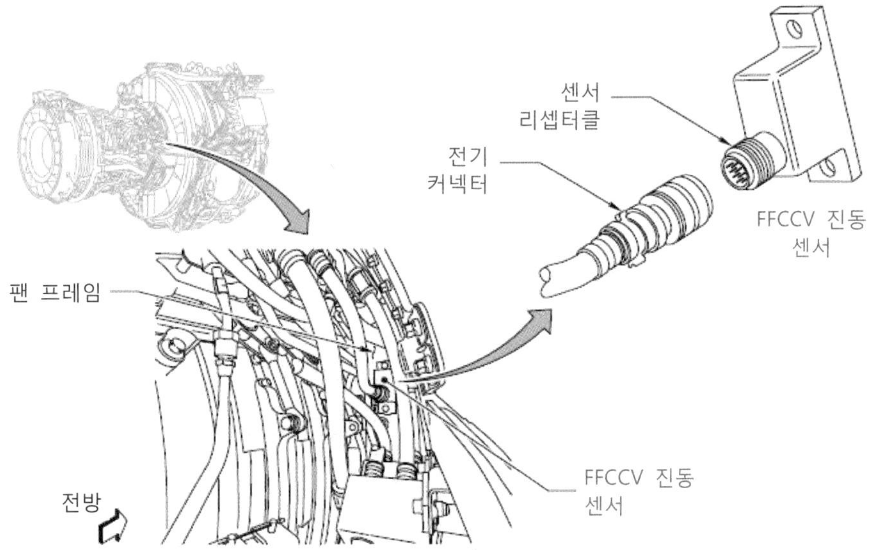

그림 4-28. 팬 프레임 압축기 케이스 수직 가속계 (FAN FRAME COMPRESSOR CASE VERTICAL ACCELEROMETER)

Part

05

1. 점화계통 일반

2. 터빈 엔진 점화계통의 구조

3. 점화 계통의 작동

4. 점화계통 정비와 검사

터빈엔진 점화계통

[TURBINE ENGINE IGNITION SYSTEM]

제5장. 터빈엔진 점화계통
(TURBINE ENGINE IGNITION SYSTEM)

1. 점화계통 일반

터빈엔진의 점화 시스템은 시동주기 동안 짧은 기간만 작동되기 때문에 원칙적으로 전형적인 왕복 엔진 점화 시스템보다 고장이 없는 것으로 정평이 나있다. 현대 가스 터빈 엔진 점화 시스템은 고 강도, 커패시터 방전식(high-intensity, capacitor-discharge type)이 일반적이다.

가스터빈의 연소실 내에서 연료와 공기의 혼합기를 점화시키는 것은 점화 계통(ignition system)의 전기 스파크에 의해 행해진다. 점화 계통은 엔진마다 2중으로 장착되어 있어서 하나의 계통이 고장 나도 한쪽의 계통만으로 점화가 가능하도록 되어있다.

점화 계통의 전원에는 항공기 배터리의 직류 28v, 혹은 교류 115v, 400hz가 일반적으로 사용되고 있다. 점화 장치의 출력 에너지의 크기는 j(주울)로 표시되는데, 20j 정도의 출력 에너지가 사용되고 있다.

점화 계통은 엔지의 시동 및 비행 중에 연소 정지(flame out)가 생길 때의 재 점화를 위해 사용되며, 일단 엔진이 정상 운전 상태로 들어가면 곧 작동이 정지된다. 이 외에 이착륙중과 결빙(icing) 기상 조건 및 악기류 속의 비행에서 연소정지를 예방하기 위해 장시간 연속해서 사용된다.

또한 점화계통에는 간헐적인 기능(intermittent duty)으로 사용에 시간적 제한이 있는 고 에너지 계통과, 연속작동(continuous duty)으로 시간적 제한 없이 연속 사용할 수 있는 저에너지 계통이 있다.

위의 2가지 작동 계통을 분리시켜서 시동과 재 점화는 간헐 작동계통을 사용하고 연소정지의 예방은 연속 작동 계통을 각각 적절하게 사용하는 경우와 연속 작동계통만으로 양쪽을 겸용 시키고 있다.

2. 터빈 엔진 점화계통의 구조

가스 터빈 엔진의 전형적인 점화 계통의 주요 구성 부품은 점화 익사이터(ignition exciter)와 하이텐션 리드(high - tension lead 또는 exciter-to-igniter plug cable) 및 점화 플러그(igniter plug)가 각각 2개씩 있다.

그림 5-1은 CFM56-7 엔진의 점화계통의 구성이다.

팬 케이스 우측 5시 방향과 코어(core)의 양쪽 편에 위치되어 있는 점화 시스템은 2개의 고 에너지 점화 익사이터(high energy ignition exciter), 2개의 점화 리드 어셈블리(ignition lead assembly), 2개의 점화 플러그(igniter Plug)등으로 구성된 독립적인 2개의 회로를 가지고 있다.

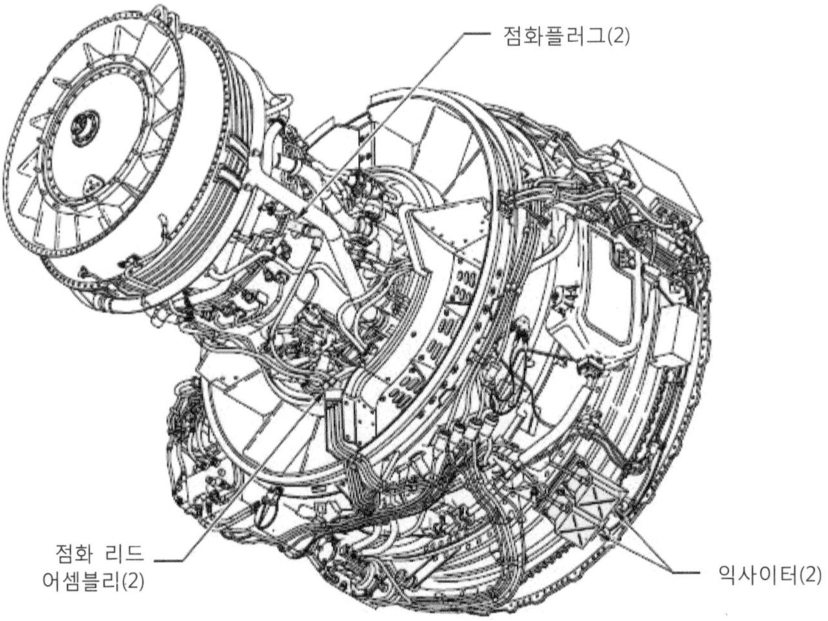

그림 5-1. CFM56-7 엔진 점화계통 구성품

점화 1 어셈블리(ignition 1 assembly)는 좌측에 있는 아래쪽 점화 익사이터(lower ignition exciter)에 연결되고, 점화 2 어셈블리(ignition 2 assembly)는 우측에 위치한 위쪽 익사이터(upper exciter)에 연결된다.

점화 익사이터로 공급 되어진 전력은 고전압의 펄스(pulse)로 변환되어 점화 리드(ignition lead)를 통해서 점화 플러그(igniter plug)의 끝단(tip)에서 스파크(spark)를 발생한다.

2.1. 점화 익사이터(IGNITION EXCITER)

점화 익사이터(ignition exciter)는 점화 플러그에서 고온 고 에너지의 강력한 전기 불꽃을 튀게 하기 위해 항공기의 저 전원전압을 고전압으로 변환하는 장치로 점화 유니트(ignition unit)라고도 불리고 있다.

익사이터에는 유도코일(induction coil)을 이용한 유도 형(induction type)과 커패시터 방전(capacitor discharge)을 이용한 커패시터 타입(capacitor type)이 있는데, 최근에는 커패시터 형 고에너지 회로가 주로 이용되고 있다.

그림 5-2는 전형적인 가스터빈 엔진의 커패시터 형식의 점화계통이다.

직류전원(24V DC)이 항공기 전기 계통에서 유기된 잡음전압을 방지하기 위하여 노이즈 필터(noise filter)를 통하여 익사이터로 들어와서 트랜스포머(transformer)의 1차코일(primary coil)로 공급된다.

저전압의 전원은 멀티로브 캠(multilobe cam)과 싱글 로브 캠(single-lobe cam)을 구동하는 직류 모터를 작동시킨다. 동시에 입력 전원은 멀티로브 캠에 의해서 동작하는 브레이커 포인트(breaker points)의 세트에 공급된다.

브레이커가 닫히면(closed), 트랜스포머의 일차권선(primary winding)을 통해 전류의 흐름이 자기장(magnetic field)을 형성되고, 브레이커가 열리면(opened), 전류의 흐름이 중단되어 트랜스포머의 2차에 전압이 유기되면서 자기장이 붕괴되어 전압은 한 방향으로만 흐르도록 제한하는 정류기를 통하여 저장 커패시터(storage capacitor)로 흐르는 전류의 펄스를 일으킨다.

반복되는 펄스는 저장 커패시터를 약 4 주울 이상으로 충전시키며, 저장 커패시터는 트리거링 변압기(triggering transformer)와 보통 열려있는 접촉기(contactor)를 통하여 불꽃 점화기(spark igniter)로 연결된다.

커패시터가 충분히 충전되면 접촉기는 싱글 로브 캠의 기계적인 작동에 의하여 닫히게 되고, 충전의 일부는 트리거링 변압기의 1차와 트리거 커패시터로 흐른다. 이 전류는 이차코일에 불꽃 점화기에서 갭을 이온화 시킬 수 있는 고전압을 유도하여 스파크를 발생시킨다. 브리더 저항(bleeder resistor)은 부하전류가 변화할 때 전입 변동이 일어나는 것을 방지하여 항상 일정한 전류를 트리거링 트랜스포머로 흐르게 한다.

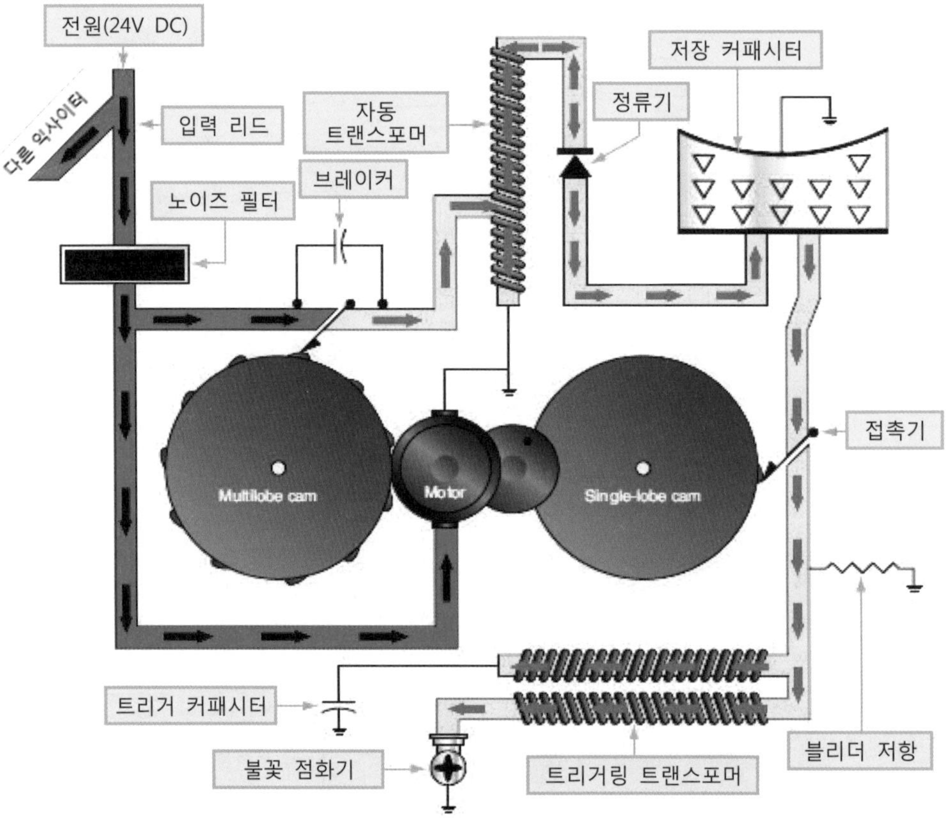

그림 5-2. 커패시터 형 점화계통(CAPACITOR-TYPE IGNITION SYSTEM)

익사이터는 고공에서 공기 밀도가 떨어지면 절연 불량에 의한 플래시 오버(flush over : 섬광 단락)를 발생시키고 점화 성능이 떨어지기 때문에, 보통의 경우 작은 사각형 박스로 완전히 밀폐된 구조로 되어 있다.

그림 5-3은 B-737NG(CFM56-7) 엔진의 점화 익사이터(ignition exciter)이다. 커패시터 방전 형식(capacitor discharge type)으로서 115VAC를 18KV의 고전압의 펄스(pulse)로 승압 시켜서 점화플러그로 보내준다.

2개의 점화 익사이터는 팬 케이스 5시 방향에 장착되어 있으며, 알루미늄 하우징(aluminium housing)으로 보호되어 엔진 진동(vibration)등의 영향을 받지 않도록 충격 흡수장치(shock absorber)에 장착되어 있고, 접지 되어 있다.

또한, 하우징(housing)은 어떠한 외부적이 환경이나 상태에 영향을 받지 않고 작동할 수 있도록 밀봉되어 있다.

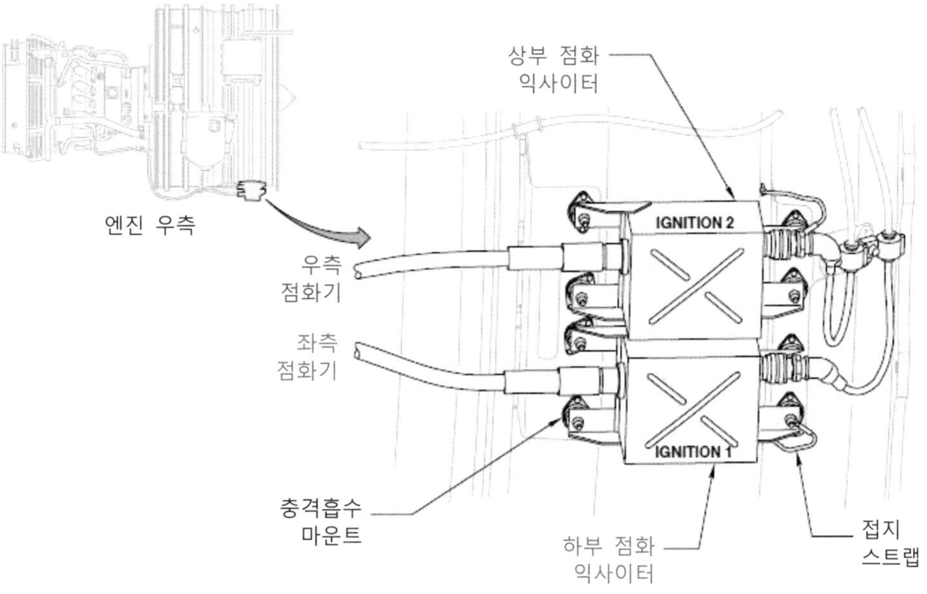

그림 5-3. CFM56-7 점화 익사이터(IGNITION EXCITER)

2.2. 하이텐션 리드 (HIGH TENSION LEAD)

익사이터와 점화 플러그를 접속하고 있는 고압 전선을 하이텐션 리드라고 부른다. 하이텐션 리드는 무선 방해와 사용 중 접촉에 의한 마멸 단선을 막기 위해 차폐 케이블(shield cable)을 사용하고 있다.

CFM56-7 엔진의 익사이터에서 점화플러그로 가는 케이블을 그림 5-4에서 보여주고 있다.

2개의 점화 리드(ignition lead)는 실리콘 고무(silicone rubber)로 절연처리(insulation)된 14번 선의 구리도선과 주석으로 도금 처리된 동 편조(copper braid)와 니켈 바깥쪽 편조(nickel outer braid)로 구성되어 있다.

리드들은 점화 익사이터에서 6시 방향에 공기 매니폴드(air manifold)로 연결되고 코어 엔진 모듈(core engine module) 하부를 거쳐서 연소실 케이스(combustion case)의 점화기(igniter)로 연결된다.

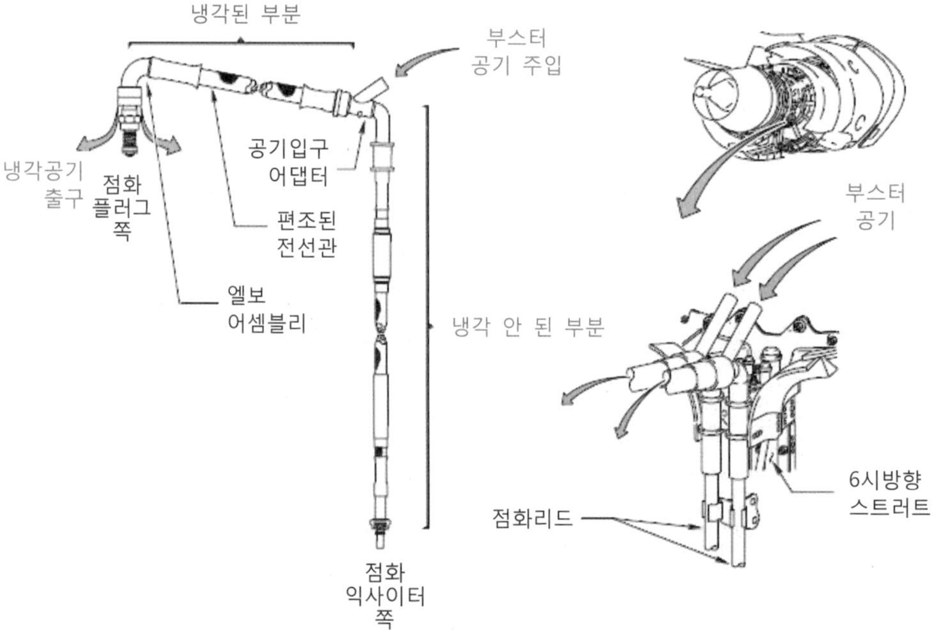

그림 5-4. 점화 리드(ignition lead assembly)

부스터 공기(booster air)는 공기 입구 어댑터(air inlet adapter)로 들어와서 편조된 전선관(braided conduit)의 냉각부분(cooled section)으로 들어가서 점화플러그 연결부위로 빠져 나간다.

2개의 점화 리드어셈블리(ignition lead assembly)는 동일하여 호환가능 하며, 하나의 점화 익사이터(ignition exciter)에서 하나의 점화 플러그로 각각 연결된다.

2.3. 점화 플러그(IGNITER PLUG)

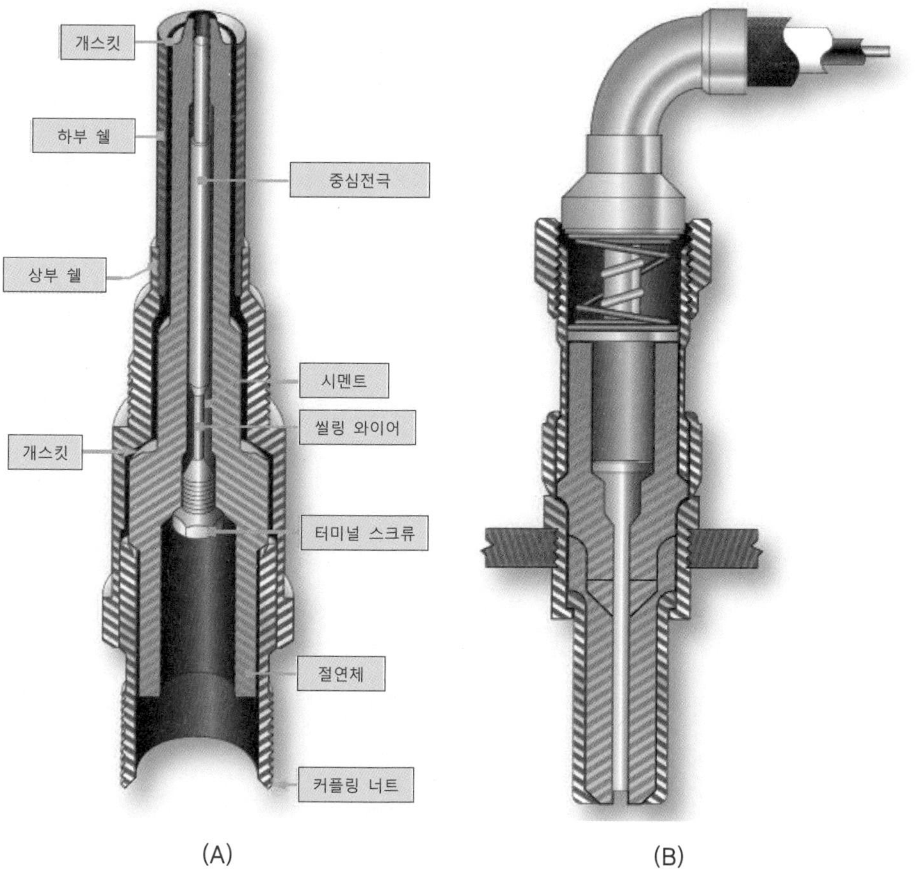

그림 5-5. 점화 플러그의 구조 및 단면도

점화 플러그 그림 5-5(A)에서처럼 중심 전극과 원주 전극의 갭이 고리 모양으로 된 애뉼러 간극(annular-gap)이 일반적으로 사용되고 있다.

양전극간에 전압이 가해지면 갭 사의 공기가 먼저 이온화되고 이온화된 공기는 전기 저항이 낮기 때문에 비교적 저 전압으로 충분한 불꽃 방전이 순간적으로 행해진다.

이 방식의 장점은 점화 플러그가 손상되어도 발화가 가능한 것이다. 또한 최근에는 원주 전극에 반도체를 장치하기도 하고 원주 전극부에 특수 코팅을 해서 이온화하기 쉽게 한 점화 플러그도 사용되고 있다. 어느 쪽이든 점화 플러그의 전극은 작동 시간과 주울 수에 비례해서 소모된다.

점화 플러그의 또 다른 형태는 그림 5-5(B)와 같은 일부 터빈엔진에서 사용되고 있는 컨스트레인 간극(constrained-gap) 플러그이다. 연소실 라이너 안쪽으로 노출되지 않기 때문에 애뉼러 간극에 비해 매우 차가운 온도에서 작동하는 장점이 있다.

그림 5-6은 CFM56-7 엔진에 사용되고 있는 점화플러그의 실제 구조로서 2개의 점화플러그가 연소실 케이스(combustion case) 4시와 8시 방향에 장착되어 있으며, 중심전극(center electrode)은 알루미나로 알려진 산화알루미늄(aluminum oxide)에 의해 절연되어 있다.

엔진에 장착된 점화플러그는 일종의 단일 호스 클램프(single hose clamp)로 플러그에 장착되어 있는 두 쪽의 쉬라우드(shroud)에 의해서 열로부터 보호되는데, 부스터 공기(booster air)가 플러그와 쉬라우드 사이로 흘러 들어와서 엔진 케이스 쪽으로 흘러 나가면서 플러그를 냉각해준다.

점화플러그를 엔진에 장착하기 전에는 소량의 흑연 그리스(graphite grease)를 연소실 케이스 보스(combustion case boss)와 점화플러그 부싱(igniter bushing)이 연결되는 나사산에 도포해야 한다. 그러나 점화리드(ignition lead)의 연결 나사산에는 점화플러그와 리드가 손상될 수 있으므로 그리스(grease) 혹은 어떠한 윤활제도 도포하면 안 된다.

또한, 점화플러그를 정비 혹은 수리를 위해 장탈 하였을 경우에는 흰색의 실리콘 씰(silicone seal)은 반드시 교환하여야 한다.

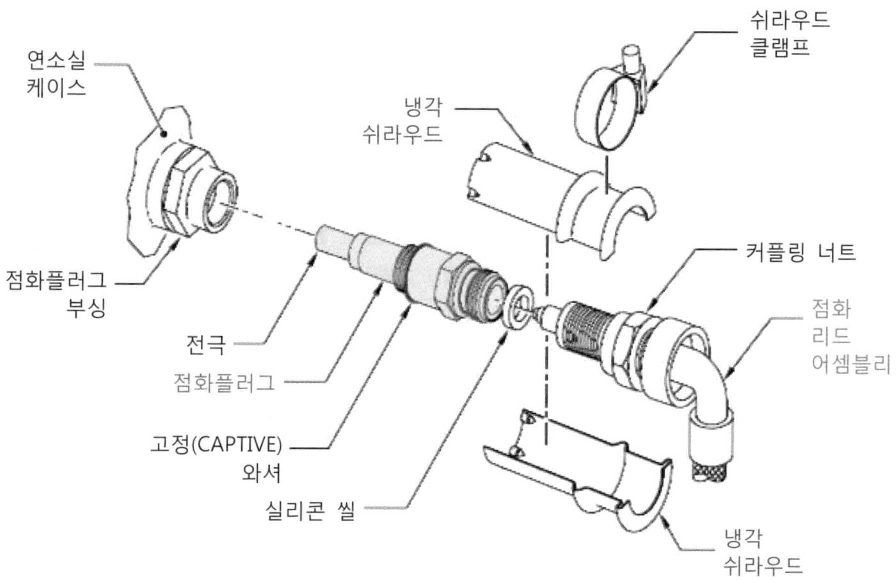

그림 5-6. B-737NG(CFM56-7) 엔진 점화 플러그(IGNITER PLUG)

3. 점화 계통의 작동

B737NG 항공기의 점화 시스템 작동은 조종실의 점화선택 스위치(ignition selector switch), 엔진시동 스위치(engine start switches), 시동레버(start levers) 와 EEC에 의해서 조절된다.

EEC는 2개의 엔진 점화기들(igniter 좌측과 우측)을 EEC 내부에 채널(channel)당 1개씩 있는 릴레이(relay)로 조정되는 스위치(switch)에 의해 'ON' 혹은 'OFF' 로 바꿔준다.

점화시스템은 시동레버(start lever)가 'IDLE' 위치에 있을 때 항공기로부터 전력(electrical power)을 공급 받는데, 115VAC/400HZ가 2개로 나누어져서 IGN 1은 항공기 트랜스퍼 버스(transfer bus)에서 IGN 2는 항공기 스탠바이 버스(standby bus)로부터 EEC를 통해 공급되며, EEC의 각 채널은 점화 릴레이(ignition relay)에 의해 점화 익사이터(ignition exciter)를 제어한다.[그림 5-7 참조]

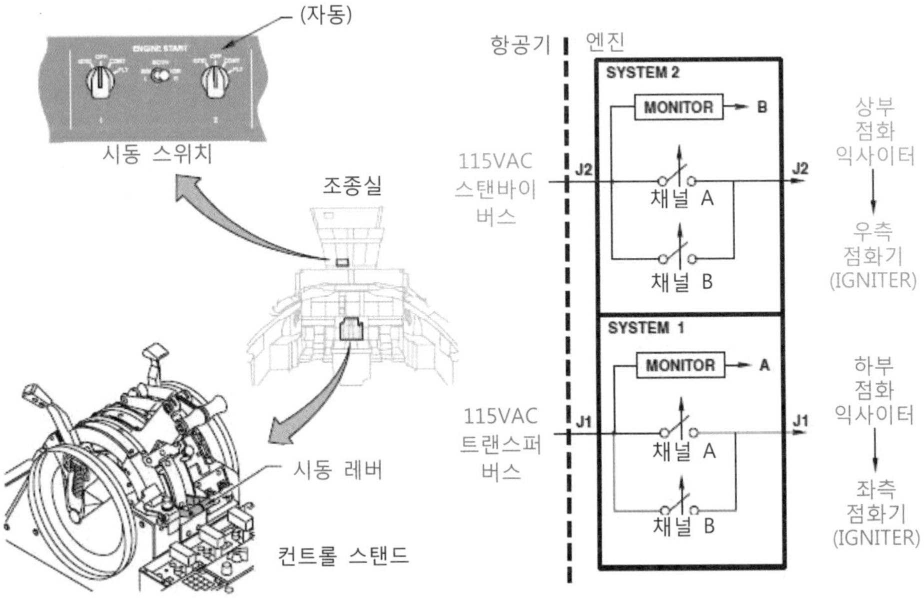

그림 5-7. B-737NG(CFM56-7) 엔진 점화 시스템(IGNITION SYSTEM)

3.1. 점화기 선택 스위치(Igniter selector switch)

점화기 선택 스위치는 3개의 선택 위치가 있으며, 각각의 기능은 다음과 같다.[그림 5-8 참조]

- IGN L : 좌측 점화계통만 작동
- IGN R : 우측 점화계통만 작동
- BOTH : 좌, 우측 점화계통 모두 작동

조종사는 IGN L, IGN R 혹은 BOTH로 선택할 수 있는데, 표준작동 절차는 연속적인 엔진시동 시에는 시동 시 마다 IGN L에서 IGN R로 혹은 IGN R에서 IGN L로 교대로 바꾸어서 선택하여야 한다. 이는 각 점화기(igniter)의 작동시간을 비슷하게 유지할 수 있고, 점화계통(ignition system)의 결함유무를 파악할 수 있기 때문이다.

3.2. 엔진시동 스위치(Engine Start switch)

엔진시동 스위치는 그림 5-8과 같이 4개의 선택 위치가 있으며, 각각의 기능은 다음과 같다.

- GRD : 지상 혹은 비행 중 시동 시 선택된 점화계통(L 혹은 R)만 작동
- OFF : EEC가 연소정지 상태임을 감지하지 않은 이상, 점화하지 않음.
- CONT: 지상 혹은 비행 중 선택된 점화계통(L 혹은 R)은 연속적으로 작동
- FLT : 윈드밀(windmill) 시동 시 스위치 위치 선택에 관계없이 2개의 점화계통이 동시에 작동

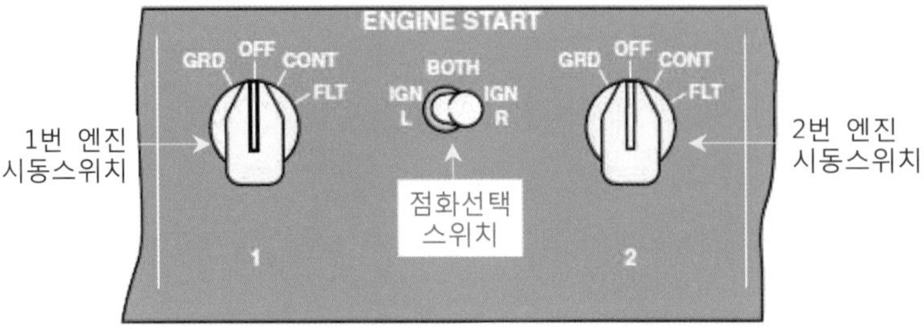

그림 5-8. 점화선택 스위치와 시동 스위치

3.3. 비정상 작동(ABNORMAL OPERATION)

그림 5-9는 엔진 점화 스위치와 시동 스위치의 위치에 따른 점화 작동으로서 엔진이 작동 중일 때, 시동 스위치(start switch)는 일반적으로 OFF 혹은 AUTO(Auto가 option으로 장착 된 경우)로 선택 되어져 있는데, 다음과 같은 현상이 발생하게 되면, 선택 스위치(selector switch)의 위치에 관계없이 2개의 점화기(igniter)들은 자동으로 30초 동안 작동한다.

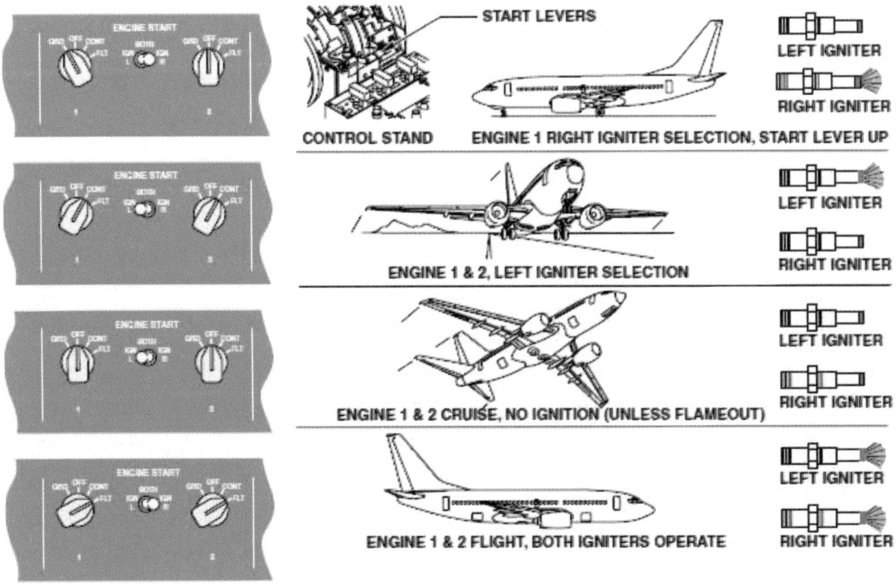

그림 5-9. B-737NG(CFM56-7) 엔진 점화/시동 스위치 위치와 점화작동

- 엔진이 아이들 속도(idle speed)이상으로 작동 중, 명령되지 않은 N2 감속(정상적인 감속 스케줄보다 300rpm 이상의 감속비율)을 EEC가 감지 할 경우.
- 지속할 수 없는 N2 아이들(50% ~ 56.8%)을 EEC가 감지 한 경우

만약 선택사항(option)으로 자동점화(Automatic ignition)가 장착된 경우에는 항공기의 이, 착륙 시 혹은 방빙계통 사용 시에는 선택된 IGN(L 혹은 R)을 자동으로 작동한다.

4. 점화계통 정비와 검사

4.1. 점화계통 작업 안전사항

터빈엔진 점화시스템은 정비사의 안전을 보장하고 엔진 시스템의 손상을 방지하기 위하여 정비사는 특별한 취급을 필요로 한다. 이 “고강도(high intensity)” 점화 시스템은 치명적인 전하를 가지고 있으므로 다음과 같은 취급시 주의사항을 준수하지 않을 경우, 목숨까지도 위태롭게 할 수 있다.

- 점화 스위치가 점화 시스템 정비를 수행하기 점화 스위치가 꺼져 있는지 확인할 것.

  ☞ 일부 시스템은 작업하기 전에 일정시간 경과 후 안전하게 작업할 것을 요구한다.

- 점화 플러그를 제거하려면 제작사에서 규정한 시간을 기다린 다음 변압기 입력 리드(transformer input lead)를 분리하고 나서 엔진에 점화 리드 와 접지 중심 전극을 분리할 것.

  ☞ 점화 리드 및 플러그는 이렇게 하여야 안전하게 장탈 할 수 있다.

- 손상된 변압기(transformer units)를 취급할 때에는 특별히 주의할 것. 일부는 에어 갭 포인트(air gap points)에 방사성 물질이 포함되어 있다.

  ☞ 이것은 미리 설정한 전압으로 방전위치(discharge point)를 교정하는 데 사용된다.

- 사용 불가능한(unserviceable) 점화 플러그는 적절하게 폐기되었는지 확인할 것.

  ☞ 사용된 재료는 제작사 자체에서 특수 처리가 필요할 수도 있다.

- 점화 플러그의 점화 시험(firing test)이 수행되기 전에, 화재 나 폭발을 방지하기 위해 연소실이 연료로 젖어있지 않은지 확인할 것.

- 점화 플러그가 장탈 되어 있는 경우에는 고장탐구를 위해 시스템에 전압을 가하지 말 것.

☞ 변압기에 심각한 과열이 발생할 수 있다.

4.2. 점화장치의 검사와 정비

4.2.1. 점화장치 장탈

점화 플러그를 검사하기 위하여 플러그를 장탈 할 때에는 점화 리드선이 먼저 분리되어야 한다. 커플링 너트(coupling nut)를 풀고 점화 리드 어셈블리(ignition lead assembly)를 점화플러그에서 분리할 때에는 플러그 배럴(plug barrel)의 중심선과 일직선을 이루면서 주의 깊게 뽑아야 한다. 측면에 하중이 걸릴 경우에는 배럴 절연체(barrel insulator)와 세라믹 리드 터미널(ceramic lead terminal)이 손상될 수 있다.[그림 5-10]

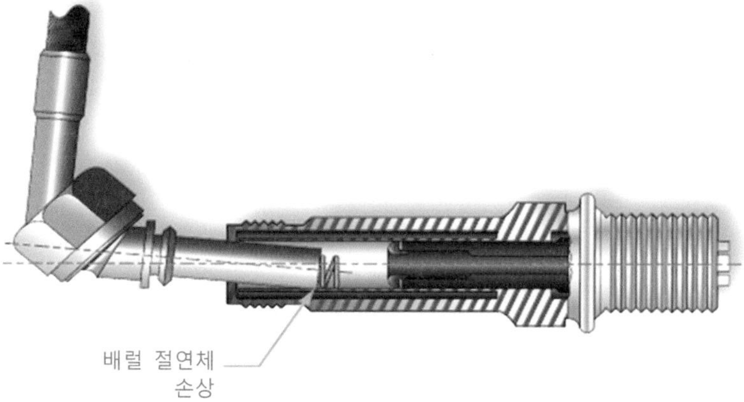

그림 5-10. 부적절한 리드 장탈 방법

리드가 분리되면, 적절한 크기의 딥 소켓(deep socket)을 이용하여 플러그를 장탈 한다. 한손으로는 힌지 핸들을 잡고, 다른 한손으로는 회전 중심선과 일치되게 소켓을 잡고 균등하게 힘을 주어 풀어야 한다. 소켓을 회전 중심선과 일치되지 않게 잡게 되면 소켓이 한쪽으로 기울어져서 점화플러그의 손상을 유발 할 수 있다.[그림 5-11]

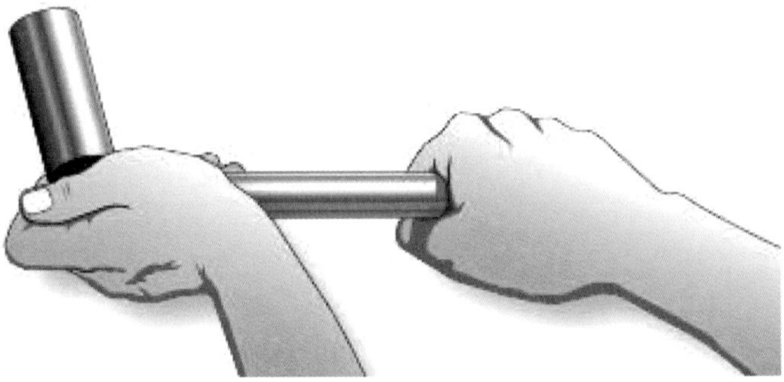

그림 5-11. 적절한 점화플러그 장탈 방법

4.2.2. 점화장치의 검사

점화장치의 기계적인 파손은 육안검사에 의하여 수행된다. 나사산의 마모, 균열, 또는 터미널 내부 벽의 세라믹 손실 또는 조각이탈, 균열 또는 전극 끝 부분의 절연체 세라믹에 홈이 파인 부분이 나타나면 점화장치는 폐기해야 한다.

또한 점화장치의 외부 육각렌치부분, 또는 장착 플렌지의 물리적 파손과 전극이 타거나(Burn) 또는 침식 (Erosion)되었을 때에도 폐기해야 한다.

전극의 침식에 관한 특정한 한계는 엔진 정비교범에 표기되어 있으며, 정비교범의 한계를 벗어났을 경우에는 항공기에 사용하기 전에 일정한 서비스 절차에 의하여 검사를 수행하여야 한다.

4.2.3 점화장치의 작동점검

점화장치(igniter)는 익사이터가 방전하여 플러그에서 스파크가 발생하면, 딱 딱 하는 단속적인 소리를 낸다. 즉, 높은 에너지의 점화계통은 스파크가 일어 날 때 굉장히 큰 소리를 내기 때문에 엔진 카울을 열지 않아도 들을 수 있다.

작동점검을 하기 위해서는 한 사람은 조종실에서 점화계통을 작동시키고, 다른 한사람은 엔진 배기 덕트 한쪽에서 작동하는 소리를 듣는데, 이때 듣는 사람은 2개의 점화 플러그가 모두 작동하는가를 세심하게 들어야 한다.

Part 06

1. 추력 조절 계통(THRUST CONTROL SYSTEM)
2. 압축기 조절시스템(COMPRESSOR CONTROL SYSTEM)
3. 터빈케이스 냉각시스템(TURBINE CASE COOLING SYSTEM)

엔진 조절계통

[ENGINE CONTROL SYSTEM]

제6장. 엔진 조절계통(ENGINE CONTROL SYSTEM)

엔진의 시동과 정지, 엔진 추력의 증감과 역 추력의 사용을 수동으로 조작하기 위한 계통이 엔진 조절 계통이며, 추력 조절 계통과 시동 조절 계통을 비롯하여 압축기 실속방지 및 허빈케이스 틈새조절 계통 등이 있다.

시동 조절계통은 제10장 시동계통에서 논의하기로 한다.

1. 추력 조절 계통(THRUST CONTROL SYSTEM)

1.1. 추력레버(THRUST LEVER, THROTTLE LEVER)

조종실 중앙 정면에 놓인 컨트롤 스탠드에 추력레버(thrust lever 또는 throttle lever)가 장착 엔진 대수만큼 나란히 설치되어 있다.

각각의 추력레버는 해당엔진의 연료조종 장치의 출력레버와 컨트롤 케이블(로드, 케이블 드럼, 풀리와 브래킷, 컨트롤 박스, 푸쉬-풀 케이블 등)로 기계적으로 접속되어 있고 추력레버의 작동이 직접 연료조종 장치에 전달된다.

최근 항공기 엔진의 추력 조절계통(thrust control system)은 각 추력레버 밑에 리졸버(resolver)가 있어 추력 레버의 움직임을 전기적인 신호로 변환시켜 배선(wiring)을 통하여 각 엔진에 장착된 전자식 엔진제어장치(Electronic Engine Control : EEC)에 전달한다.

이러한 신호에 의해 EEC는 연료조절 장치의 연료 흐름을 조절하기 위하여 전기적 토크모터(torque motor)를 작동시킨다.

그림 6-1과 같이 각각의 추력레버는 전진 추력레버(forward thrust lever)와 역 추력 레버(reverse thrust lever)로 구성되어 있다.

전진 추력레버는 손으로 전후 방향으로 조작하는 것으로 엔진 출력의 증감을 얻을 수 있다.

전진 추력레버(forward thrust lever)에 장착되어 있는 역 추력레버(thrust reverser lever)는 손으로 위쪽 방향으로 끌어 올림으로써 역 추력을 얻을 수 있다. 단, 역 추력 레버는 전진 추력레버가 아이들의 위치에서만 조절할 수 있게끔 잠금 장치가 되어 있으며, 현재 대형 항공기에 있어서 역추력 장치의 작동은 반드시 지상모드(ground mode)에서만 작동되도록 회로가 형성되어 있다.

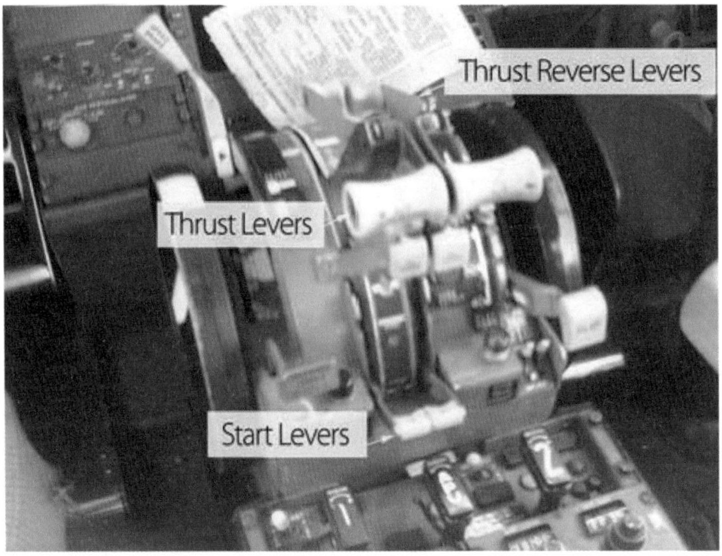

그림 6-1. 조종실 컨트롤 스탠드의 추력레버

또한 최근에는 조종사의 부담을 덜어주기 위해 추력 레버의 조작을 컴퓨터를 이용하여 자동적으로 수행하는 자동-스로틀 시스템(Auto-Throttle System)이 장치되어있다.

그림 6-2는 B-737NG 항공기의 스로틀레버로서 조종사에 의해 수동으로 혹은 자동 스로틀 시스템(auto-throttle system)에 의해 자동적으로 위치된다.

N1 커맨드(command)는 스로틀(throttle)의 각 위치(angular position)와 기타 대기상태 등의 파라미터(parameter)들에 의해서 계산 된다.

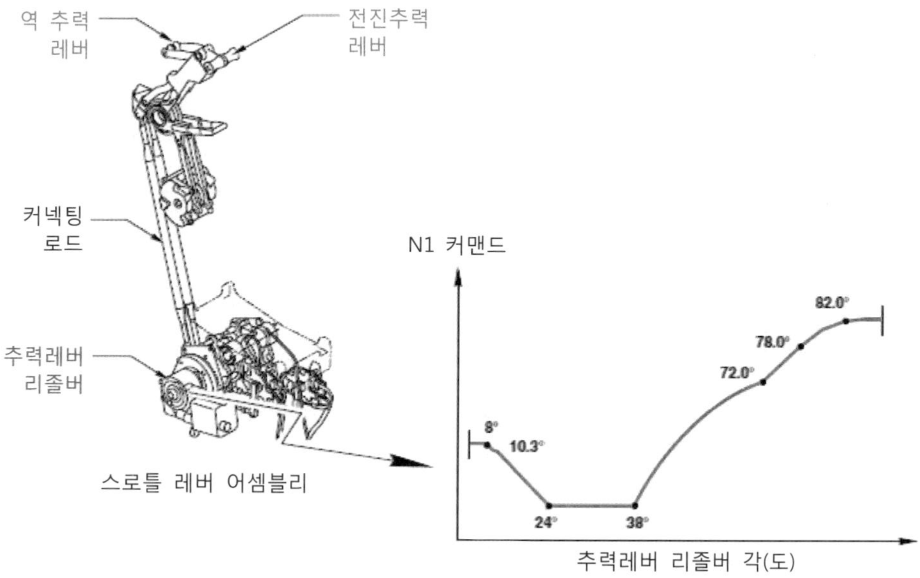

그림 6-2. 스로틀 레버(Throttle Lever)

1.2. 엔진 정격출력(ENGINE POWER RATING)

엔진추력은 흡입 공기온도와 압력에 의하여 크게 영향을 받아 달라진다. 특히, 최대추력 조건에서의 작동은 터빈입구온도(Turbibe Inlet Temperature : TIT)의 제한을 받게 된다.

대기가 고온일 때에는 TIT를 일정하게 유지하기 위하여 추력이 제한되고, 저온일 때에는 압축기 배출압력(Compressor Discharge Pressor : CDP)을 제한을 위하여 추력을 일정하게 유지시키게 된다.

또한 엔진의 수명과 신뢰성을 위해서 저온 영역에서는 여유 추력을 전부 내지 않고 온도에 의해 추력이 변화하는 점까지 일정추력을 내도록 하는데, 이를 고정 정격엔진(flat rated engine) 또는 부분 스로틀 엔진(part throttle engine)이라고 한다.

1.2.1. 이륙추력(TAKE-OFF THRUST)

항공기 이륙을 위하여 사용되는 최대추력으로 최대5분간으로 사용이 제한된다. 이륙추력에 해당하는 대기온도 및 대기압에 대해 수정한 N1 또는 엔진 압력비(EPR)가 나오도록 스로틀을 설정하여 얻어지는 추력이다.

1.2.2. 최대연속추력(MAXIMUM CONTINUOUS THRUST)

비행 상태에서 시간제한 없이 연속하여 사용할 수 있는 엔진의 최대추력으로 이륙추력의 90% 내외이다. 이 추력은 해당하는 대기온도 및 대기압에 대해 수정한 N1 또는 EPR이 나오도록 스로틀을 설정하여 얻어진다.

1.2.3. 최대상승추력(MAXIMUM CLIMB THRUST)

상승을 위해 보증되고 있는 추력으로 최대연속추력과 동일한 추력일 때가 많다.

1.2.4. 최대순항추력(MAXIMUM CRUISE THRUST)

순항을 위하여 인정된 최대추력으로 보통 이륙추력의 70~80% 내외의 추력이다. 따라서 엔진의 연료 소비율이 가장 적은 추력이다. 이것도 최대순항추력에 해당하는 대기온도 및 대기압에 대해 수정한 N1 또는 EPR이 나오도록 스로틀을 설정하면 얻어진다.

1.2.5. 완속추력(Idle Thrust)

엔진이 자전할 수 있는 적합한 최소추력으로 이륙추력의 5~6% 정도이다.

1.3. 출력산정(POWER COMPUTATION)

추력은 엔진으로 들어오는 공기의 질량과 엔진 사이클(cycle)중에 주어지는 가속에 따라서 좌우된다.

1.3.1. 추력 정격 N1 계산(THRUST RATING N1 CALCULATION)

현재의 비행 조건에 따라 추력조절을 위한 6개의 기본적인 추력정격(thrust rating)들은 EEC에 의해서 계산 되는데, EOB, MTO, MCT 및 MCL은 엔진 모델과 항공기 형식에 따라서 계산되지만, MREV 정격과 아이들 기준(idle reference)은 엔진 모델과 항공기 형식에 관계없이 모두 같다.

기본적인 추력 정격계산들은 다음과 같다.

- EOB : 비상예비-오버부스트(Emergency Reserve/Bump-Over boost)
- MTO : 최대이륙/복행(Maximum Takeoff/Go Around)
- MCT : 최대연속(Maximum Continuous)
- MCL : 최대상승(Maximum Climb)
- IDLE: 완속 기준 추력(Idle reference)
- MREV: 최대 역 추력(Maximum Reverse)

그림 6-3과 같이 각각의 정격은 스로틀 리졸버 각도(TRA) 위치와 연관되어 팬 속도(N1)를 맞추고, EEC는 이러한 기본적인 정격들 사이의 추력레벨을 TRA의 위치에 따른 중간 값을 계산하는데, MTO 레벨이 가장 높은 추력정격이 된다.

이륙/복행 정격은 저고도 저속에서 사용되는데, TRA 세팅은 최대연속 정격과 같다.

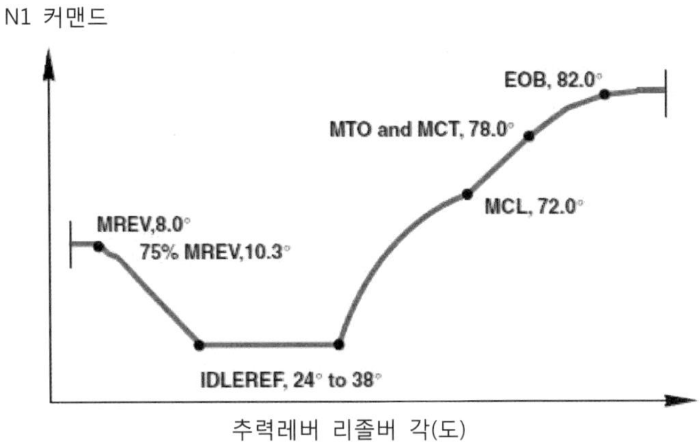

그림 6-3. TRA와 정격 추력

1.3.2. 엔진 팬 속도수정 트림 (ENGINE FAN SPEED MODIFIER TRIM)

엔진 제작공정의 허용공차에서 기인하는 편차를 줄여서 발생할 수 있는 과잉의 추력 마진(thrust margin)은 엔진의 추력 정격 스케줄(thrust rating schedule)을 증진시키다.

EEC는 N1 개별수정(discrete modifier)을 사용해서 각 엔진 사이의 추력 차이를 줄여주는데, EEC 내에서 N1 커맨드는 감소되는데, 이 감소는 퍼센트(%)에 의한 실제의 N1 속도로서, 차이 나는 추력을 변화 시켜서 N1 속도와 추력이 같아지도록 일치 시킬 수 있다.

N1이 감소한 N1 수정레벨(modifier level)은 계기에 나타나기 위해 조종실로 보내지는 값에는 아무런 영향이 없다. 즉, 조종실의 N1 계기에 지시되는 값에는 영향을 받지 않는다.

N1 트림레벨(혹은 modifier)은 엔진 시운전실에서 작동 중에 결정되어지며, CFM56-7 엔진의 경우 N1 trim은 3900 RPM 이상에서 활성화 된다.

- 0 = no trim adjustment
- 1 = 0.4 % downtrim of N1
- 2 = 0.8 % downtrim of N1
- 3 = 1.1 % downtrim of N1
- 4 = 1.5 % downtrim of N1
- 5 = 1.9 % downtrim of N1
- 6 = 2.5 % downtrim of N1
- 7 = 3.0 % downtrim of N1

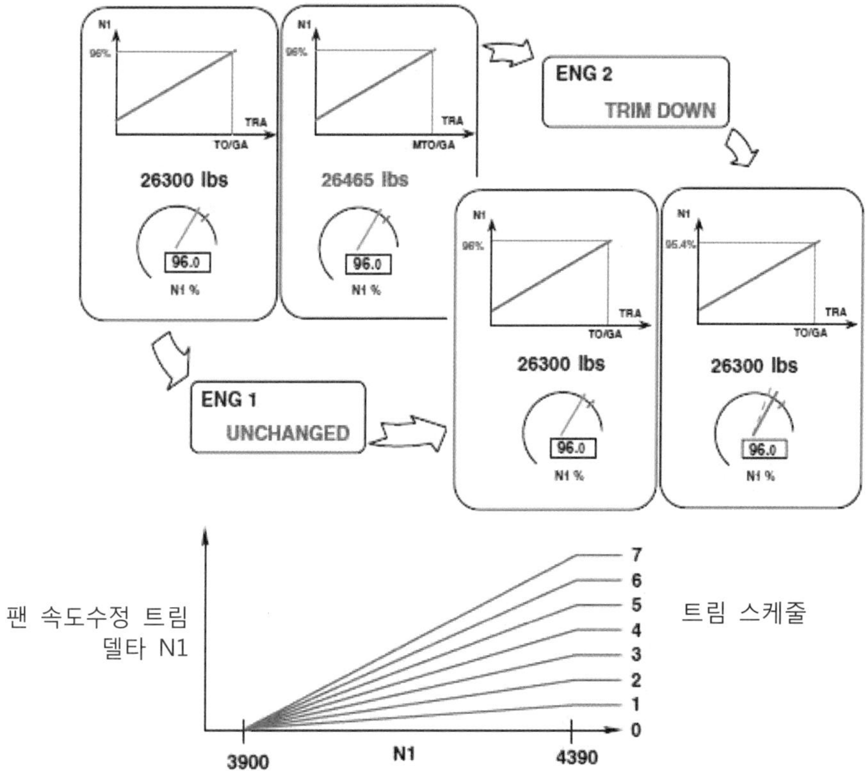

그림 6-4. N1 트림(TRIM)

EEC는 N1 속도가 N1 레드라인(redline)의 0.46% 이내이거나 또는 고도가 15,000 피트 이상이거나, 속도가 마하 0.4 이상 일 때는 계산된 트림을 없애버린다.

1.3.3. 추력조절 모드(THRUST CONTROL MODE)

EEC로 추력이 제어되는 대부분의 현용 터빈엔진들은 정상조절모드(normal control mode)와 항공 데이터 관성기준장치(Air Data Inertial Reference Units : ADIRU)의 전압데이터(total pressure data)의 손실 결함에 대비하여 2가지 대체 추력조절모드(alternate thrust control mode)를 가지고 있다.

PW4000 엔진 등은 엔진입구와 출구의 압력비(engine pressure ratio : EPR)를 추력산정으로 사용하여 정상추력모드가 EPR이 되지만, CFM56-7엔진을 비롯한 GE사 엔진들은 팬 스피드(N1)를 사용하고 있다.

그림 6-5는 CFM56-7엔진의 추력조절 모드이다.

(1) 소프트 얼터네이트 모드(SOFT ALTERNATE MODE)

EEC가 ADIRU 통신(communication), 공기의 전압(total pressure : PT), 공기의 전압을 감지하는 프로브의 어는 것을 방지하는 장치(PT probe heat) 등이 손실되었거나, ADIRU 1 & 2의 데이터가 일치하지 않을 경우에는 EEC 스위치는 소프트 얼터네이트 모드(soft alternate mode)로 전환되며, PT로부터 마하 넘버(mach number)를 계산 할 수 없으므로, 마지막으로 유효한 표준대기온도와 현재의 외기압력(P0)의 차이 값으로 계산한다.

ADIRU 입력은 CDS/DEU를 통해서 받으므로 보통 두개의 엔진은 동일한 데이터를 받게 되기 때문에 두 엔진의 스위치는 동시에 소프트 모드(soft mode)로 전환되게 된다. 그러나 해당 엔진의 데이터 버스(data bus)가 고장일 때에는 한 엔진만 소프트 모드가 될 수 있다.

(2) 하드 얼터네이트 모드(HARD ALTERNATE MODE)

추력레버(Throttle lever)를 MCL 위치 아래로 내리면 EEC 스위치는 자동으로 소프트 얼터네이트 모드에서 하드 얼터네이트 모드(hard alternate mode)로 전환되며, 조종실 오버헤드 패널(overhead panel)에 있는 EEC 스위치에 의해서 수동으로도 전환 시킬 수 있다.

이 모드에서는 EEC는 고정된 TAT(total air temp)값인 30℃와 외부 대기압(P0)을 가지고 마하 수(mach number)를 계산하므로 하드 얼터네이트 모드에서는 정상 모드(normal mode)에서의 최대 N1 추력정격(maximum N1 thrust rating) 보다 높은 N1 데이터가 EEC에 의해서 제공되기 때문에 더운 날 작동 중 에는 현격한 최대 추력정격 초과(maximum thrust rating exceedances)가 발생 될 수 있다.

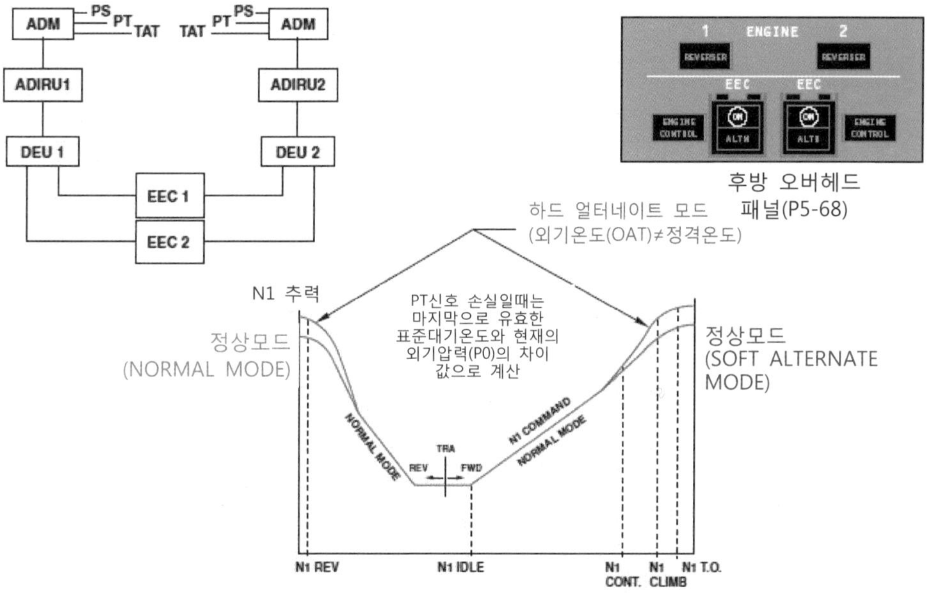

그림 6-5. 추력조절 모드(Thrust Control Mode)

1.4. 자동출력제어장치(AUTO THROTTLE SYSTEM)

자동출력제어장치(auto throttle system)는 모든 비행 중에 스로틀 레버(throttle lever)를 자동으로 움직여 주며, 비행관리 컴퓨터(Flight Management Computer : FMC), 디지털 비행조종 장치(Digital Flight Control System : DFCS), 자동출력제어 컴퓨터(Autothrottle Computer : ATC), 2개의 자동출력 서보기구(Autothrottle Servo Mechanism : ASM)로 구성되어 있다.

FMC는 목표 N1 동력설정(target N1 power setting) 혹은 목표 대기속도(target airspeed)를 ATC에 제공하고, 이차적으로 DFCS에서도 목표 대기속도(target airspeed)를 ATC에 제공 가능하다.

자동추력조정(Automatic thrust control)이 연동되면, 목표 N1 동력설정 혹은 목표 대기속도를 얻기 위해 2개의 자동출력 서보기구를 이용하여 두 엔진의 스로틀 레버를 위치시킨다.

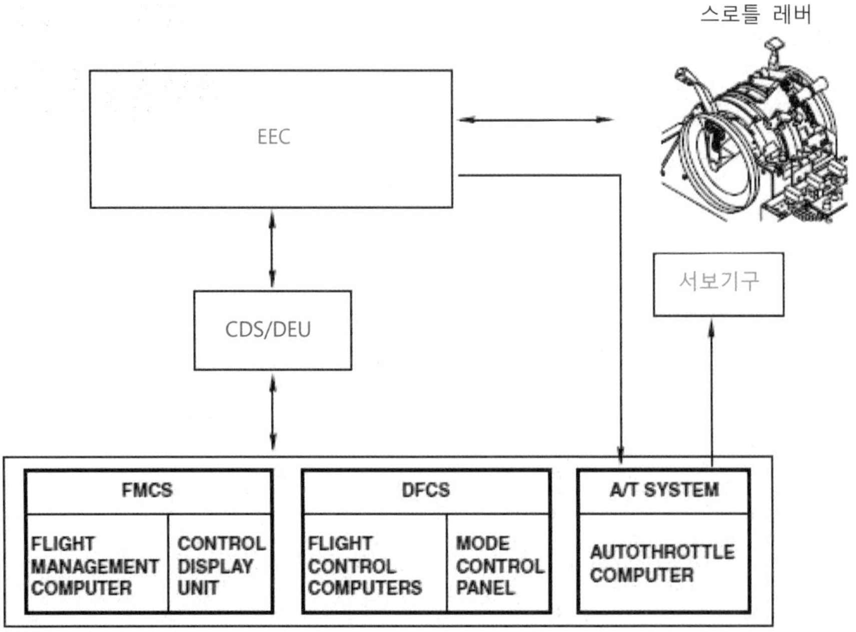

그림 6-6. 자동출력제어장치(AUTO THROTTLE SYSTEM)

2. 압축기 조절시스템(Compressor control system)

압축기 조절시스템은 어떠한 작동상태에서도 만족스러운 압축기 성능을 유지할 수 있도록 설계되어 있다. 이 계통은 엔진 제작사 및 엔진의 모델에 따라 기본 목적과 기능은 유사하지만 작동방식이 상이한 부분들이 매우 복잡하기 때문에 여기서는 민간 항공사뿐만 아니라 자가용 및 군용에도 널리 사용되고 있는 B-737NG 항공기에 장착운용 중인 CFM56-7 엔진의 가변 스테이터 베인 조절 계통과 압축기 가변 브리드 밸브 조절 계통의 구성 및 기능에 대하여 소개한다.

CFM56-7 엔진의 압축기 조절시스템은 부스터(booster)후방에 위치하고 있는 가변 브리드 밸브(Variable Bleed Valve : VBV)와 고압 압축기의 첫 번째 단안에 있는 입구 안내 베인 단계(Inlet Guide Vane stage)를 포함한 가변 스테이터 베인(Variable Stator Vane :VSV)로 구성되어 있다.[그림 6-7]

압축기 조절시스템(compressor control system)은 EEC에 의해서 커맨드(command) 되고, 연료조절장치의 유압신호(hydraulic signal)를 통해서 작동된다.

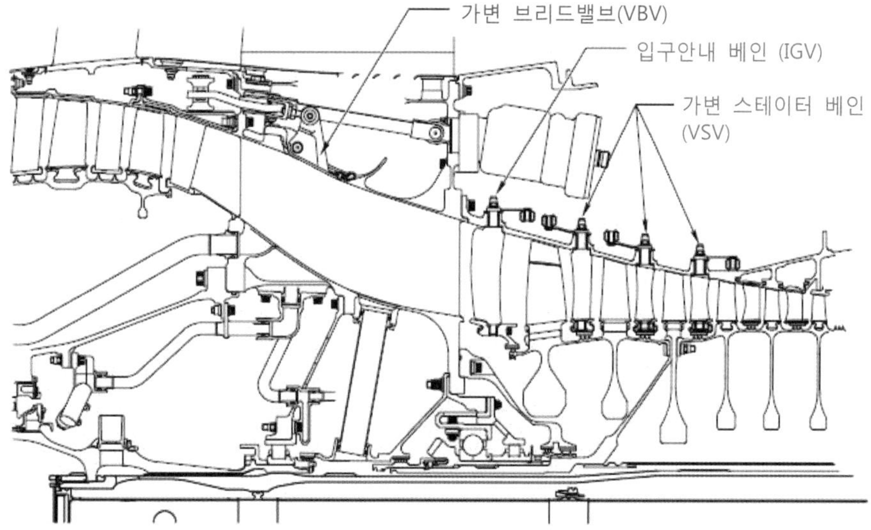

그림 6-7. 압축기 조절장치 형태(COMPRESSOR CONTROL DESIGN)

2.1. 가변 브리드 밸브(VARIABLE BLEED VALVE)

가변 브리드 밸브(Variable Bleed Valve : VBV)시스템은 부스터(저압압축기)에서 배출되어 고압압축기로 들어가는 공기의 양을 조절 해준다.

저속에서는 저압압축기에서 공급하는 공기흐름이 고압압축기에서 수용할 수 있는 양 보다 더 크다. 이때 밸브가 완전히 열려서 부스터 배출공기 일부를 2차 공기흐름(secondary air flow)으로 방출하여 저압압축기의 실속(stall)을 방지하고, 고속에서는 완전히 닫히게 된다.

시스템은 그림 6-8과 같이 12개의 스트러트 허브(strut hub) 주변에 위치하고 있으며, LVDT(Linear Variable Differential Transformer)를 포함한 2개의 VBV 작동기(actuator), 하나의 작동기 링(actuator ring), 12개의 벨 크랭크(bell crank), 12개의 브리드 도어(bleed door)로 구성되어 있다.

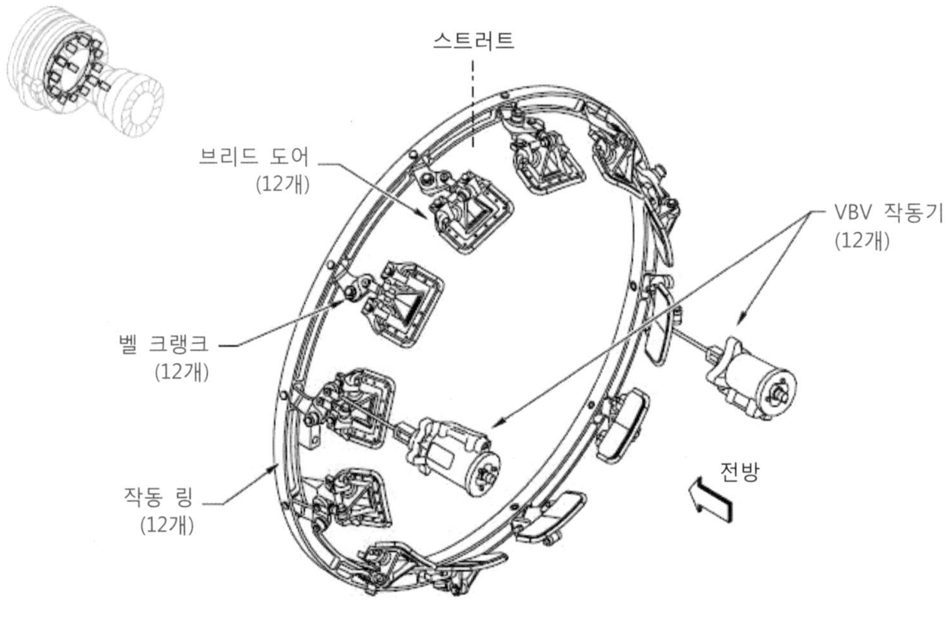

그림 6-8. 가변 브리드 밸브 시스템(VARIABLE BLEED VALVE SYSTEM)

2.1.1. VBV 작동기(ACTUATORS)

2개의 VBV 작동기(actuator)들은 서로 호환가능하며, 팬 프레임(fan frame) 주위에 장착되어 있는 작동 링(actuation ring)과 12개의 브리드 도어(bleed door)들을 움직이는데 필요로 하는 유압을 제공하는데, 팬 프레임 안쪽 직경(fan frame inner diameter) 후방 4시와 10시 방향에 부착되어 있는 브래킷(bracket)에 장착되어 있다.

연료조절장치로부터의 연료압력은 그림 6-9와 같이 작동기의 머리(head)와 로드(rod)의 양쪽으로 공급되는데, 높은 압력을 받은 포트(port)쪽에 의해서 움직임의 방향이 결정되고, 연료의 양은 이동거리를 결정한다.

작동기(actuator)의 머리 쪽의 연료압력은 브리드 도어(bleed door)들을 전방으로 밀어서 닫힘(closed) 위치로 만들어 준다.

각 작동기는 실제의 위치를 EEC로 피드백(feedback)을 제공 해주는 LVDT를 가지고 있다.

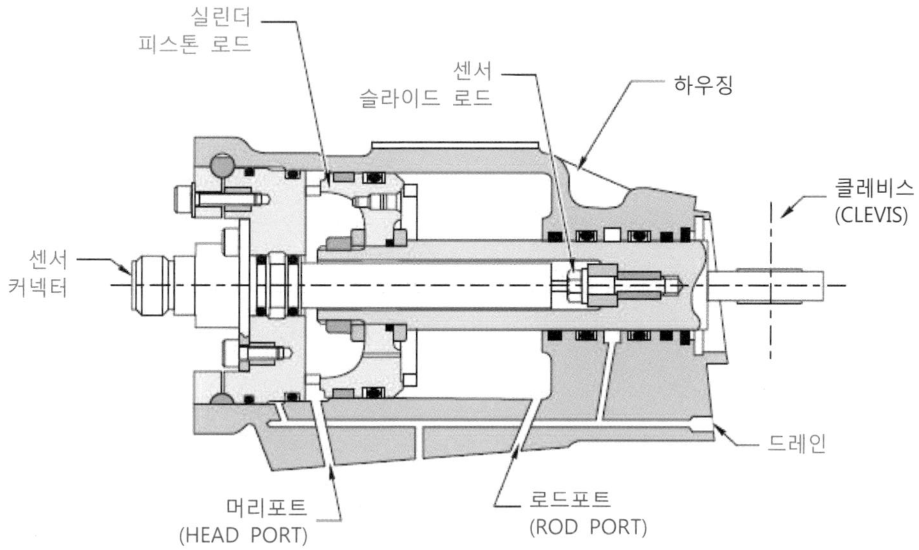

그림 6-9. VBV 작동기(ACTUATOR)

2.1.2. VBV 도어(DOORS)

12개의 브리드 도어(bleed door)들은 그림 6-10과 같이 벨 크랭크 어셈블리(bell crank assembly)를 통해서 작동 링(actuation ring)에 연결되어 있다.

브리드 도어들 중 2개는 작동기(actuator)의 클레비스(clevis)와의 연결을 위해 좀 더 긴 벨 크랭크를 가지고 있다.

작동기가 움직일 때 작동 링(actuation ring)이 브리드 도어(bleed door)를 열거나 닫아서 2차 공기흐름(secondary airflow)으로 방출하는 저압압축기 공기의 양을 조절한다.

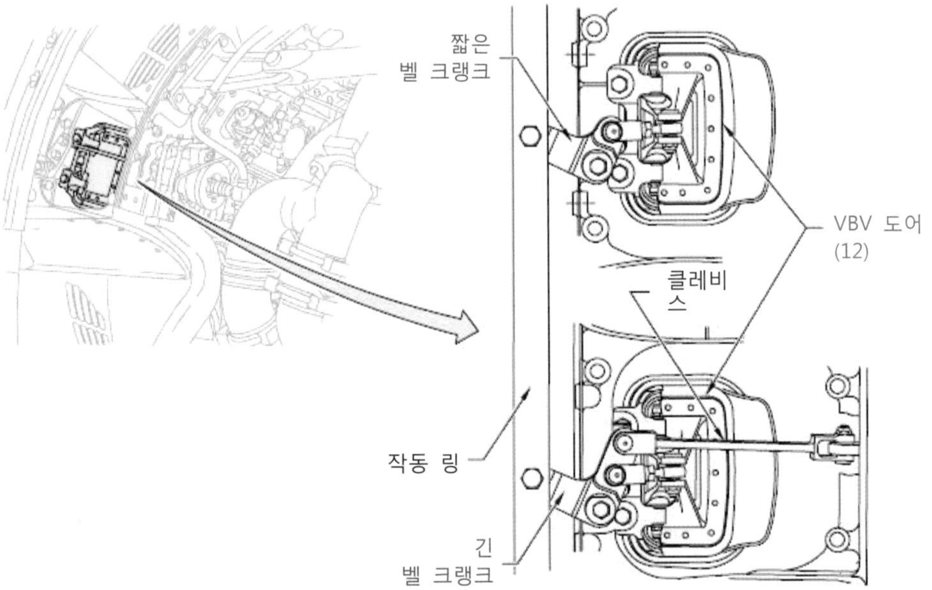

그림 6-10. VBV 도어(DOORS)

2.1.3. VBV 시스템 작동(SYSTEM OPERATION)

EEC는 항공기와 엔진 데이터를 사용해서 VBV 도어 작동기(door actuator)의 위치를 결정하는데, 위치가 확정되면, EEC는 커맨드 신호(command signal)을 보내서 연료조절장치 내부에 있는 서보 밸브(servo valve)를 움직여서 2개의 VBV 작동기(actuator)의 피스톤(piston)을 작동할 수 있는 연료압력을 보낸다.

각각의 작동기는 LVDT를 가지고 있으며, 이 센서(sensor)들로부터 피드백(feedback)을 받아 작동기의 위치를 감시(monitor) 하는데, 그림 6-11과 같이 엔진 우측에 장착되어 있는 VBV 작동기의 LVDT는 A 채널로 전기신호(electrical signal)를 보내주고, 좌측의 LVDT는 B 채널로 보내준다.

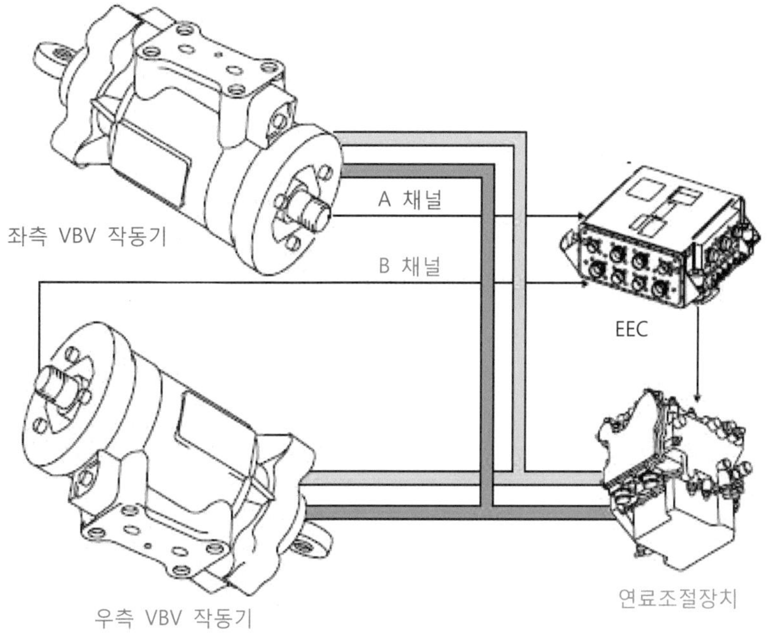

그림 6-11. VBV 시스템

N1 속도(speed)가 증가하면 VBV는 닫히기 시작해서 80% N1 속도이상이 되면 완전히 닫힌다. 또한, EEC는 엔진이 급 감속 하거나 역추력장치(thrust reverser) 사용 시 혹은 결빙(icing)이 발생할 소지가 있을 경우에는 VBV 도어를 열도록 커맨드 한다.

EEC는 VBV 요구 신호(demand-signal)를 계산하는데, 이 계산에는 팬 속도(N1K12), 팬 입구온도(T12), 코어속도(N2K25), 코어입구 온도(T25), 외기압력(P0), 추력 리졸버 각도(TRA), VSV 위치로직 등을 사용한다.

EEC는 기본적으로 N2 속도와 VSV 위치에 따라 VBV 위치를 계산하며, 최종 위치는 계산된 값과 실제의 N1 속도사이의 차이도 고려해서 정교하게 조절된다.

또한, TRA 위치에 의해 엔진이 역 추력모드(reverser mode)로 작동 중일 때에는 열림(open) 방향으로 작동하게 한다.

2.2. 가변 스테이터 베인(VARIABLE STATOR VANE)

가변 스테이터 베인(Variable Stator Vane : VSV) 시스템은 고압압축기 스테이터 베인을 최적의 고압압축기 효율에 적합한 각도로 위치시킨다. 그것은 또한, 엔진의 과도작동(transient operation)중에 실속 마진(stall margin)을 개선한다.

VSV 위치는 EEC가 여러 가지의 엔진 파라미터들을 이용하여 계산하고, 필요한 연료압력은 연료조절장치 서보밸브(servo valve)에 의해서 공급된다.

VSV 시스템은 고압압축기 전방에 있으며, 그림 6-12와 같이 고압압축기 케이스 양 쪽에 작동기와 벨 크랭크 어셈블리(bellcrank assembly)의 시리즈로 2개의 유압 작동기(hydraulic actuator), 각각의 작동기에 장착된 피드백 센서(feedback sensor), 2개의 벨 크랭크 어셈블리(bellcrank assembly), 4개의 작동 링(actuation ring)으로 구성되어 있다.

고압압축기 케이스 안쪽에 있는 가변 스테이터 단(variable stator stage)은 입구 안내 베인(Inlet Guide Vane : IGV) 1단과 가변 스테이터 베인(VSV) 1-2-3 단이다.

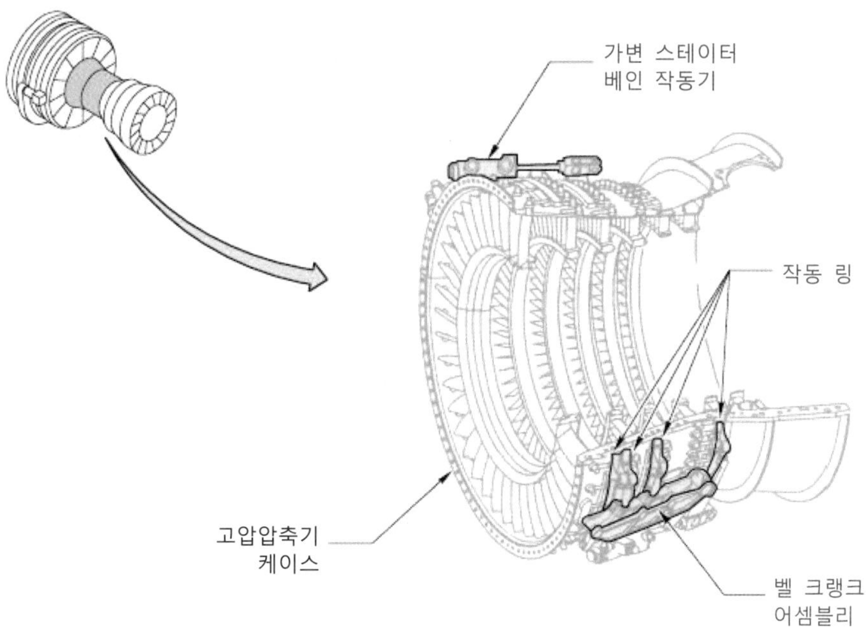

그림 6-12. VSV 시스템 구성

2.2.1. VSV 작동기(ACTUATOR)

작동기는 연료압력에 따라서 VSV 시스템을 움직여 주는데, 연료조절장치로부터의 연료압력은 그림 6-13과 같이 각 작동기의 머리(head)와 로드(rod)의 양쪽으로 공급된다. 피스톤(Piston)은 덮여져있어서 피스톤의 누설을 방지하는 패킹(packing)과 피스톤 로드(piston rod)의 오염을 방지하는 와이퍼(wiper) 역할을 한다.

로드 끝(Rod end) 쪽 드레인 포트(drain port)에는 이중 씰(seal)이 장착되어 있고, 냉각을 위해 피스톤 머리끝(piston head end) 쪽에는 연료가 통할 수 있는 오리피스(orifice)가 있다.

각각의 작동기는 EEC로 실제의 움직임을 피드백(feedback) 해주는 LVDT가 있다.

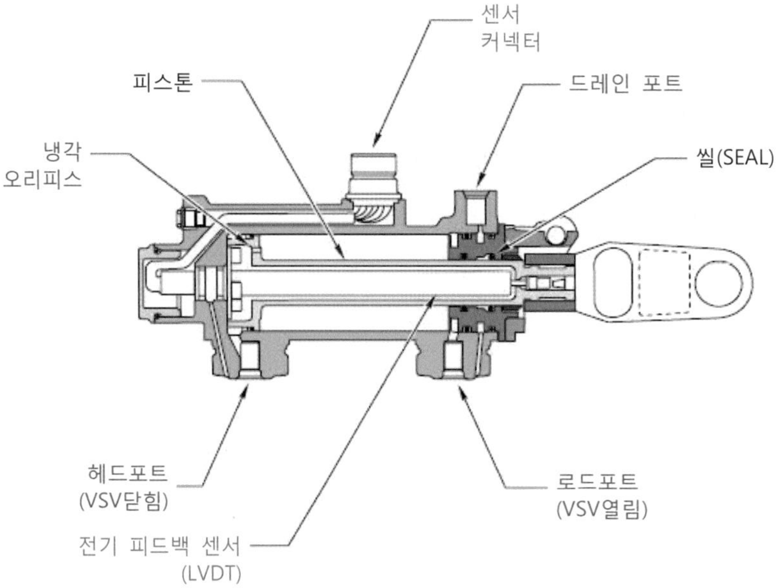

그림 6-13. VSV 작동기(ACTUATOR)

2.2.2. VSV 연결 시스템(LINKAGE SYSTEM)

그림 6-14와 같이 각각의 VSV 작동기는 클레비스 링크(clevis link)를 통하여 연결되어 있고, 베인 작동 링(vane actuation ring)은 슬래브 로드(slave rod)를 통하여 벨 크랭크 어셈블리(bellcrank assembly)의 마스터 로드(master rod)에 연결되어있다.

압축기 케이스의 분할선(split line)에 연결된 작동기 링의 반쪽은 압축기의 가로 축에 대해 원주 방향으로 회전하는데, 이러한 링(ring)의 움직임은 베인 작동레버(vane actuating lever)들에 의해서 각 베인들로 전달된다.

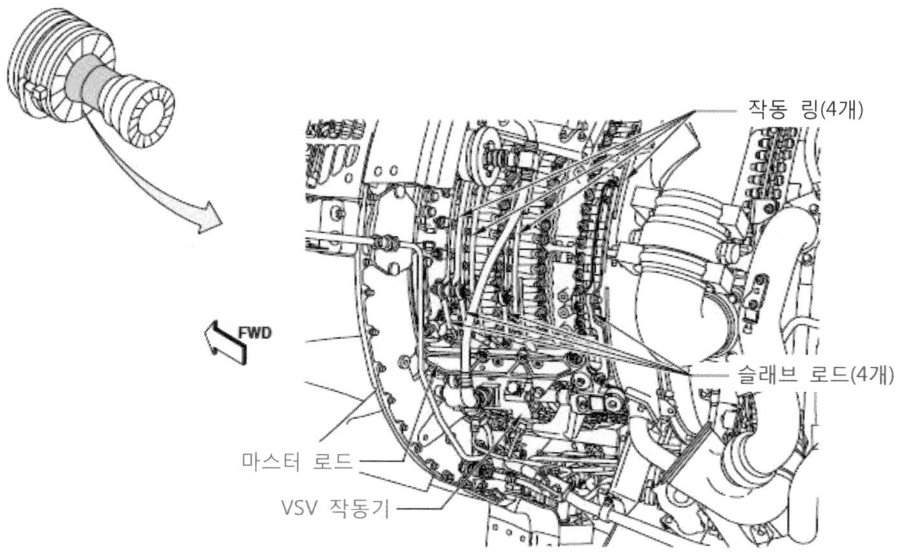

그림 6-14. VSV 연결시스템(LINKAGE SYSTEM)

2.2.3. VSV 시스템 작동(SYSTEM operation)

센서 신호(sensor signal)에 의해 EEC는 적절한 VSV 작동기 위치를 계산한다.

고압압축기 케이스 2시와 8시 방향에 장착된 2개의 작동기는 그림 6-15와 같이 4개의 작동 링(actuation ring)을 움직여서 베인(vane)들의 각 위치(angular position)로 변환시키고, 각 작동기당 한 개씩 장착되어 있는 2개의 전기 피드백 센서(LVDT)는 VSV 위치를 EEC로 전달 해준다.

우측에 있는 피드백 센서는 A 채널로 좌측에 있는 피드백 센서는 B 채널로 연결되어 있다.

엔진속도가 저속에서는 압축기로 최소의 공기가 흐르도록 닫힘(closed) 방향으로 움직이고, 고속에서는 최대 공기흐름을 허용할 수 있도록 열림(open) 위치로 움직인다. 또한, 서지(surge)가 감지되면 EEC는 VSV를 닫힘 위치로 커맨드 한다.

EEC는 VSV 요구 신호(demand-signal)를 계산하는데, 이 계산에는 코어엔진 속도(N2K25), 팬 속도(N1K12), 고도에 대한 외기압력(P0), 총 공기압력(PT), 추력 리졸버 각도(TRA), 총 공기온도(TAT) 등을 사용한다.

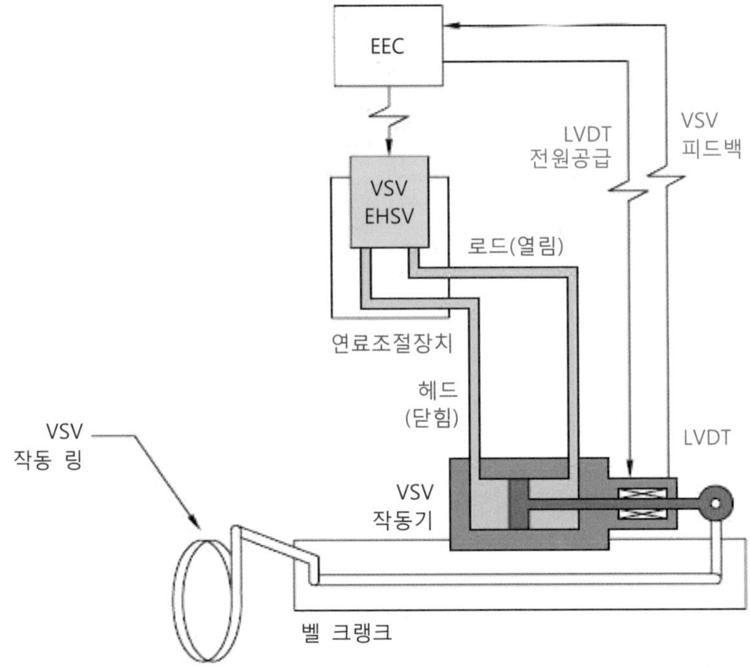

그림 6-15. VSV 시스템 작동

3. 터빈케이스 냉각시스템 (TURBINE CASE COOLING SYSTEM)

터빈 케이스 냉각 시스템은 차가운 팬 공기(Fan Air)로 이륙, 상승 및 순항 시 고압터빈(High Pressure Turbine : HPT)과 저압터빈(Low Pressure Turbine : LPT) 케이스를 EEC에 의해 냉각시킴으로써 터빈 블레이드 끝단(Blade Tip)과 케이스 사이의 틈새(Clearance)를 감소시켜 엔진의 추력 효율을 증가시켜서 보다 나은 연료효율과 케이스의 수명을 증가시킨다.

GE사의 엔진들은 고압터빈과 저압터빈 케이스의 냉각방식이 다르고, 고압터빈 케이스 냉각의 경우에는 매우 복작하게 되어있어 본 장에서는 비교적 시스템이 단순한 PW사의 PW4000 엔진 계열의 터빈케이스 냉각시스템을 설명하고자 한다.

3.1. 터빈케이스 냉각시스템 구성

그림 6-16은 B747-400 항공기에 장착운용 중인 PW4056엔진의 터빈케이스 냉각시스템을 보여주고 있다.

터빈 케이스 냉각(Turbine Case Cooling : TCC) 시스템의 구성품은 다음과 같다.

- 터빈케이스 냉각 공기밸브 작동기(TCC air valve actuator)
- 고압터빈케이스 냉각공기 차단밸브(HPT case cooling air shutoff valve)
- 저압터빈케이스 냉각공기 차단밸브(LPT case cooling air shutoff valve)
- 고압터빈 케이스 냉각공기 매니폴드(HPT case cooling air manifold)
- 저압터빈 케이스 냉각공기 매니폴드(LPT case cooling air manifold)

저압터빈 외측케이스는 항공기의 이륙과 상승 중에 팬 공기에 의해 냉각되어져서 케이스의 수명을 증대시키고, 고압터빈 케이스 또한 순항비행 중에 팬 공기에 의해 냉각되어져서 터빈 팁 틈새(turbine tip clearance)를 감소시켜 준다.

EEC는 고도와 N2에 의해서 시스템 작동을 커맨드 한다.

터빈케이스 냉각시스템은 모든 엔진 작동상태에서 팬 공기 차단 밸브들이 정확한 위치에서 작동할 수 있도록 조절되어야(rigged) 한다. 조절(rigging)은 작동기와 밸브가 열린 상태에서 수행되어야 한다.

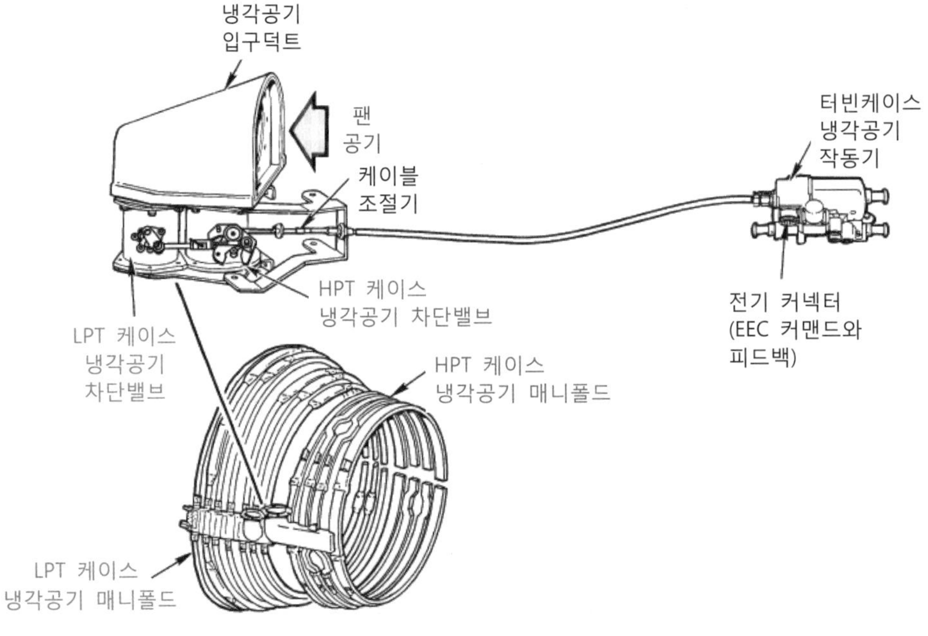

그림 6-16. 터빈케이스 냉각시스템(TURBINE CASE COOLING SYSTEM

3.2. 터빈케이스 냉각 공기시스템 작동

터빈케이스 냉각 공기차단 밸브는 변조 밸브(modulated valve)로서 기계적으로 작동되며, 저압터빈과 고압터빈 공기 매니폴드로 팬 공기가 흐르는 것을 조절한다.

이륙 시 60초 후에 작동기(actuator)는 케이블을 전방으로 당겨서 저압터빈 밸브를 초기위치에서 열기 시작하고, 고도 14,500 피트이상의 순항에서는 케이블을 추가로 당겨서 고압터빈 밸브를 열어준다.

엔진이 정지되었거나, 저속으로 작동할 때에는 두 밸브는 모두 닫히고, 케이블이나 작동기가 고장일 경우에는 고압터빈 밸브는 닫히고, 저압터빈 밸브는 약간 열린 상태가 된다.

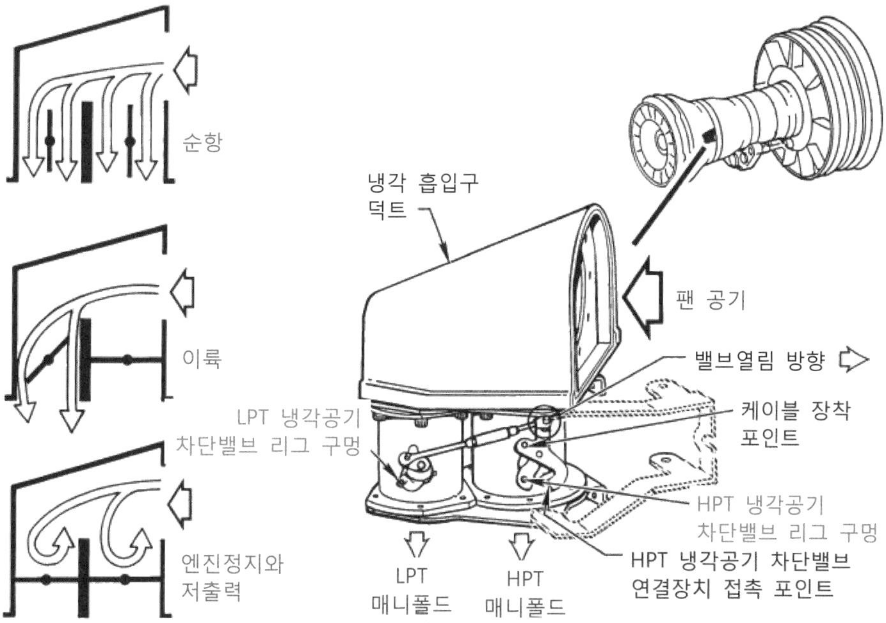

그림 6-17. 터빈케이스 냉각 공기 시스템 작동

Part 07

1. 엔진계기계통 일반
2. EPR 계기계통(ENGINE PRESSURE RATIO INDICATION SYSTEM)
3. 엔진 회전계 계통(ENGINE TACHOMETER SYSTEM)
4. 배기가스 온도지시 계통
5. 진동 감시계통(AIRBORNE VIBRATION MONITORING)

엔진 계기계통

[ENGINE INDICATING SYSTEM]

제7장. 엔진 계기계통(ENGINE INDICATING SYSTEM)

1. 엔진계기계통 일반

엔진계기계통의 목적은 엔진과 관련 시스템 정보를 조종실의 계기를 통하여 조종사와 정비사에게 제공하는 것이다.

조종실(cockpit; 대형 항공기의 경우 flight deck)의 엔진계기는 성능지시계기(performance indicators)와 엔진 상태 지시계기(engine condition indicators) 두 가지의 부류로 구분할 수 있다.

엔진 압력비(Engine Pressure Ratio : EPR), 팬 속도(Fan Speed : N1), 배기가스온도(Exhaust Gas Temperature : EGT), 연료유량(Fuel Flow), 압축기속도(N2)와 같은 엔진추력에 직접적인 영향을 주는 지시계기들은 성능지시계로 볼 수 있으며, 오일압력, 온도계기, 진동계기 등은 엔진 상태를 나타내는 계기가 된다.

엔진의 일부분이 비정상(working too hard)상태이면 성능 지시계기는 높은 배기온도, 고 RPM 상태 등을 표시하게 되며, 조종사는 출력을 줄인다든가 엔진을 정지시킨다든가 하는 등의 항공기를 안전하게 운용하는 데에 필요한 조치를 취해야한다.

그림 7-1은 JT9D 엔진을 장착한 B-747 항공기의 기존의 일반적인 아날로그 형식의 계기판을 보여주고 있으나, 최근에는 그림 7-2와 같이 광전관(cathode ray tube), 발광 다이오드(light emitting diode)로 표시되는 새로운 형태의 PW4000 엔진을 장착한 B747-400 항공기와 같이 디지털 형식의 지시계통이 주로 사용되고 있다.

이러한 새로운 지시계통은 계기류(instrument package)및 엔진의 오동작을 막을 수 있고, 더욱 다양한 정보를 표시할 수 있으며, 조종사의 부담(load)을 경감시켜 준다.

그림 7-1. 아날로그 형식의 B747-200 조종실 계기

그림 7-2. 디지털 형식의 B747-400 조종실 계기

그림7-3은 B747-400 항공기의 PW4000 엔진계기계통으로서 구성품은 다음과 같다.

엔진 쪽에는 엔진입구 압력과 온도를 감지하는 Pt2/Tt2 프로브(probe), 엔진 출구압력을 감지하는 Pt4.95 프로브, 배가스온도를 측정하는 EGT(Tt.4.95) 열전대(thermocouple), FADEC/EEC 스피드 트랜스듀서(N1), 영구자석 교류발전기(PMA), 전자동 디지털전자 엔진제어장치(FADEC) 등이 장착되어 있다.

항공기 쪽에는 전자비행계기장치인 EFIS(electronic flight instrument system)와 엔진상태 및 다른 시스템의 경고 상태를 종합적으로 알려주는 EICAS(Engine Indications and Crew Alerting System), EICAS 제어 패널(control panel), 항공기 운항 중 발생된 결함들을 저장 분석하여 고장탐구를 위한 정보를 제공하는 중앙정비 컴퓨터(central maintenance computer), 위험/경고 등(master waring/caution light) 등으로 구성되어 있다.

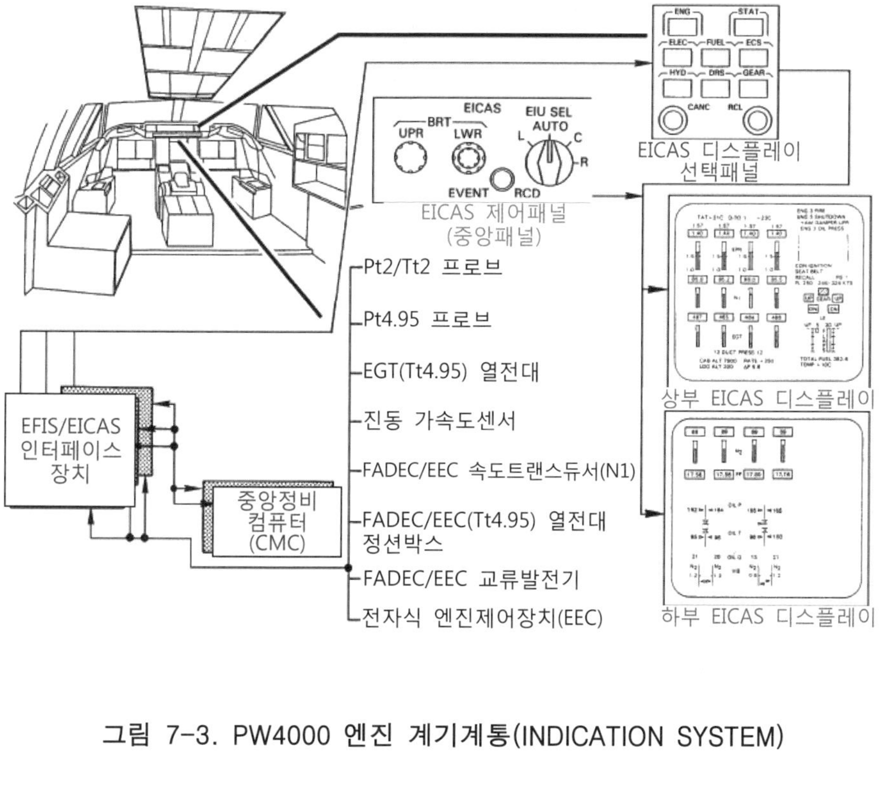

그림 7-3. PW4000 엔진 계기계통(INDICATION SYSTEM)

FADEC/EEC는 선택된 항공기 엔진 부품으로부터 입력신호를 받아서 요구되는 기능을 수행한 후, 데이터를 디스플레이하고 저장하기 위하여 엔진계기장치(EIU)와 중앙정비컴퓨터(CMC)로 출력한다. 일부부품과 센서들은 FADEC/EEC를 거치지 않고 엔진계기장치에 디스플레이 되기도 한다.

중앙정비컴퓨터는 대략 6,500건 이상의 결함을 생성해서 500건 정도의 결함을 저장한다.

그림 7-4는 B737NG 항공기의 CFM56-7 엔진의 계기계통으로서 엔진의 성능을 나타내는 일차 엔진 디스플레이(primary engine display)와 엔진상태를 나타내는 이차 엔진 디스플레이(secondary engine display)로 구분되어 있으며, PW4000 엔진과 달리 엔진 압력비(EPR)계기가 없는 것이 특징이다. 전통적으로 GE사 제작엔진들은 추력설정을 N1 로터 속도로 하기 때문이다.

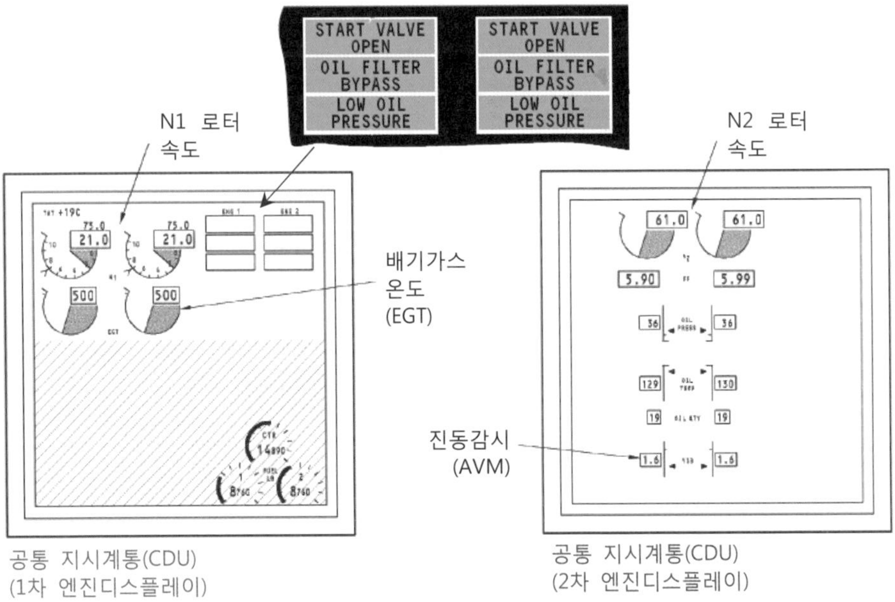

그림 7-4. CFM56-7 엔진 계기계통(INDICATION SYSTEM)

2. EPR 계기계통 (ENGINE PRESSURE RATIO INDICATION SYSTEM)

엔진 압력비 계기계통(EPR Indicating System)은 엔진의 출력(Power Output)을 나타내며, 엔진 추력 설정(Setting)과 감시(Monitoring)를 한다. 실제 EPR은 PW사에서 제작된 엔진에 주로 사용되며, GE사에서 제작된 엔진들은 EPR 계기 및 관련 구성품이 없고, 추력설정 또한 N1을 사용하고 있다.

2.1. EPR 계통 구성

PW4000 엔진의 압력비(EPR) 시스템은 엔진출구 압력(Pt4.95)을 엔진 입구압력(Pt2)으로 나누어 실제 엔진 압력비(actual EPR)를 디스플레이 한다.

엔진 쪽에는 엔진입구 압력과 온도를 감지하는 Pt2/Tt2 프로브(probe), 엔진 출구압력을 감지하는 Pt4.95 프로브와 매니폴드, FADEC/EEC와 EEC프로그래밍 플러그로 구성되어 있으며, 항공기의 EICAS 컴퓨터, 추력관리 컴퓨터(thrust management computer) 등과 인터페이스 되어있다.[그림 7-5 참조]

2.2. EPR 시스템 작동

엔진 입구압력은 엔진 입구 카울(inlet cowl) 안쪽에 장착되어 있는 Pt2/Tt2 프로브에서 감지하고, 엔진 배기가스압력은 터빈 배기 케이스(turbine exhaust case)에 장착되어있는 2개의 Pt4.95 프로브에서 매니폴드 평균값을 취하여 FADEC/EEC로 보내진다.

FADEC/EEC에 내장되어 있는 트랜스듀서(transducer)는 Pt4.95와 Pt2의 입력을 전기적 신호로 변환하고, Pt4.95를 Pt2로 나누어 EPR을 계산한다.

EEC 프로그래밍 플러그(programming plug)에 의해서 엔진성능에 따른 추력의 차이를 보상하여 EICAS 컴퓨터와 추력관리 컴퓨터로 출력되어 실제의 EPR 값을 지시해준다.

실제의 EPR은 FADEC/EEC가 N2 RPM 5~10%에서 전원이 공급되었을 때부터 지시하기 시작한다.

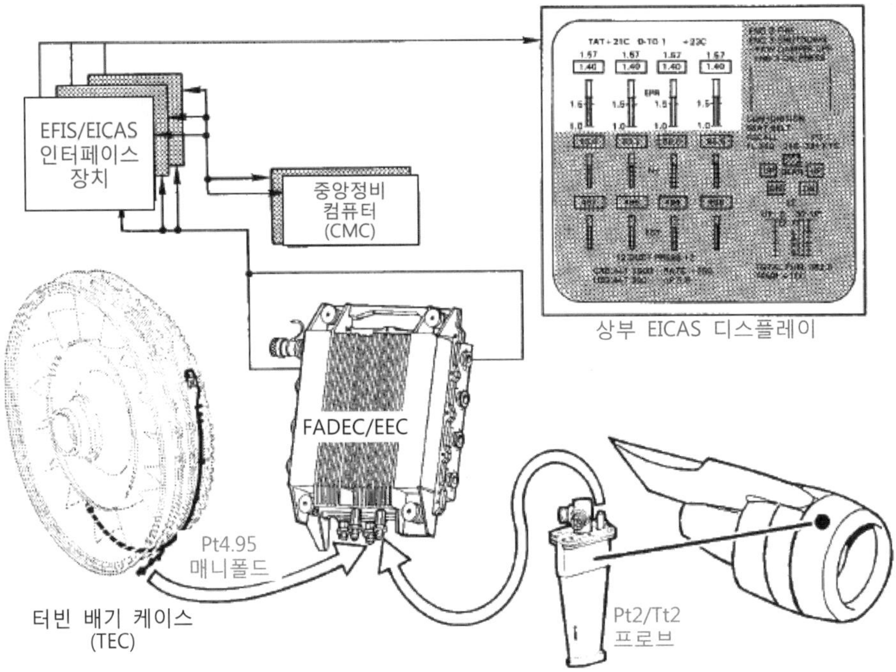

그림 7-5. PW4000 엔진 EPR 계기계통

3. 엔진 회전계 계통(ENGINE TACHOMETER SYSTEM)

엔진 회전계 계통(tachometer system)은 엔진의 저압 로터(N1)와 고압 로터(N2)의 속도 신호를 전자엔진제어장치(EEC), 디스플레이 전자장치(DEU) 및 비행 중 진동 감시 시그널 컨디셔너(airborne vibration monitoring signal conditioner)로 공급한다.

EEC는 각각의 속도센서(speed sensor)에서 받은 아날로그 신호를 디지털 신호로 변환하여 아링크 429 데이터버스(ARINC 429 data bus)를 통하여 각각의 DEU로 보내준다.

보통 DEU는 EEC로부터 입력을 받아 공통 디스플레이 장치(Common Display System : CDU)에 N1과 N2를 보여주지만, EEC를 거치지 않고 속도센서로부터 직접 입력을 받아 N1과 N2를 지시하기도 한다.

비행진동감시 시그널 컨디셔너는 속도센서로부터 아날로그 입력을 받아 진동수준(vibration level)을 계산한다.

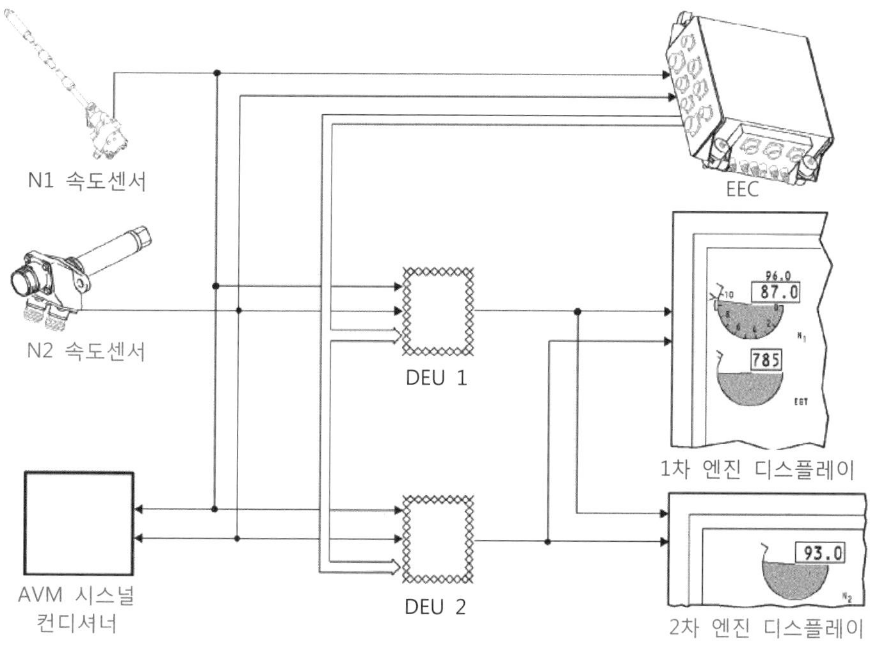

그림 7-6. 엔진 회전계 계통(ENGINE TACHOMETER SYSTEM)

3.1. N1 회전계(N1 TACHOMETER)

N1 회전계는 조종실의 계기에 저압로터의 속도(RPM)를 퍼센트(%)로 지시해준다. 일반적으로 디스플레이 전자장치(DEU)는 EEC로부터 데이터를 입력받아 N1 속도를 나타내주지만, EEC가 전원이 없을 경우에는 속도센서로부터 직접 받기도 한다. 그림 7-7은 B737-NG 항공기의 N1 회전계이다.

3.1.1. N1 디지털 판독과 포인터 (N1 DIGITAL READOUT & POINTER)

N1 디지털판독과 박스 둘레(box around)는 N1이 레드라인(redline) 아래일 경우, 백색(white)으로 나타나며, 원형 다이얼의 포인터 또한 백색으로 N1 속도를 지시하고, 일반적으로 포인터가 지나간 자리는 회색(gray)으로 나타난다.

N1 레드라인을 초과할 경우에는 N1 디지털판독, 박스 둘레(box around), 포인터 및 포인터가 지난 간 자리들은 적색(red)으로 바뀌고, 레드라인 아래로 떨어지면 정상색깔로 돌아온다.

엔진 작동 중 N1 속도가 한계를 초과한 경우, 엔진을 정지하면 박스둘레가 적색으로 바뀌어 엔진에 이상이 있음을 정비사에게 정보를 제공해준다.

3.1.2. N1 레드라인(N1 REDLINE)

N1 레드라인은 엔진에 승인된 최대 저압로터 속도로서 적색으로 표시되는데, 레드라인 값은 EEC가 제공한다.

3.1.3. N1 커맨드 섹터(N1 COMMAND SECTOR)

커맨드 섹터는 실제 N1과 N1 커맨드 값과의 차이를 보여주며, 추력레버 위치가 N1 커맨드를 설정한다.

N1 커맨드는 커맨드 섹터의 상단(top edge)또는 하단(lower edge)이 될 수 있는데 엔진 속도를 증가시켜야 할 경우에는 상단이 N1 커맨드가 되고, 반대로 엔진 속도를 줄여야 할 경우에는 하단이 커맨드가 되며, 색깔은

커맨드 섹터와 N1 커맨드의 색은 백색이다.

3.1.4. N1 기준 버그(N1 REFERENCE BUG)

N1 기준버그(reference bug)는 조종사가 수동으로 설정한 N1 추력목표(thrust target)를 보여준다. 버그는 비행관리 컴퓨터(FMC)로 설정할 수 있으며, 색깔은 녹색(green)이다.

N1 기준 디지털 디스플레이(reference digital display)는 N1 목표를 수동으로 설정하였을 경우 백색(white)으로 나타나며, FMC로 설정할 경우에는 나타나지 않는다.

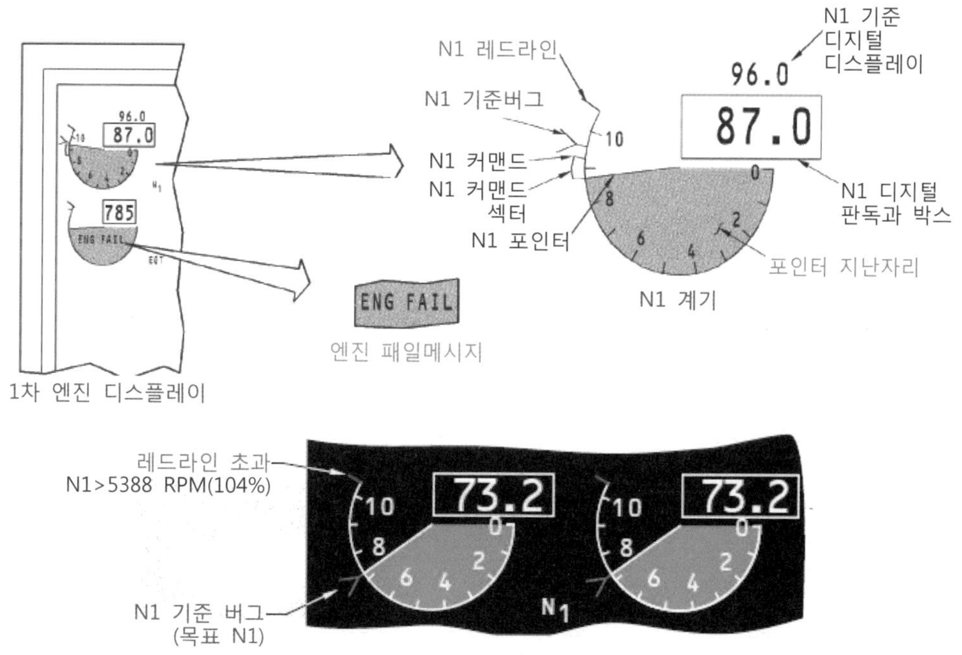

그림 7-7. N1 계기

3.2. N2 회전계(N2 TACHOMETER)

N2 회전계는 조종실의 계기에 고압로터의 속도(RPM)를 퍼센트(%)로 지시해준다. 디스플레이 전자장치(DEU)는 EEC 또는 N2 속도 센서로부터 데이터를 입력받아 N2 속도를 보여준다.

3.2.1. N2 디지털 판독과 포인터 (N2 Digital Readout and Pointer)

N2 디지털 디스플레이와 박스는 N2가 레드라인(redline) 아래일 경우, 백색(white)으로 나타나며, 원형 다이얼의 포인터 또한 백색으로 N2 속도를 지시하고, 일반적으로 포인터가 지나간 자리는 회색(gray)으로 나타난다.

N2 레드라인을 초과할 경우에는 N2 디지털판독, 박스 둘레(box around), 포인터 및 포인터가 지난 간 자리들은 적색(red)으로 바뀌고, 레드라인 아래로 떨어지면 정상색깔로 돌아온다.

엔진 작동 중 N2 속도가 한계를 초과한 경우, 엔진을 정지하면 박스둘레가 적색으로 바뀌어 엔진에 이상이 있음을 정비사에게 정보를 제공해준다.

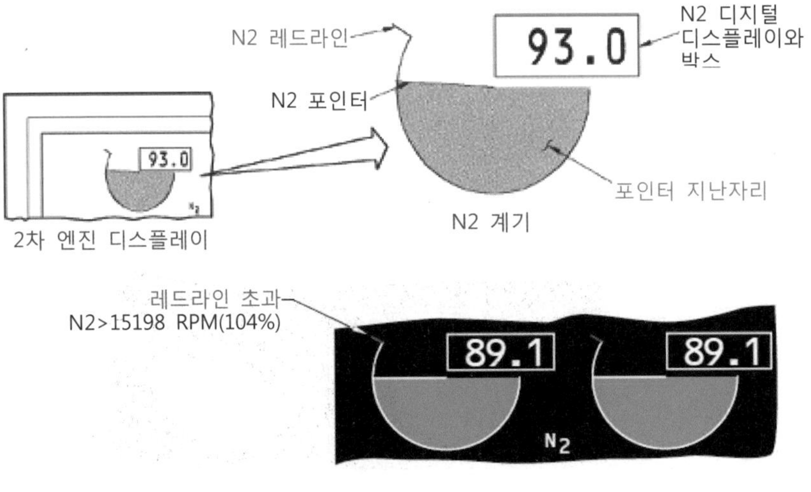

그림 7-8. N2 계기

3.2.2. N2 레드라인(N2 Redline)

N2 레드라인은 엔진에 승인된 최대 고압로터 속도로서 적색으로 표시되는데, 레드라인 값은 EEC가 제공한다.

4. 배기가스 온도지시 계통

배기가스 온도지시 계통(exhaust gas temperature indicating system)은 엔진의 작동한계와 터빈의 기계적 상태를 감시하기 위해 있다.

PW4000 엔진을 비롯하여 PW사에서 제작한 엔진들은 엔진의 배출구(저압 터빈의 마지막 단)의 배기가스온도를 모니터하는 하는 반면, CFM56-7엔진을 비롯한 GE사에서 제작된 엔진들은 지입터빈 2단계 노즐에서 배기가스온도를 모니터하기 때문에 PW사 엔진에 비해 배기가스온도(EGT)가 상대적으로 월등히 높다.

다른 장에서 배기가스온도 계통과 깊은 연관이 있는 FADEC, 점화 및 시동 계통을 CFM56-7엔진을 기준으로 소개하였음으로 연계성을 높이고자 여기에서도 CFM56-7 엔진을 기준으로 설명하고자 한다.

4.1 엔진 EGT 지시계통 구성

그림 7-9는 CFM56-7 엔진의 EGT 지시계통으로서 8개의 열전대(thermocouple)와 4개의 T49.5 열전대 하니스(harness) 어셈블리를 가지고 있다. 각각의 와이어 하니스(wire harness) 어셈블리는 2개의 열전대를 가지고 있고, EEC에 입력신호를 보내준다(제4장 참조).

EEC는 EGT 신호를 사용하여 공통 디스플레이 장치(CDS)에 EGT를 보여주고, 엔진의 과열시동(hot start)과 습식시동(wet start : no ignition) 논리와 저압터빈(LPT) 냉각로직을 수행한다(과열 및 습식시동 로직에 대한 구체적인 사항들은 제10장 시동계통에서 참조바라며, 저압터빈 냉각은 제6장 엔진조절계통을 참조하기바람).

EEC는 EGT 데이터를 ARINC 429 데이터 버스를 통하여 디스플레이 전자장치(DEU)로 보낸다. CDS의 일부분인 DEU는 보통 상부 중앙 디스플레이 장치(DU)에 EGT를 보여준다.

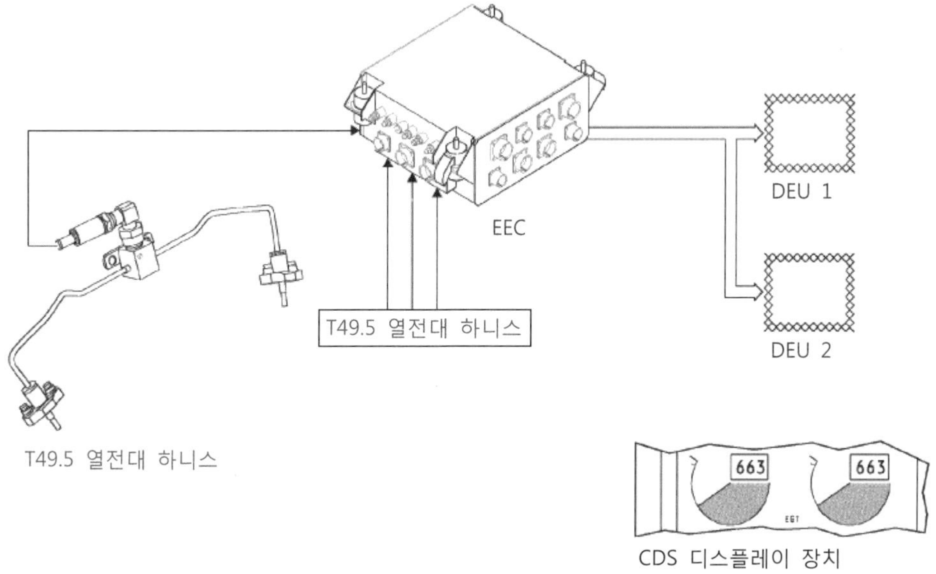

그림 7-9. 배기가스온도 지시계통

4.2. EGT 계기(EGT INDICATOR)

EEC는 EGT신호를 DEU에 보내서 CDS에 지시하게 한다. 배기가스 온도는 엔진에 장착되어 있는 8개 열전대의 평균값을 지시한다.

4.2.1. EGT 디지털 판독과 포인터 (DIGITAL READOUT & POINTER)

계기에 나타난 디지털 판독의 배기가스온도 단위는 섭씨(℃)이며, 판독과 박스눈레는 일반적으로 백색(white)이다.

원형 다이얼상의 포인터(pointer) 또한 EGT를 나타낸다. 다이얼에는 눈금(scale)이 없고, 포인터는 백색이며, 포인터가 지나간 부분을 그늘진 부분(shaded area)이라고 부르는데 회색(gray)으로 나타난다.

EGT가 EGT 레드라인(redline)은 넘지는 않았지만, 최대연속한계(maximum continuous limit)를 초과하면 EGT 판독과 박스둘레, 포인터 및 그늘진 부분은 호박색(amber)으로 변하고, 레드라인을 넘으면 적색(red)으로 바뀐다.

배기가스온도가 정상범위로 돌아오면 색깔은 백색으로 돌아온다.

엔진 작동 중에 EGT가 레드라인을 넘었을 경우에는 엔진이 정지되어 EEC가 비자화(de-energizes) 되었을 때에도 박스둘레는 적색으로 변화된다.

N2 속도가 약10% 이하에서 EEC는 비자화 되고, 디지털 판독, 포인터 및 그늘진 부분은 사라진다(blank).

´엔진 지상시동 중에 EEC가 과열시동(hot start)을 감지하면 디지털 판독과 박스는 번쩍번쩍 플래시(flash)한다.(제10장 시동계통 참조)

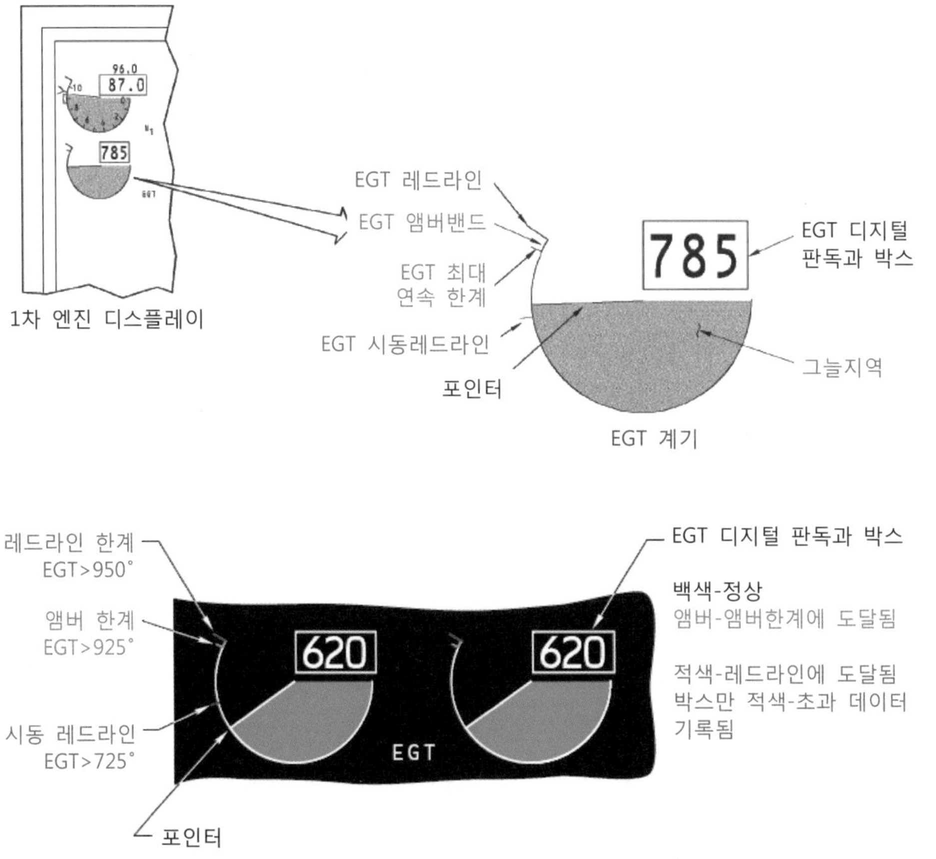

그림 7-10. EGT 계기(EGT INDICATOR)

4.2.2. EGT 최대연속한계(Maximum Continuous Limit)와 앰버 밴드 (Amber Band)

EGT 최대연속 한계는 EGT 경고범주(caution range)의 시작이다. 이 값 이상으로 엔진을 계속 작동하는 것은 엔진에 손상을 초래 할 수 있다.

EEC는 EGT 최대 연속한계 값을 제공하는데 한계는 호박색(amber)으로 나타난다. 앰버밴드(amber band)는 EGT 경고 범위로서 이 범주에서 엔진을 계속작동 할 경우에는 엔진 손상을 초래할 수 있다. 앰버밴드는 최대연속 한계와 EGT 레드라인 사이의 원호(arc)로 나타난다.

4.2.3. EGT 시동 레드라인(Start Redline)

EGT 시동 레드라인은 지상에서 엔진 시동 중 EGT에 대한 최대 한계이다. 레드라인은 오로지 지상 시동 중에만 나타나며, 엔진이 아이들에 도달되면 없어지고 비행 중에는 나타나지 않는다.

지상에서 시동 중에 EGT가 시동레드라인(start redline)을 넘어가면 EGT 판독과 박스둘레, 포인터 및 그늘진 부분은 적색으로 바뀌고, EEC는 연료흐름과 점화를 중단시킨다.(제10장 시동계통 참조)

5. 진동 감시계통(AIRBORNE VIBRATION MONITORING)

급작스럽거나 지속적이고 비정상적인 엔진진동(Engine Vibration)은 엔진의 고장을 뜻한다. 비정상적인 엔지진동은 압축기 또는 터빈 블레이드의 손상(Damage), 베어링 피로(Bearing Distress), 압축기 로터 불균형(Compressor Rotor Unbalance), 보기 구동기어의 고장, 엔진에 장착된 보기류의 회전부 고장, 등등이 원인이 될 수 있다.

진동이 작을 때 이를 수정하면 큰 손상을 방지할 수 있다. 2.0 in/sec는 각 로터의 경고상태이고 3.0 in/sec 수준에서는 추력을 줄여야 한다.

5.1. 진동감시계통 구성

진동감시(Airborne Vibration Monitoring : AVM) 시스템은 지속적으로 코먼 디스플레이 계통(Common Display System : CDS)에 엔진 진동수준을 공급하는데 AVM 시그널 컨디셔너(AVM signal conditioner), 엔진 전방 끝 부근의 진동센서(vibration sensor : accelerometer)와 팬 프레임의 진동센서(vibration sensor : accelerometer)로 구성되어 있다.

시그널 컨디셔너는 No.1 베어링 진동센서, 팬 프레임 압축기 케이스 수직 진동센서, N1 속도 센서와 N2 속도센서들로부터 신호를 받아 진동수준(vibration level)을 계산한다.(진동센서의 자세한 작동원리는 제4장 참조)

시그널 컨디셔너는 진동 데이터(vibration data)를 디스플레이 전자장치(DEU)와 비행자료 획득 장치(Flight Data Acquisition Unit :FDAU)에 제공한다. 엔진 진동은 일반적으로 중앙 아래 디스플레이 장치(DU)의 이차 엔진지시계통(secondary engine display)에서 보여준다.

시그널 컨디셔너는 자체시험장비(built-in test equipment :BITE)가 있어서 지상에서 진동관련 결함에 대한 고장탐구를 수행할 수 있을 뿐만 아니라 AVM 시그널 컨디셔너에 저장된 진동 데이터를 보고 지울 수 있으며, 엔진 진동에 대한 밸런스 솔루션(balance solution)을 구할 수 있다.

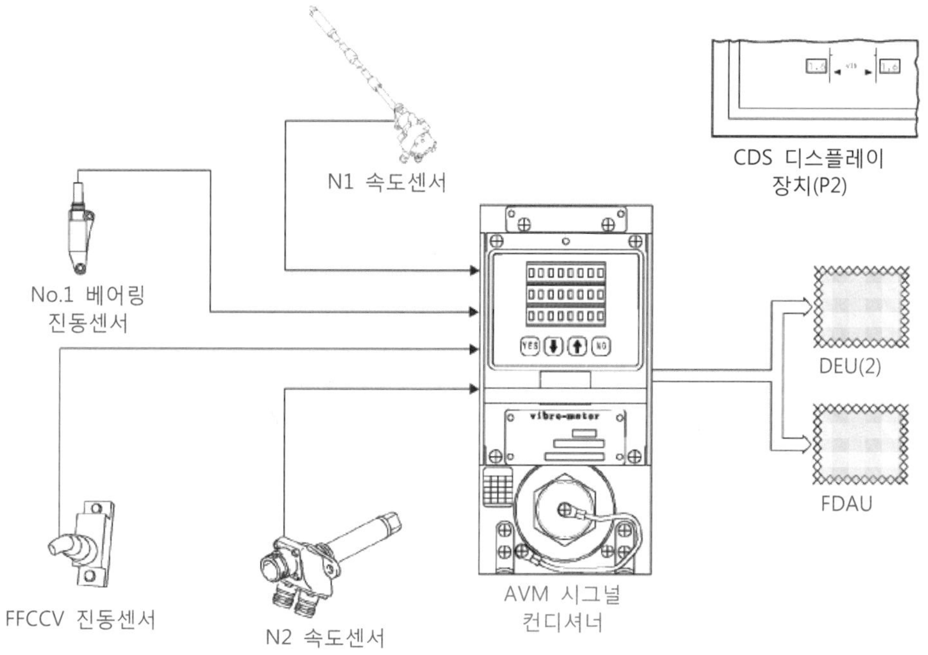

그림 7-11. AVM 계통 구성

5.2. AVM 시스템 작동개요

AVM 시스템은 N1과 N2 속도센서, No.1 베어링 진동센서, 팬 프레임 압축기 케이스 수직(FFCCV)센서 등의 입력 값을 계산하여 가장 높은 진동수준을 CDS에 연속적으로 보여주고, 또한 결함자료와 과거의 진동 자료를 저장한다.

5.2.1. 진동센서(VIBRATION SENSORS)

진동센서는 작은 전기신호를 출력하고, 출력수준은 엔진구조가 지름방향(radial direction)으로 움직일 때 출력 수준이 변화한다. 출력의 차이는 엔진 진동수준에 비례한다.

No.1 베어링센서는 엔진 오버홀 중에만 교환가능하다.

5.2.2. 비행진동 감시신호장치(AVM SIGNAL CONDITIONER)

시그널 컨디셔너는 속도센서 입력을 사용하여 저압압축기, 고압압축기, 저압터빈, 고압터빈들의 진동수준을 계산하여 가장 높은 값의 진동신호가 ARINC 429 데이터 버스를 통해 DEU로 가서 CDS에 나타난다. 이정보는 또한 비행자료 획득 장치(FDAU)로 보내져서 비행기록장치(FDR)에 저장된다.

시그널 컨디셔너는 최종 32번의 비행에서 발생한 진동 자료를 기지고 있으며, 한 엔진의 N2가 45% 이상일 때 새로운 비행이 시작되고, 양쪽 엔진 모두가 N2 45% 이하가 되면 비행이 종결된다.

프로그램 핀은 엔진모델과 항공사의 선택사항들을 식별할 수 있도록 해주고, 전원은 115V AC 트랜스퍼 버스에서 공급받아 내부의 전원공급 장치(power supply)에서 24V DC로 전환하여 사용한다.

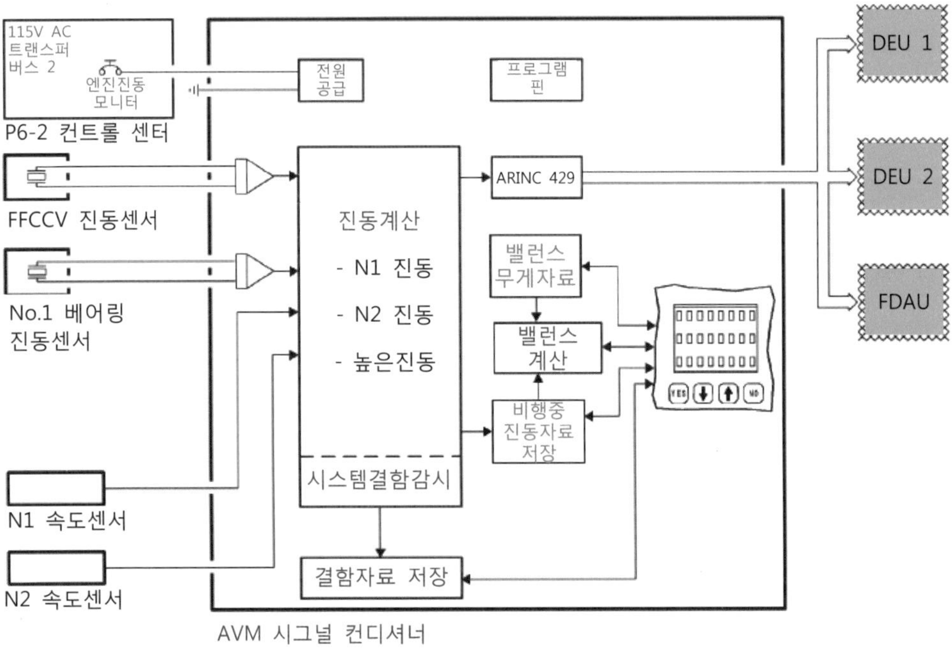

그림 7-12. AVM 시그널 컨디셔너 작동

MEMO

Part 08

1. 터빈엔진 배기노즐(TURBINE ENGINE EXHAUST NOZZLES)
2. 엔진 역(逆)추력장치(THRUST REVERSER)
3. 후기연소기(AFTERBURNER)
4. 엔진소음(ENGINE NOISE)

엔진 배기계통

[ENGINE EXHAUST SYSTEM]

제8장. 엔진 배기계통(ENGINE EXHAUST SYSTEM)

터빈을 통과한 배기가스를 엔진 외부로 효율적으로 배출하기 위한 일련의 장치를 배기계통(Exhaust System)이라고 한다. 배기계통에는 배기 덕트와 배기노즐, 배기 소음장치, 역추력 장치, 후기연소기 등이 포함된다.

1. 터빈엔진 배기노즐 (TURBINE ENGINE EXHAUST NOZZLES)

터빈엔진은 엔진의 형태에 따라 여러 종류의 배기노즐을 가지고 있다. 헬리콥터에 사용하는 터보샤프트(turboshaft) 엔진은 확산형 덕트(divergent duct) 형태의 배기노즐을 사용하기도 하는데, 이는 모든 엔진동력(engine power)이 로터를 회전시키는 것에 사용되기 때문에 노즐에서는 추력발생이 없으면서 헬리콥터의 공중정지 기량(hovering abilities)을 향상시킬 수 있기 때문이다.

1.1. 수축형 배기 노즐 (CONVERGENT EXHAUST NOZZLE)

배기 덕트(exhaust duct) 후방에 연결된 장치를 흔히 터빈 슬리브(turbine sleeve) 또는 배기노즐(exhaust nozzle)이라고 부른다. 아음속 항공기용의 터보팬 엔진, 터보 프롭 엔진에는 보통 끝이 좁아지는 형상을 한 수축형 배기노즐(convergent exhaust nozzle)이 사용되고 있다.

그림 8-1의 배기노즐은 단순한 원형단면을 한 고정 면적 배기노즐(fixed area exhaust nozzle)로 되어있고, 그 내부에는 원추형을 한 테일 콘(tail cone)이 장착되어 노즐과 함께 배기가스의 흐름 통로를 형성하고 있다.

수축형 노즐에는 외부(대기)압력과 노즐 내부압력과의 비가 클수록 배기가스의 분출 속도는 빨라지지만 이 압력비가 약 1.9 정도가 되면 배기가스의 분출속도는 음속에 달하고 그 이상 아무리 압력비가 증가하더라도 분출속도는 일정(음속)하게 된다. 이와 같은 상태의 노즐을 초크 노즐(choked nozzle)이라고 한다.

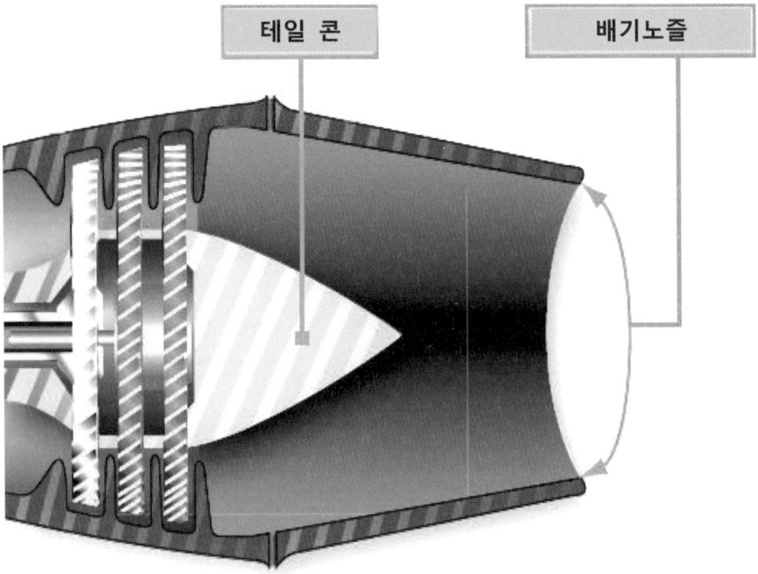

그림 8-1. 수축형 배기 노즐(CONVERGENT EXHAUST NOZZLE)

1.2. 수축-확산형배기 노즐 (CONVERGENT-DIVERGENT EXHAUST NOZZLE)

초음속 항공기에서는 배기가스의 분출속도를 초음속으로 분출하기 위해서 그림 8-2와 같은 수축-확산형 배기노즐이 사용된다.

이것은 터빈에서 분출되는 배기가스는 아음속이므로 수축형 배기노즐을 지나면서 압력의 감소, 가속도 에너지의 증가를 발생시킨다. 이렇게 해서 증가된 속도가 음속에 도달한 후, 확산형 노즐 부분을 통과할 때에는 초음속에 의한(압축성 흐름)압력 감소가 속도 에너지의 증가를 유발시켜서 덕트 외부로 배출될 때에는 흡입 속도보다 속도가 증가한 분출속도를 얻을 수 있다.

이러한 배기노즐을 통한 추력의 증가가 설치무게에 의한 단점을 능가할 경우에는 항공기 속도가 빠를수록 효과가 커진다.

그러나 덕트 면적(duct area)의 변화가 너무 작거나 클 경우 목(throat) 부분의 다운스트림(down stream)이 불안정하게 되므로 에너지의 손실을 초래하며, 결국은 추력의 손실을 발생시킨다.

또한, 면적의 변화율이 너무 적을 경우에는 요구한 속도에 도달하지 못할 것이며, 면적의 변화율이 지나치게 크면 흐름이 노즐의 표면에서 떨어져 나가 요구하는 속도 증가 효과를 얻지 못할 것이다.

이와 같은 문제점으로 항공기 속도 등의 변화에 따른 면적 변화율을 조절하기 위해 압력의 변화 조건에 따른 면적 형상을 조절할 수 있는 가변 면적 배기 노즐이 사용되고 있다.

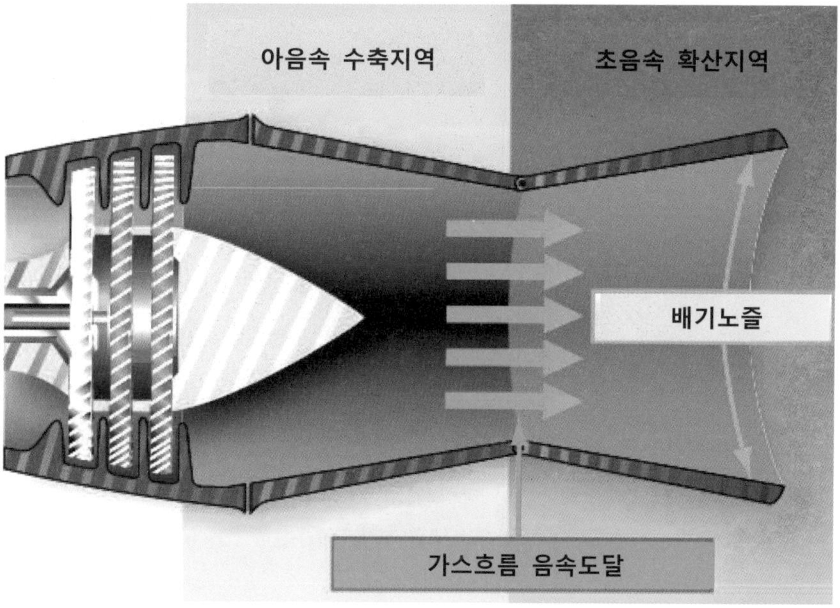

그림 8-2. 수축-확산형 배기노즐(CONVERGENT-DIVERGENT EXHAUST NOZZLE)

1.3. 가변면적 배기노즐 (VARIABLE AREA EXHAUST NOZZLE)

초음속 항공기에는 이륙에서 착륙까지의 비행 중에 비행 속도가 정지 상태에서 초음속의 범위로 연속적으로 변화하기 때문에 엔진 배기가스 속도도 비행속도에 대응해서 광범위하게 변화시킬 필요가 있다.

초음속 항공기에는 배기노즐의 형상과 면적이 비행속도와 엔진출력에 맞추어 자동적으로 변화하는 그림 8-3과 같은 가변면적 배기노즐(variable area exhaust nozzle)이 사용되고 있다.

그림 8-3. 가변면적 배기노즐(VARIABLE AREA EXHAUST NOZZLE)

가변-면적 배기노즐은 일반적으로 후기연소기(Afterburner)와 같은 짧은 시간에 추력증가를 필요로 하는 전투기 엔진에 사용되는데, 후기연소기에서 연료가 연소되면 가스속도의 증가, 온도의 상승으로 추력이 증가한다.

후기연소기의 작동은 제트노즐 주위에서 온도와 압력이 증가하게 되고, 증가한 압력은 터빈에서 분사되는 배기가스의 의하여 배압(Back Pressure)이 일어나게 되고, 그 결과로 터빈 근처에서 가스의 온도상승이 안전 허용범위를 넘어서는 경우가 발생한다. 이때 가변-면적 노즐의 배기면적이 변하게 된다. 즉, 노즐이 열려 면적이 커지면서 배기가스의 온도가 감소되어 허용범위 안으로 유지시킨다.

가변-면적 노즐은 그림에서 보는 것과 같이 배기 파이프의 외부표면으로부터 밖으로 벌어지는 여러 개의 플랩으로서 플랩의 작동 각도에 의하여 배출면적이 조절되어 진다. 이 노즐의 플랩은 비행기에 따라 전기, 유압 또는 공압에 의하여 작동한다.

1.4. 벡터링 배기노즐(VECTORING EXHAUST NOZZLE)

최근 전투기에 사용되고 있는 새로운 형식의 백터링 배기노즐(vectoring exhaust nozzle)은 기존의 역추력 장치의 기능뿐 만 아니라 배기가스의 배출방향을 조절하여 항공기의 기수를 상·하로 움직임을 보완 할 수 있는 장치로서 일부 전투기의 배기계통에 이용되고 있다.[그림 8-4]

그림 8-4. 벡터링 배기노즐(VECTORING EXHAUST NOZZLE)

2. 엔진 역(逆)추력장치(THRUST REVERSER)

엔진 역(逆)추력 장치란 항공기 추력을 진행방향과는 반대방향으로 발생시킴으로써 착륙 시 착륙거리를 단축시키는 목적으로 사용되는 시스템으로서 정상적인 착륙상태에서 제동능력 및 방향 전환능력을 도우며 제동장치(brake system)의 수명을 연장시켜주고, 비상착륙이나 이륙포기(rejected take off) 시에도 제동능력을 향상 시킨다.

특히 접지(touch down) 후의 항공기 속도가 빠른 시기에 효과가 있는데 정상 착륙시에는 약 20% 정도의 제동력을 얻을 수 있으며, 활주로가 젖어 있거나 결빙상태에서는 항공기를 정지시키는데 약 50% 정도의 제동력을 낼 만큼 큰 도움이 된다. 그러나 항공기 속도가 늦어질 때까지 사용하면 배기가스가 엔진에 재 흡입되어 실속(re-ingestion stall)을 일으키는 경우도 있다.

따라서 보통의 비행에는 접지와 동시에 역추력 장치를 작동시켜 항공기 속도를 80~60kt(150~110km/hr) 정도까지 감속하고, 역 추력을 원상태로 돌린 후, 휠 브레이크(wheel brake)를 사용하는 조작이 이루어지고 있다.

또한 터보프롭 엔진의 역 추력 발생은 보통의 경우 프로펠러의 피치 각 변경에 의해 좌우된다.

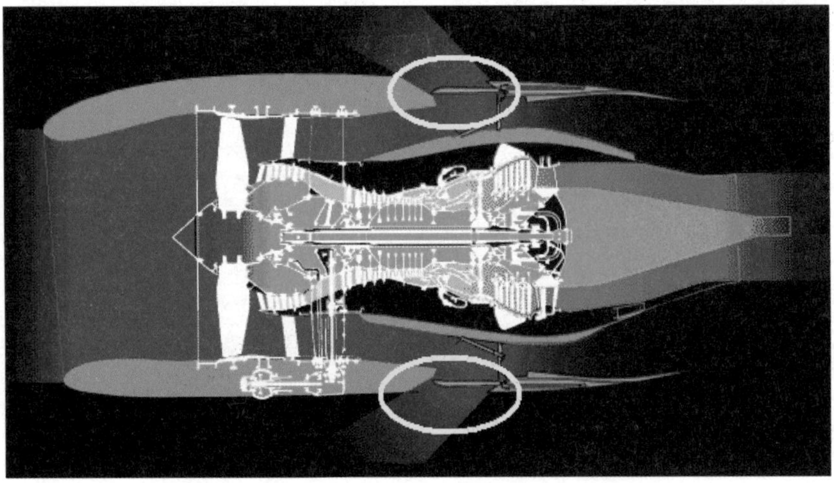

그림 8-5. 터보 팬 엔진 역추력 장치

2.1. 역추력 장치의 구조

터보팬 엔진에는 터빈을 통과한 터빈 배기만이 아니라 팬을 통과한 팬 배기도 동시에 역방향으로 향하는 것이 필요하다. 이 경우에 터빈 배기와 팬 배기를 통시에 하나의 역추력 장치로 사용하는 것과 터빈 리버서(turbine reverser : 터빈 배기가스 전용 역추력 장치)와 팬 리버서(fan reverser : 팬 배기가스 전용 역추력 장치)를 각각 따로따로 갖춘 구조의 것이 있다. 다만, 최근의 고 바이패스 비 터보팬 엔진에는 팬 리버서 만을 장착하고 터빈 리버서는 폐지되고 있다.

이것은 터빈 리버서의 발생 역 추력은 전체 역 추력의 20~30% 정도에 지나지 않고, 동시에 터빈 역추력 장치가 고온 고압에 누출되기 때문에 고장의 발생률이 높다. 따라서 터빈 리버서를 폐지함으로써 고장(정비지 지연)이 줄고 정비비가 절감 되고 또한 중량 감소만큼 연료비의 절감이 가능하게 되는 등 많은 장점을 갖기 때문이다.

역추력 장치를 작동시키기 위한 동력으로서는 엔진 브리드를 이용한 공압(pneumatic)식과 유압(hydraulic)을 이용한 유압식이 사용되고 있는데, 공압식은 뜨거운 브리드 공기온도로 인하여 관련부품의 결함이 많이 발생되어 주로 유압식이 많이 사용되고 있다. 그러나 최근의 A380 및 B787 항공기 등의 새로운 엔진들은 전기모터를 이용하여 역추력장치를 구동시킴으로서 항공기 무게를 경감하고 좀 더 정확한 작동을 할 수 있게 되었다.

역추력 장치에서 공통적으로 가장 많이 사용하는 차단방식으로는 기계적 차단(mechanical blockage)과 공기역학적 차단(aerodynamic blockage)방식의 2가지 유형이 있다.

2.1.1. 공기역학적 차단계통 (AERODYNAMIC BLOCKAGE SYSTEM)

그림 8-6과 같이 공기역학적 차단계통의 역추력장치의 구성은 여러 개의 캐스케이드 베인(cascade vane), 이동 슬리브(translating sleeve), 차단도어(blocker door), 역추력장치 작동기(thrust reverser opening actuator) 등으로 구성되어 있다.

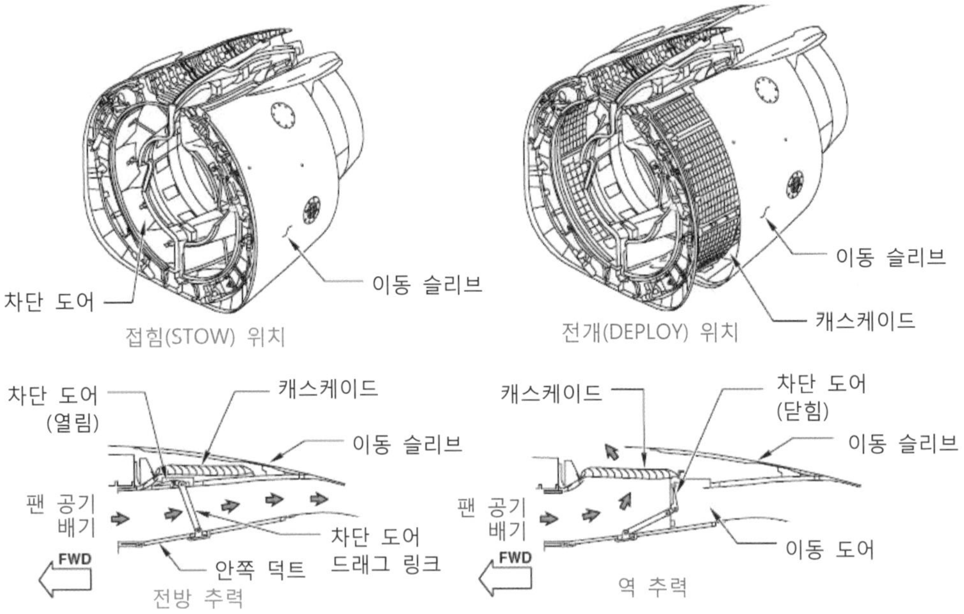

그림 8-6. 공기역학적 차단계통(AERODYNAMIC BLOCKAGE SYSTEM)

항공기가 착륙한 후에 조종사가 엔진 추력레버를 완속(idle)위치에 놓고, 그림 8-7의 역 추력레버(reverser lever)를 당겨 작동시키면 이동 슬리브(translating sleeve) 또는 역 추력 카울(reverser cowl)이 엔진 후방으로 전개되면서 캐스케이드 베인이 노출되고, 차단도어(blocker door)가 닫치면서 팬 바이패스 공기가 캐스케이드 베인을 통하여 진행방향이 바뀌어 엔진의 앞쪽으로 흐르도록 한다.

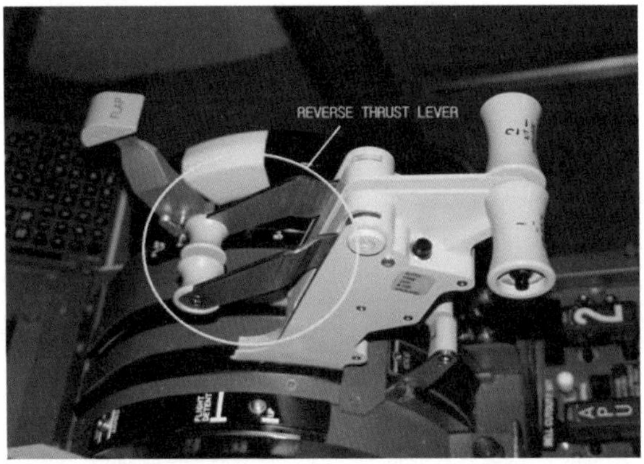

그림 8-7. 역 추력 레버(REVERSER THRUST LEVER)

2.1.2. 기계적 차단계통(MECHANICAL BLOCKAGE SYSTEM)

그림8-8은 기계적 차단 역추력장치로서 2개의 배기가스 차단용 도어(blocker door) 또는 "Clamshell Door"(대합조개 모양을 한 도어)와 작동기(actuator) 및 기타 기계적인 연동 장치로 구성되어 있으며, 엔진의 후방 배기덕트 끝 부분의 낫셀에 장착되어 있다.

기계적 역 추력 차단장치는 전기적으로 제어되고, 공압 또는 유압에 의하여 작동하며, 엔진 회전속도가 공기역학적 역추력 장치와 마찬가지로 완속운전(idle rpm)에서만 전개(deploy)된다.

조종실에서 엔진 스로틀을 아이들 위치에 놓고, 역 추력레버를 역 추력 위치로 당기면 케이블에 의하여 전기스위치가 작동하고, 이 스위치에 의하여 유압 선택밸브가 작동하여 차단용 도어(clamshell door)가 배기가스를 차단하는 쪽으로 전개되어 배기가스를 엔진 전방으로 흐름을 바꾼다. 이때 차단용 도어에 연결된 피드백(feedback) 케이블이 작동하여 엔진 연료조절기(FCU)에 전달되어 엔진추력은 엔진 최대추력의 약 75%까지 증가하여 배기가스에 의한 역 추력을 만들어 낸다.

이러한 기계적 차단계통의 역추력장치는 높은 온도와 가스하중을 받으므로 계통의 도어를 비롯한 구성부품은 내열성 금속으로 특수하고 견고한 구조로 제작되어야 한다.

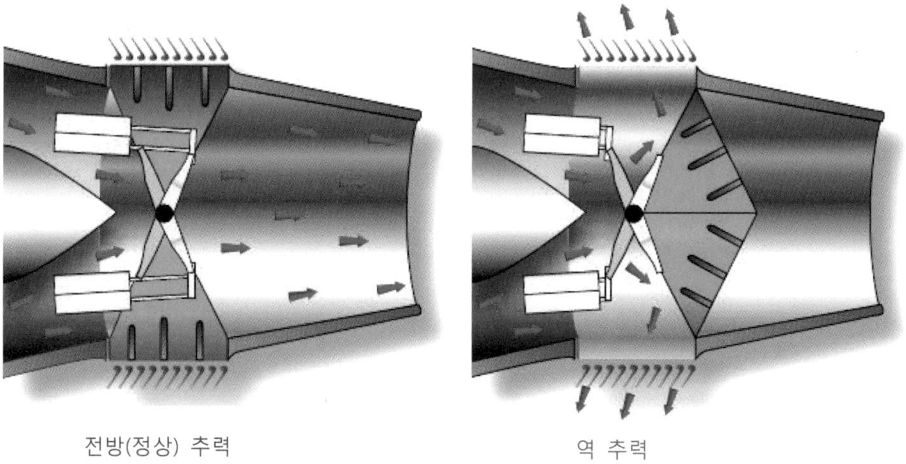

그림 8-8. 기계적 차단계통(Mechanical Blockage System)

2.1.3. 전기적 역 추력동작 계통 (ELECTRICAL THRUST REVERSER ACTUATION SYSTEM)

최근에 개발되어 운용 중인 B787과 A380 신형 여객기들은 역추력 장치를 작동시키기 위한 동력으로 전기모터를 이용하여 역추력장치를 구동시킴으로서 항공기 무게를 경감하고 좀 더 정확한 작동을 할 수 있게 되었다.

그림 8-9는 A380 항공기의 역 추력 장치이다. 기존의 역추력장치에 비해 특이한 점은 4대 엔진 중 인보드 엔진(inboard engine), 즉 No.2와 No.3 엔진에만 역 추력 장치가 있다.

또한 동력구동장치(power drive unit)가 공압 또는 유압으로 작동하는 것이 아니라 전기 작동기(electrical actuator)로 구동됨으로서 기존의 공압식에 비해 고온 고압공기에 의한 결함이 없어 신뢰성이 높을 뿐만 아니라, 유압식에 비해서도 작동에 필요한 유압유가 필요 없어 항공기 무게를 경감하고, 전자식 엔진 제어장치에 의해 정확하게 제어할 수 있다는 강점이 있다.

차단 방식은 공기역학적 차단 방식과 유사하다.

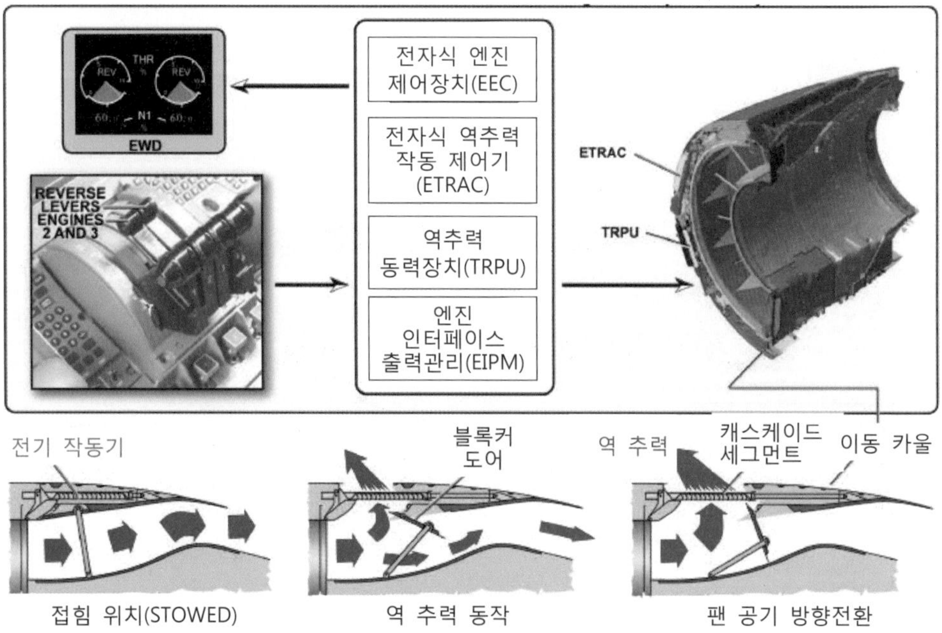

그림 8-9. A380 역 추력 장치 계통

3. 후기연소기(AFTERBURNER)

엔진 출력을 일시적으로 증가시키는 방법으로서 물 분사 또는 물 메탄올 분사 이외에 후기연소기(afterburner)를 이용하는 방법이 전투기 엔진에 주로 사용되고 있다. 애프터버너 리히터(reheater) 혹은 오그멘터(augmenter)라고도 불리는 후기연소기는 배기 덕트 중에 연료를 분사시켜서 터빈 배기가스를 다시 한 번 연소시켜서 출력의 증가를 가져오는 장치이다.

후기연소기를 사용하면 총 추력의 50%까지 추력을 증가시킬 수 있으나, 연료의 소비량은 거의 3배가되기 때문에 경제적으로는 불리하다.

최근은 터보 팬 엔진으로 터빈배기와 팬 배기의 혼합 배기가스를 이용한 후기연소기가 사용되기 시작했으며, 터보 팬 엔진의 팬 배출 덕트 내에서 팬 배기만을 연소시키는 형식인 덕트 히터(duct heater)가 연구되고 있다.

3.1. 후기연소기의 구조

그림 8-10은 F-5A(J85-GE-13) 전투기 엔진의 후기연소기 구조이다.

후기 연소기는 연소기 라이너(liner), 점화플러그(ignition plug), 연료노즐(fuel nozzle), 불꽃 홀더(flame holder) 및 가변면적 배기노즐 등으로 구성되어 있으며, 후기연소기의 라이너는 후기연소기가 작동하지 않을 때 엔진의 배기 덕트(exhaust duct)로 사용된다.

그림 8-10. F-5A(J85-GE-13)엔진 후기연소기 구조

3.2. 후기연소기 작동

후기 연소기 입구의 공기는 과도한 압력손실을 피하고, 효과적인 연소가 이루어지도록 하기 위하여 속도가 작아야 한다. 이와 같은 목적으로 터빈의 출구와 후기 연소기의 입구 사이에 디퓨저를 설치한다. 이것은 후기연소기 입구의 속도를 감소시키기 위한 하나의 확산 통로이다. 즉, 터빈 뒤에, 테일 콘(tail cone)을 장착하여 확산 통로가 되도록 한다.

연료 노즐은 확산통로 안에 장착하며, 후기 연소기는 연료 노즐 뒤에 불꽃 홀더를 장치하여 이곳에서 속도를 감소시키고 와류를 형성시켜 연소가 계속되도록 함으로써 후기 연소기 안의 불꽃이 꺼지는 것을 방지한다.

후기 연소기의 작동 여부에 따라 배기가스의 체적이 변하기 때문에, 후기 연소기를 장착한 기관에는 반듯이 가변 면적 배기 노즐을 장착해야 한다.

후기연소기는 보통 이륙 출력 시에 사용되지만, 초음속 항공기와 그 밖에 음속을 넘을 때에도 사용된다. 콩코드의 Olympus 593 엔진은 애프터버너 사용에 의해 이륙 출력 시에 22%, 아음속에서 초음속으로 가속한 모든 천음속시에서 30%의 추력 증가를 얻는다. 단, 애프터버너를 사용하면 연료 소비율이 극히 나빠져 커다란 소음 공해를 수반하기 때문에 아음속 제트 여객기에는 사용되지 않는다.

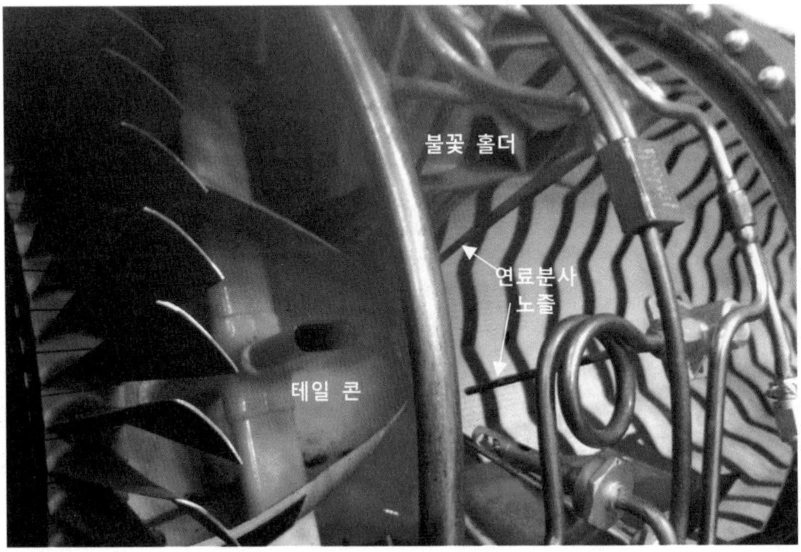

그림 8-11. 후기 연소기 화염 안정기(FLAME HOLDER)와 연료분사 노즐

4. 엔진소음(ENGINE NOISE)

가스터빈 엔진의 소음의 근원은 주로 배기 소음이다. 배기노즐(exhaust nozzle)에서 대기 중으로 고속으로 분출된 배기가스가 대기와 심하게 부딪혀 혼합될 때 발생하는 것으로서 배기가스의 분출 에너지에 약 10,000분의 1이 제트 소음의 음향 에너지로 변하고, 또 이 음향 출력이 배기가스 속도의 6~8 제곱에 비례하여 배기노즐의 제곱에 비례한다. 특히, 터보제트 엔진은 배기가스의 분출 속도가 터보팬 엔진이나 터보프롭 엔진에 비해 빠르기 때문에 제트 소음이 매우 크다.

제트 소음은 저주파 영역을 주로 하는 광대역(Broads Band)의 음으로 되어 있으나, 저주파 음은 고주파 음에 비해 지면이나 대기에 의한 흡수, 감쇠의 정도가 작아서 넓은 범위에 소음 공해를 일으킨다.

고주파 음은 배기노즐 가까이에서, 저주파 음은 배기노즐에서 멀리 떨어진 곳에서 발생한다. 따라서 배기 소음중의 저주파 음을 고주파 음으로 변환시킴으로써 소음 감소 효과를 얻도록 한 것이 배기 소음 억제장치이다.

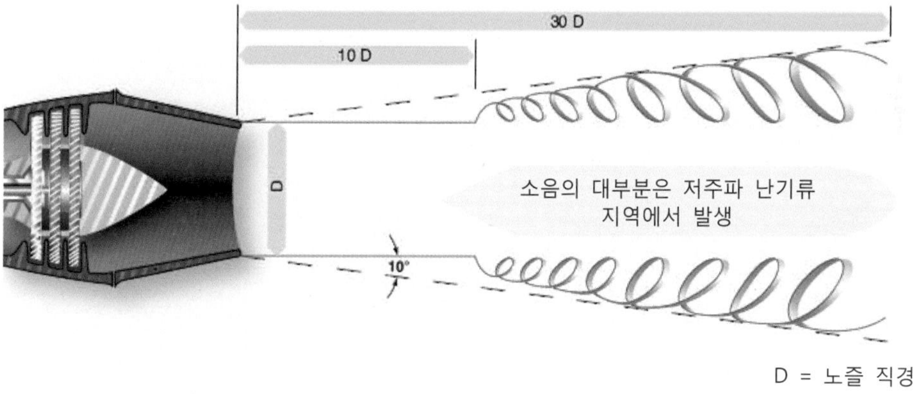

그림 8-12. 엔진배기 소음

4.1. 소음(NOISE)의 개념

소음은 듣기를 원하지 않는 시끄럽고 자극적인 소리를 말한다.

항공기의 소음은 가스터빈엔진이 작동할 때 만들어지며, 인간의 귀로 들을 수 있는 모든 주파수가 혼합되어있는 소리로서 물리적 파괴범위(수준)에 도달할 수 있는 강도를 가지고 있다.

소리의 측정 단위는 네시벨로서 소음도가 평균 85데시벨 이상인 곳에서 8시간 동안 있으면 청력이 손상될 수 있으며, 일반적인 대화는 60데시벨 정도이고 제트엔진 소음은 140 데시벨 정도이다.

표 8-1. 음향강도 레벨

데시벨	예	위험 노출 시기
0	미약한 소리를 들을 수 있음	-
30	조용한 도서관, 속삭임	-
40	조용한 사무실, 거실	-
50	원거리의 경미한 자동차 소리, 냉장고 잡음	-
60	6m 반경의 에어컨 소음, 대화	-
70	·복잡한 교통상황, 시끄러운 음식점,	초기 위험 레벨
80	지하철, 대도시 교통소음, 자명종 시계	8시간 이상
90	트럭 소음, 잔디깎는 기계	8시간 이내
100	체인 톱, 공기 압축식 드릴,	2시간 이내
120	록 콘서트(스피커 앞), 모래폭풍, 천둥	위험
140	무기 발포, 15m 반경 내의 제트기	어떠한 노출이라도 나쁨
180	로켓 발사체	청각 손실을 피할 수 없음

American Academy of Otolaryngology, Washington, DC

4.2. 엔진소음 억제장치

4.2.1. 배기노즐(EXHAUST NOZZLE) 소음 억제장치

초기의 아음속 항공기에 사용된 터보제트 엔진에서는 배기 노즐의 단면을 그림 8-13의 (A)와 같이 주름-표면적 형(corrugated perimeter type)이나 (B)와 같이 다중 관형(multi-tube type)등의 구조로 한 배기 소음 억제장치(Exhaust Noise Suppressor)가 사용되었다.

주름-표면적 형은 단순 형 노즐을 개조 하여 배기부분의 전체 면적을 주름을 이용하여 표면적을 넓혀 최대의 제트효과를 부여하여 대기와 배기가스와의 접촉면적을 크게 하여 소음을 억제하는 효과를 갖도록 한다.

다중-관 제트노즐의 효과는 개개의 제트흐름을 만들어 배기가스의 흐름을 여러 개로 분산시켜 소리의 주파수를 증가시키는 역할을 한다. 이러한 고주파음을 저주파로 만드는 것보다는 보다 빨리 음의 근원으로부터 거리를 증가시켜 멀리 보낸다. 즉, 항공기로부터 소리가 500피트 또는 1000피트(152.4m 또는 304.8m)로 보내어 엔진의 소리를 줄여주는 방법을 택한 것이다.

이러한 형태의 배기노즐들은 노즐의 전체면적은 변화되지 않으면서 대기와 혼합되는 영역을 크게 만들어 준다. 그러나 출력손실이 큰 것이 가장 큰 문제점이다.

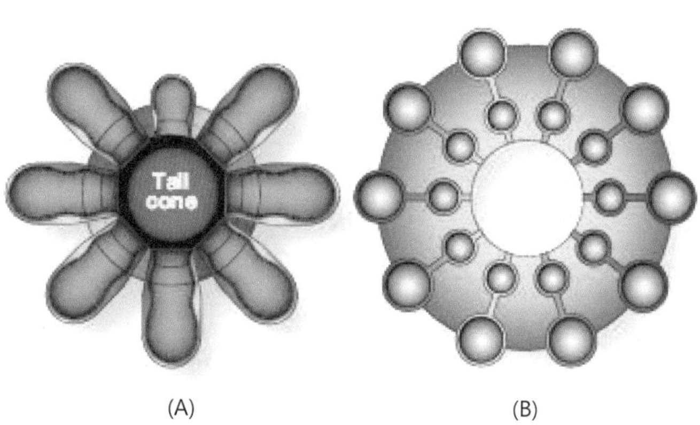

(A) (B)

그림 8-13. 터보 제트 엔진의 배기소음 억제장치

4.2.2. 터보 팬 엔진의 소음감소 방안

터보팬 엔진에서 고려해 볼만한 소음은 엔진의 팬 부분으로 흐르는 2차 공기의 흐름에 의해서 발생한다. 이 소음은 코어 엔진을 통과하는 1차 공기 흐름 보다는 낮은 속도이므로 그렇게 강하지는 않다.

최근의 터보팬 엔진은 엔진의 소음을 최대로 감소시킬 수 있도록 개발하여 제작되어 있으며, 1차 공기흐름과 2차 공기흐름의 속도를 터보제트 엔진의 흐름보다 감소시켰다.

높은 바이패스 비의 엔진들은 제트엔진 또는 낮은 바이패스 비의 터보팬 엔진보다 여러 가지 이유에서 낮은 강도의 소음을 만들어 낸다. 즉, 다른 엔진에 비해서 배출되는 공기의 속도가 낮고, 팬 부분의 앞쪽에 흡입구 안내 베인(inlet guide vane)이 없으며, 팬 덕트와 배기노즐의 안쪽에 소음흡수 라이너(liner)를 설치하여 소음을 대폭 감소시켰다.

그림 8-14는 B747-400항공기의 PW4000엔진 소음흡수 라이너의 장착 상태를 보여주고 있다.

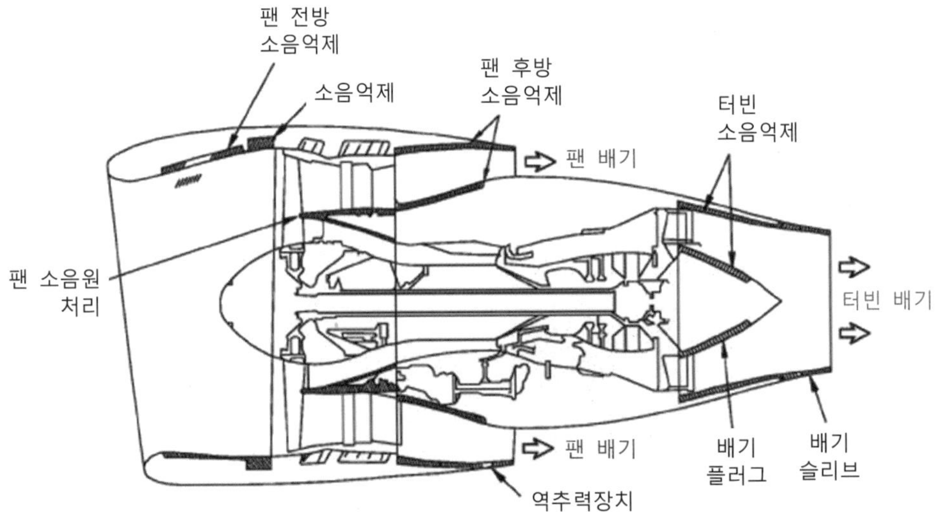

그림 8-14. PW4000 엔진 소음흡수 라이너 장착상태

그림 8-15는 최근에 터보 팬 엔진의 소음감소방안으로 개발되어 운영 중인 셰브론 노즐(chevron nozzle)을 보여준다. 노즐 끝 부분을 톱니모양으로 설계한 셰브론 노즐은 최근 개발된 B777-300ER의 GE90 엔진과 B787 항공기의 GEnX에 적용되어 운용 중이다.

엔진 배기 노즐출구부분이 확장된 형태로 셰브론 노즐이 장착되어 코어 엔진의 터빈노즐을 구성하고 있으며, 팬 덕트 역시 후미부터 확장된 세브론 노즐로 되어있다.

노즐 후방의 톱니모양 가장자리가 원주방향 소용돌이의 방향을 바꾸어서 제트기류 내에서 축의 소용돌이 성분을 생성하고, 축 방향 소용돌이가 제트기류의 하류 측에 반경방향 바깥쪽으로의 움직임을 유발하여 볼륨효과를 발생시키는 것과 동시에 고속 제트기류에 낮은 흐름의 주변 류가 섞인다. 따라서 기류의 큰 난류가 점차적으로 분리되고 감쇄되어 저주파 소음을 감소시킨다.

그림 8-15. 셰브론 노즐(CHEVRON NOZZLE)

Part 09

1. 가스터빈엔진 오일
2. 엔진오일 계통일반
3. 윤활계통의 주요 구성부품

터빈엔진 오일계통

[ENGINE OIL SYSTEM]

제9장. 터빈엔진 오일계통(ENGINE OIL SYSTEM)

오일계통의 주요 목적이 엔진 베어링부의 윤활과 냉각이므로 윤활계통(Lubricating System)이라고도 부르며, 압력 공급방식이 사용되고 있다.

터빈엔진의 오일계통은 엔진섬프(sump)에 있는 베어링(bearing), 기어박스에 위치해있는 기어와 베어링들을 적절한 윤활과 냉각을 통하여 마찰을 감소시키고, 열에 의한 영향을 최소화시켜준다.

터보 프롭과 터보 샤프트엔진에서는 프로펠러축 감속장치의 윤활 및 토크미터의 윤활과 냉각이 추가적으로 요구된다.

1. 가스터빈엔진 오일

가스터빈엔진 오일은 -40℃ 정도의 저온부터 250℃ 이상에 달하는 고온까지의 넓은 온도 범위에서 고속, 고 하중을 받으면서 사용되므로 온도에 의한 점도 변화가 적고 내열성이 뛰어난 것이어야 한다.

가스 터빈용 오일에는 석유계와 합성유계가 있다. 아주 초기의 가스터빈에서는 석유계의 광물유(mineral oil)가 사용되었다.

광물유는 원유의 증류에서 얻어진 것을 정제하여 만들고 여기에 각종 첨가제를 첨가하여 제품화한 것으로서 점도에 따라 그레이드 1005와 그레이드 1010의 2종류(미군 규격 MIL-L6081)가 있었다.

가스 터빈의 발달에 대응하여 점도 지수가 보다 높고 산화 안정성이 좋으며 내열성이 우수한 합성유계(synthetic oil)의 오일이 개발되었다. 이 합성유계는 2 연기 산 에스테르계 연료에 여러 가지 첨가제를 가한 것으로 타입Ⅰ 오일, 타입Ⅱ 오일 및 어드밴스드 타입Ⅱ 오일의 3 가지로 구별된다.

1.1. 오일의 역할 및 작용

엔진 오일의 주요기능은 마찰감소, 냉각, 청정, 방식, 및 완충작용으로 구분할 수 있다.

1.1.1. 마찰감소 작용

정밀하게 가공한 금속 표면이라도 두 가지의 금속 표면이 직접 접촉해서 미끄러지면 표면의 요철에 의해 마찰이 커지고 결국 파손된다. 이때 양 표면을 오일 막으로 분리하면 양쪽 금속면에 직접 접촉해 있는 오일은 각각의 표면에 붙어서 서로 미끄러져 금속 마찰을 오일의 내부 마찰로 바꾼다.

1.1.2. 냉각 작용

엔진의 고속회전은 베어링에 열을 발산하게 되는데, 오일이 베어링 부위를 순환하면서 회전체에서 발생하는 금속마찰열 흡수한다.

1.1.3. 청정 작용

기계적인 마찰에서 의해서 금속표면이 마모되어 금속 미분 등이 발생하게 되는데 윤활을 위해서 오일이 순환하면서 금속미분을 제거한다.

1.1.4. 방식작용

금속표면에 오일피막을 형성, 수분과 공기 등의 외부물질을 차단하여 윤활부품 및 오일시스템 내부의 부식을 방지한다.

1.1.5. 완충작용

금속과 금속사이에 오일피막을 형성하여 하중을 흡수, 충격하중을 완충시킨다.

1.2. 가스터빈 엔진 오일의 구비조건

가스터빈 엔진의 오일은 엔진 시동시의 저온 상태에서 최대 작동출력의 고온상태까지 넓은 온도 범위에서 사용되어지므로 다음과 같은 구비조건을 갖추어야 한다.

1.2.1. 높은 점도지수

온도에 의한 점도 변화를 나타내는 척도로는 일반적으로 점도지수(viscosity index)가 사용되는데 점도 지수가 높은 오일일수록 온도가 변화해도 점도 변화가 적다는 것에서 점도지수가 높은 것이 바람직하다.

1.2.2. 양호한 유성

오일이 금속 표면에 달라붙는 성질을 유성(oiliness)이라고 하며, 탄화수소는 흡착성이 약하기 때문에 광물성오일에는 유성 향상제를 첨가한다.

1.2.3. 우수한 산화안전성

오일은 고온에 노출되면 열분해나 산화를 받기 쉽고, 산화되면 점도가 늘어 검(gum)을 생성하여 산을 분해 시켜서 부식성이 늘어난다. 그 때문에 산화 안정성이 좋고 내열성이 우수한 오일이 구비되어져야 한다.

1.2.4. 우수한 내열성

터빈 엔진은 고속, 고 하중으로 작동하고 터빈부분은 고온으로 작동되므로 내열성이 좋아야 한다.

1.2.5. 적절한 점도와 낮은 유동점

점도는 유체마찰로서 오일의 흐름저항에 관계되며, 점도가 낮으면 오일 유동이 자유롭고, 점도가 높으면 유동이 느리다. 또한, 유동점은 오일이 흐를 수 있는 가장 낮은 온도이며, 유동성이 낮으면 저온 순환작용과 엔진시동 특성에 좋은 영향을 미친다.

1.2.6. 높은 인화점

인화점은 가열된 오일 표면에 가연성 증기가 생성되어 탈 수 있는 최저 온도로서 항공기엔진은 고온에서 작동하므로 높은 인화점을 가져야 한다.

1.2.7. 거품저항성이 클 것.

오일과 공기의 분리성이 양호해야 오일소모를 줄일 수 있다.

1.3. 합성유계 오일

합성유계 오일의 특징은 점도지수가 높고, 피막형성이 강하며 광범위한 온도에서 사용가능하다. 또한 침탄물 형성을 최소로 유지하고, 높은 인화점과 낮은 유동점을 갖고 있으며, 고도 증기손실방지를 위한 낮은 휘발성과 거품억제 특성 등을 갖고 있다.

1.3.1. 합성유의 종류

(1) 타입 I 오일(TYPE I OIL)

타입 I 오일(미군 규격 MIL-L-7808)은 1960년대의 전반까지 세계적으로 사용되었던 초기의 합성유로 산성이 강하고 점도가 약간 낮은(210°F에서 3.0 centistokes) 것이 특징이다. 상품명은 TJ-15(엑슨 석유) 등이 있으나 엔진용에는 현재 거의 사용되지 않는다.

(2) 타입 II 오일(TYPE II OIL)

가스 터빈의 고성능화에 따라 보다 가혹한 사용 조건에 적합하도록 내열성이 더 뛰어나고 점도의 비율의 높은 (210°F 5.0~5.5 센티스토크스) 타입 II 오일(미군 규격 MIL-23699)이 개발되었다. 현재의 민간 항공용 제트 엔진에서는 대부분이 타입 II 오일이 사용되고 있다. 타입 II 오일의 상품명은 ETO2380(엣소), MJO II(모빌), ASTO 500(쉘) 등이 가장 일반적이다.

(3) 어드밴스 타입 II 오일 (ADVANCED TYPE II OIL)

최근에는 타입 II 오일의 내열성을 더 향상시킨 어드밴스 타입 II 오일이 개발되어 실용화가 진행되고 있다. 어드밴스 타입 II 오일(MIL-L-27502)의 상품명은 ASTO 555 (쉘)나, ETO 25 (엑슨)등이 있다.

1.3.2. 합성유 사용상의 주의 사항

합성유는 강한 솔벤트 특성을 가지고 있기 때문에 페인트에 침투가 되면 녹을 수 있으므로 에나멜과 같은 물질에 침투되지 않도록 해야 한다.

오일계통을 정비할 때는 피부에 묻지 않도록 주의하여야 한다. 피부에 묻었을 경우에는 즉시 세척제를 이용하여 닦아내야 한다.

오일타입이 같은 것이라도 다른 상품명의 오일과의 혼합사용은 절대로 안되며, 오일을 다른 타입으로 교환할 때에는 제작사의 정비교범을 참조하여 절차에 의하여 수행하여야 한다.

보존 중의 이물 혼입이나 변질을 막기 위해 1쿼터(1/4 갤런)씩 캔에 봉입되어 있으므로 필요량에 따라 1캔씩 열어서 사용한다.

그림 9-1. 1쿼터 캔을 이용한 엔진 오일보급

2. 엔진오일 계통일반

가스터빈 엔진의 오일계통은 습식 섬프(wet sump) 윤활계통과 건식 섬프(dry sump)윤활계통으로 나누어진다.

오일계통은 오일을 엔진으로 공급하는 압력계통(pressure system), 엔진 베어링 및 기어들의 윤활을 마친 오일을 배출해내는 배유계통(scavenge system), 적절한 오일흐름과 배유를 원활하게하기 위한 브리더계통(breather system)의 세 가지 계통과 엔진 오일계통을 감시하기 위한 지시계통(indicating system)으로 이루어져 있다.

2.1. 섬프(SUMP)의 개념

베어링 섬프는 엔진자체 안에 있는 섬프에 오일을 저장, 가압, 이송 및 귀환하는 습식섬프(wet sump)와 엔진 외부에 오일탱크를 두고 펌프로 압력을 만들어 섬프에 오일을 분사하여 베어링을 윤활 시킨 후, 다시 펌프를 이용하여 탱크로 귀환시키는 건식섬프(dry sump) 방식이 있다.

그림 9-2는 현대의 터빈엔진에 가장 많이 사용하는 드라이 섬프형식의 베어링 섬프를 보여주고 있다.

오일 씨일(oil seal)은 베어링 공간에 오일을 보유하는 역할을 하고, 그 종류는 카본 씨일(carbon seal)과 라비린스 씨일(labyrinth seal)이 있다.

라비린스 씨일의 장점 중 하나는 씨일이 회전체와 고정된 부분과 직접 닿지 않아 마모가 생기지 않는 다는 것이다. 그림에서 보는 것과 같이 베어링 다음에 오일 씨일이 있고, 그 외곽에 공기 씨일이 있는 공방으로 구성되어 있다.

공기 씨일(air seal)은 여압되는 공기압력이 급격히 빠지는 것을 방지하고, 오일 씨일과 공기 씨일 사이의 여압공방(pressurization cavity)을 만들어주는 역할을 한다. 즉, 공기 씨일의 조성은 오일 섬프 안의 오일 씨일에 오일이 남아 있도록 한다.

베어링 윤활을 위한 오일의 흐름은 오일 제트(oil jet)를 통하여 베어링에 분사되고, 배유를 통하여 엔진외부 오일탱크로 배출된다.

여압공방은 엔진 브리드 공기계통으로부터 공급된다. 공급되는 공기량은 공기 씨일이 회전과 고정부분 사이에서 약간의 누설을 감안하여 섬프의 안쪽을 충분히 여압 시킬 수 있는 공기량을 공급한다.

이 원리는 공기가 안으로 흘러 들어가려는 힘과 오일의 압력이 일치되었을 때 오일이 밖으로 흘러나오지 못하게 하는 역할로서 여압포트(pressurizing port)로 들어오는 공기량에 따라 이루어진다.

바깥쪽 드레인 계통(overboard drain system)은 오일 씨일(oil seal)을 통해서 빠져나온 오일이 여압공방으로 들어오면, 여압에 의하여 자동으로 드레인 되도록 설계되어 있다. 만약 이러한 배출이 이루어지지 않으면, 오일 씨일을 지난 오일이 압축기로 들어가 브리드 공기를 오염시키고 이것이 다시 객실여압계통에 희석되어 객실에서 오일 타는 냄새가 나는 경향이 있다.

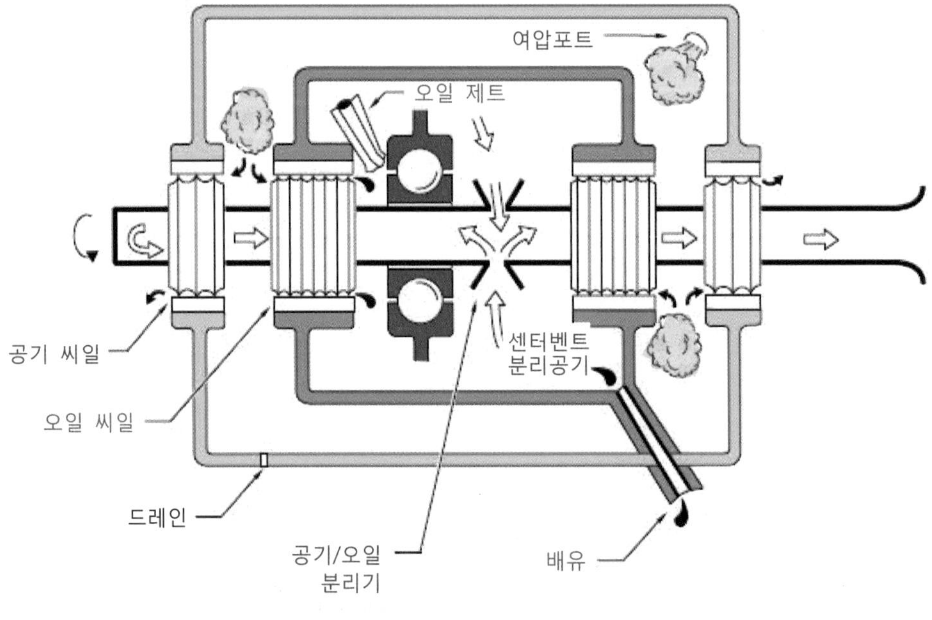

그림 9-2. 베어링 섬프의 씨일 여압원리

베어링에 분사된 오일은 회전하는 공기/오일 분리기(air/oil separator)에 의해 오일에 함유되어 있던 공기는 센터 벤트 튜브(center vent tube)를 통해서 엔진 배기가스와 함께 배출되고, 오일은 오일배유(oil scavenge)로 흘러서 배유펌프(scavenge pump)에 의해서 추출되어 오일탱크로 귀환된다.

2.2. 압력계통(PRESSURE SYSTEM)

오일압력계통 또는 오일공급계통(oil supply system)은 인체의 혈액 계통에서 동맥에 상당하는 계통으로 일정한 압력과 온도가 유지된 오일을 정해진 위치에 적절한 흐름 량으로 공급하는 작용을 한다.

압력계통의 형식은 오일압력 조절 밸브(oil pressure regulating valve)로 오일압력을 조절하여 일정한 오일압력을 공급하는 압력조절 윤활계통(pressure regulated lubrication system)과 N2 회전에 따라 압력이 가변적으로 변하는 가변압력 윤활계통(variable pressure lubrication system)형식이 있다.

그림 9-3은 CMF56-7엔진의 오일공급계통으로서 오일을 저장하는 오일탱크(Oil Tank), 오일관련 부품교환 시 오일탱크에서 오일이 누출되지 않도록 해주는 누출방지 밸브(anti-leakage valve), 오일을 가압하는 오일압력펌프(Oil pressure Pump) 또는 오일공급펌프(oil supply pump), 오일 중의 불순물을 걸러내는 오일필터(Oil Filter), 과도한 압력을 방지하는 오일압력 릴리프 밸브(oil pressure relief valve), 일정 흐름양의 압력오일을 정해진 베어링에 분사하는 오일노즐(Oil Nozzle) 및 이들을 서로 연결하는 오일 파이프(Oil Pipe), 호스(Hose) 그 외에 흐름통로 등으로 구성되어 있다.

또한, 오일탱크내의 오일의 양을 감지하는 오일 양 트랜스미터(oil quantity transmitter)와 오일의 압력과 온도를 측정하는 트랜스미터들이 오일 압력계통의 상태를 감시하기 위해 설치되어 있다.

뜨거운 배유오일(scavenge oil)이 직접 오일탱크로 귀환되는 핫 탱크(hot tank)의 경우에는 오일냉각기(oil cooler)가 오일압력계통에 포함되지만, 그림과 같이 오일 냉각기를 거쳐 오일탱크로 귀환되는 콜드탱크(cold tank)형식인 경우에는 오일냉각기는 배유오일계통에 포함된다.

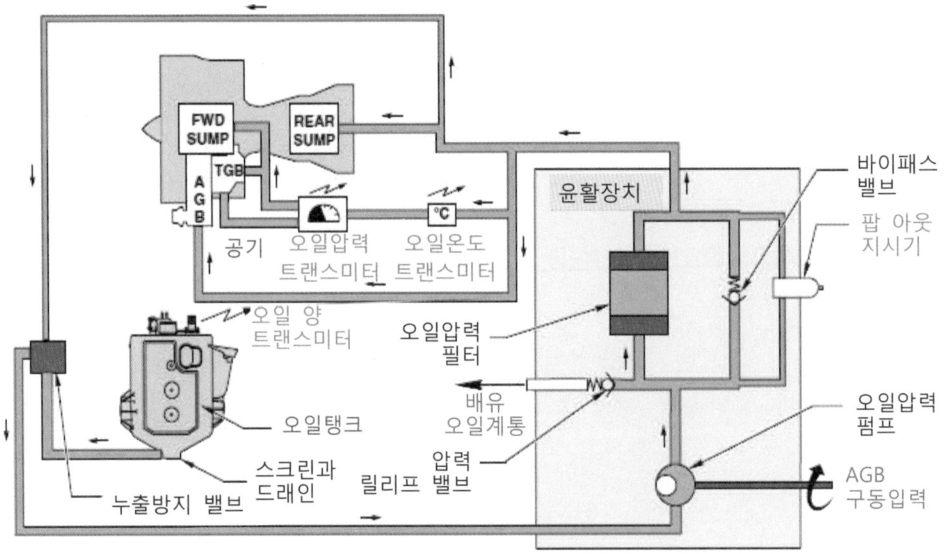

그림 9-3. 오일압력(공급) 계통

2.2.1. 압력조절 윤활계통 (PRESSURE REGULATED LUBRICATION SYSTEM)

그림 9-4는 가스터빈엔진의 압력조절 윤활계통의 기본이라고 할 수 있는 P&W JT8D 엔진의 오일계통을 보여주고 있다. 이러한 압력조절 윤활계통은 B-727, B-737, DC-9 및 MD-80 항공기 등의 중형 항공기와 대형 항공기로는 B-747(클래식 점보)에 적용되고 있다.

JT8D 터보팬엔진의 윤활계통은 고압설계구조로 압력펌프로부터 주 엔진 베어링과 보기 구동부분에 오일을 공급하는 계통과 베어링 섬프와 보기구동 부분으로부터 배유(scavenge)시키는 계통이 엔진 자체에 포함된 계통으로 구성되어 있다. 브리더계통(breather system)은 각각의 베어링 섬프, 오일탱크와 보기구동부분에 별도로 설치되어 있다.

오일은 탱크로부터 자중(중력)에 의하여 기어박스에 있는 오일압력펌프로 보내진다. 펌프로부터 가압 된 오일은 펌프출구 하류에 있는 오일필터로

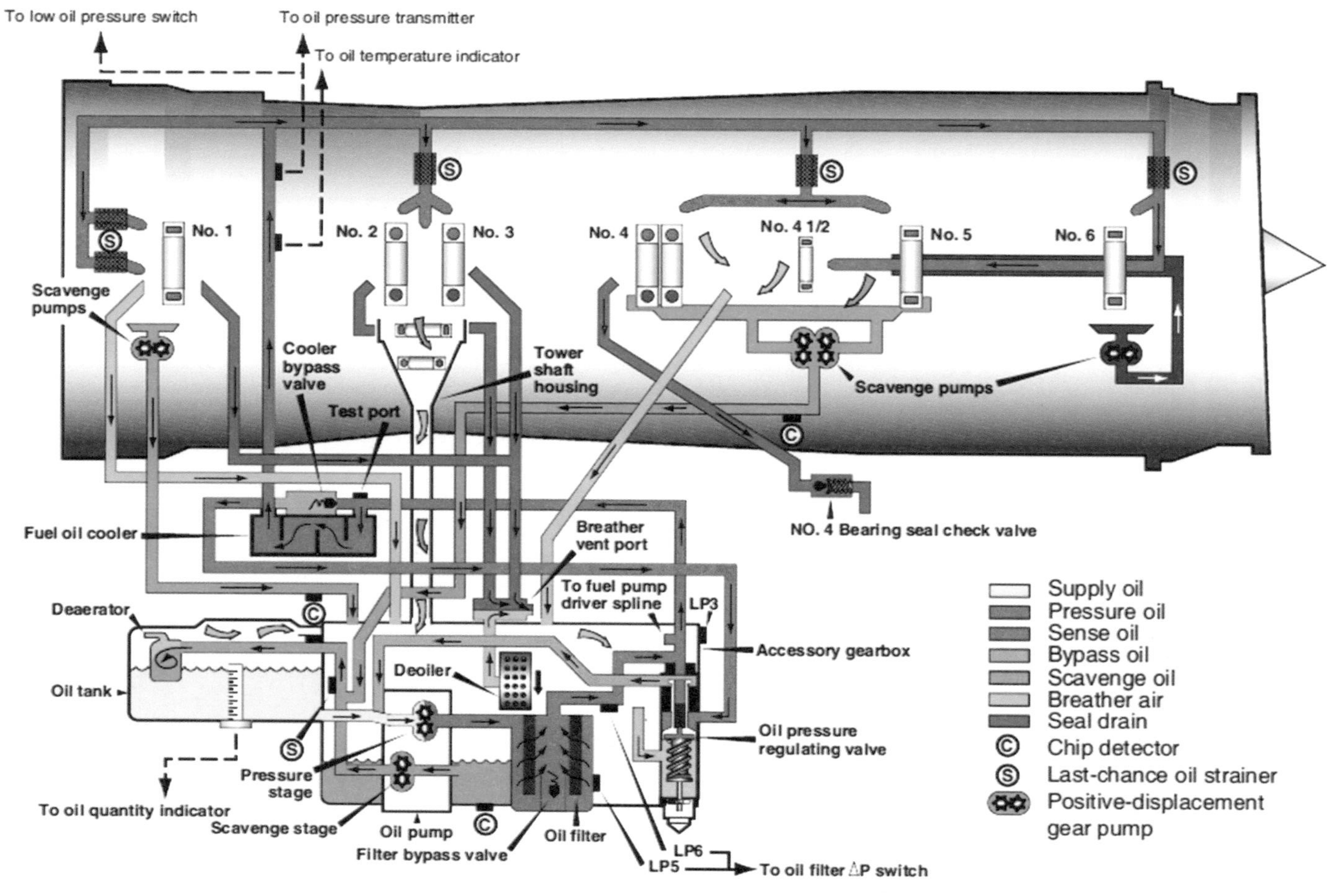

그림 9-4. 압력조절 윤활계통(PRESSURE REGULATED LUBRICATION SYSTEM)

보내진다. 필터 카트리지는 여과용 엘리먼트(Elements)로 구성되어 있으며, 여과 물질의 입자크기가 46 미크론(μ) 이상의 물질은 모두 여과시킬 수 있는 능력을 가지고 있다.

오일의 온도가 150°F(65.56℃)일 때의 흐름은 약 15 gal/min(56.ℓ/min)이고, 깨끗한 필터를 통과할 때 압력강하는 약 6psi(41.4㎪)이며, 만약 필터가 막혔을 때 최대압력강하는 23psi(158.6㎪)이다.

바이패스밸브(bypass valve)가 필터 내부 엘리먼트(elements)중앙 상부에 있으며, 필터가 막힐 경우에는 필터 엘리먼트 입구와 출구의 압력차이가 규정치 이상 발생되고, 이 차압에 의하여 밸브의 시트(seat)로부터 움직여 필터주위를 통과한 여과되지 않은 오일이 계통으로 들어가도록 한다.

오일펌프의 압력조절은 압력조절밸브(pressure regulating valve)에 의하여 특정한 압력과 흐름을 일정하게 유지시킨다. 계통으로 들어가는 오일압력이 과도하게 높아지면 밸브가 열려(open) 과도한 압력을 펌프의 입구로 귀환시킨다. 오일의 압력은 엔진 내부의 브리더 압력(breather pressure)에 상대적이고, 오일의 흐름은 고도와 엔진속도에 따라 일정하게 유지된다.

필터를 거친 압력이 조절된 오일은 기어박스를 떠나 연료-오일냉각기(fuel-oil cooler)로 들어간다. 이 오일 냉각기에서 오일의 열은 연료 조종장치(FCU)로 흐르는 차가운 연료로 전도되어 오일은 냉각된다. 오일냉각기가 내부에서 막혔을 경우에는 오일냉각기에 있는 바이패스밸브가 열려 오일을 계속 흐르게 한다.

냉각기를 떠난 오일은 오일압력 관을 통하여 각각의 베어링 섬프로 이송된다. 연료오일 냉각기 바로 뒤쪽과 압력조절기와 연결된 핑크색으로 표시되어있는 압력감지 관은 베어링 제트노즐(jet nozzle)에 정량의 오일압력을 유지시키고, 연료-오일 냉각기에서의 압력강화와 같은 비정상상태를 감지하여 항상 정량의 오일압력을 유지시키는 역할을 한다.

2.2.2. 가변압력 윤활계통
(VARIABLE PRESSURE LUBRICATION SYSTEM)

그림 9-5는 가변압력 윤활계통을 사용하고 있는 PW4000 엔진의 오일계통이다. 가변압력 윤활계통의 특징은 오일압력 조절(oil pressure regulating) 기능이 없이 엔진 회전수(N2 RPM)에 따라 오일압력이 변한다는 것이다. 이에 대한 장점으로는 시스템이 간단하며, 오일 튜브(Oil Tube)의 직경을 가늘게 하여 오일튜브의 무게를 줄일 수 있다.

그림에서 오일탱크는 약 6psi로 가압되어 윤활과 배유오일펌프(lubrication and scavenge oil pump)내의 압력 단(pressure stage)으로 오일이 잘 흐르도록 해준다.

오일펌프는 오일을 가압하여 일차오일필터(primary filter)로 보내주는데 이때, 오일압력이 540 psi 이상일 경우에는 릴리프 밸브(relief valve)가 열려서 과도한 오일압력을 오일탱크로 되돌려 보낸다. 또한, 필터가 막혔을 경우에는 바이패스 밸브(bypass valve)를 통해 오일이 흐르도록 하고, 오일 필터 차압 스위치(oil filter differential pressure switch)에 의해 조종실에 경고등(warning light)을 작동 시킨다.

필터를 통과한 가압된 오일은 공기/오일 열 교환기(air/oil heat exchanger)로 보내진다. 공기/오일 열 교환기는 내부에 바이패스 밸브를 가지고 있는데, 오일압력이 60 psid 이상에서 열려서 오일이 차갑거나 열교환기 코어가 막혔을 경우에 공기/오일 열교환기를 바이패스 시킨다.

FEDEC/EEC는 공기/오일 열교환기 밸브(air/oil heat exchanger valve)를 통해서 냉각공기의 흐름을 조절한다. 연료온도가 특정 값 이상일 경우에는 냉각공기 흐름을 증가시켜서 연료/오일 냉각기(fuel/oil cooler)의 연료에 덜 뜨거운 오일을 준다.

오일은 공기/오일 열교환기에서 연료/오일 냉각기 바이패스 밸브(fuel/oil cooler bypass valve)로 간다. 이 바이패스 밸브는 연료온도가 특정 값 이상일 경우 FADEC/EEC의 조절에 의하여 오일을 바이패스 시키며, 기계적인 밸브 작동을 통하여 오일이 차갑고 냉각기 코어가 막혔을 경우에도 바이패스 시킨다. 바이패스 밸브가 바이패스 위치가 아닐 경우에는 오일은 연료/오일 냉각기를 통해서 흐르게 되어 연료온도를 증가시킨다.

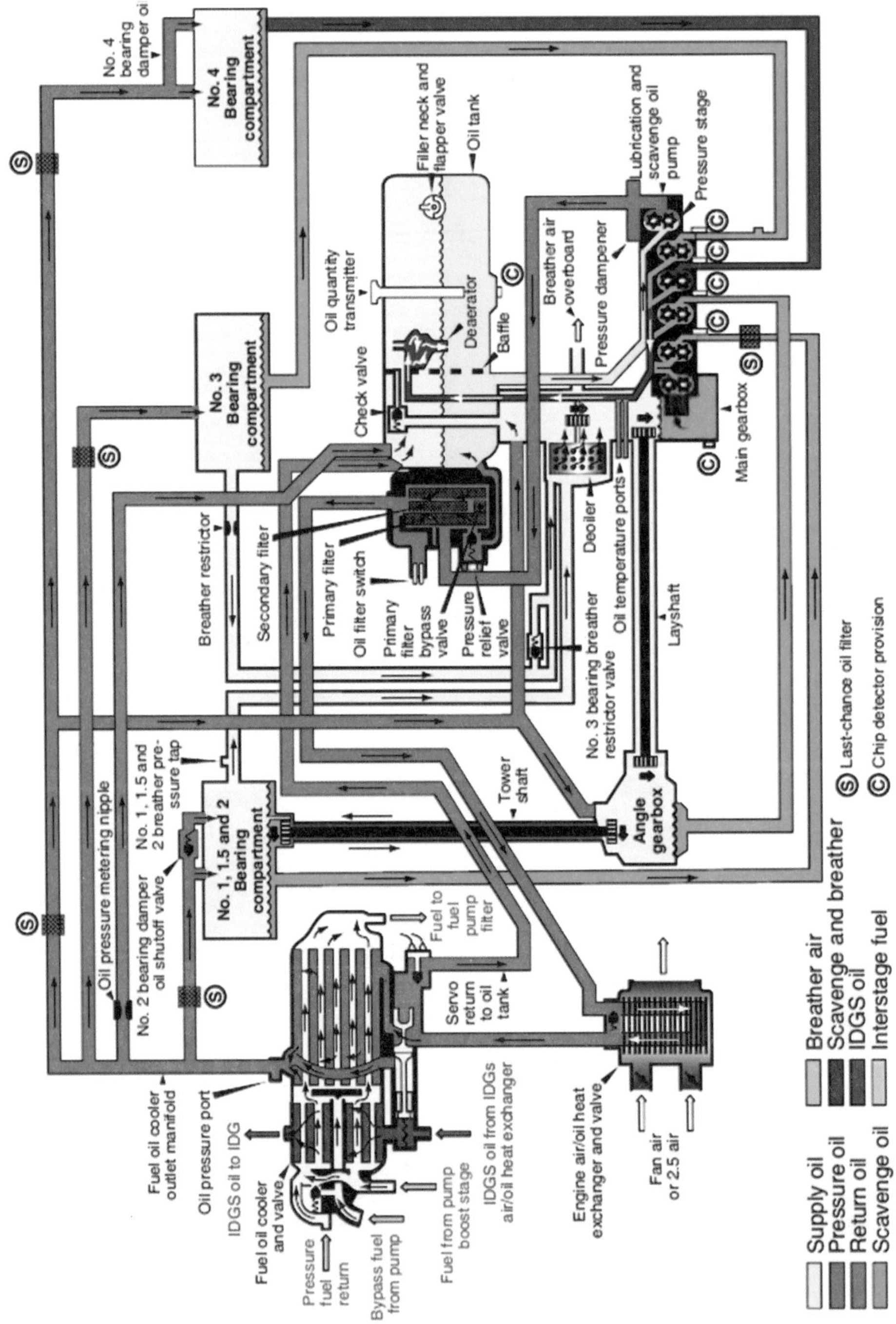

그림 9-5. 가변 압력 윤활계통 (VARIABLE PRESSURE LUBRICATION SYSTEM)

연료/오일 냉각기를 거친 오일 중 일부는 분류된 오일압력 트림 오리피스(classified oil pressure trim orifice)를 통해서 흐름비율(flow rate)을 조절하기위하여 오일탱크로 돌아가며, 나머지 오일은 라스트 찬스 오일 여과기(last chance oil strainer)로 간다. 이 여과기는 오일필터가 바이패스 되고 있을 때 이물질을 걸러내어 오일노즐(oil nozzle)의 막힘을 방지한다.

가압된 오일은 라스트 찬스필터를 거쳐서 다음의 계통으로 흘러들어가서 냉각과 윤활을 수행한다.

- 인터미디어트 케이스(intermediate case)의 No.1, 1.5, & 2 베어링 컴파트먼트(compartment)
- 디퓨저 케이스의 No.3 베어링 컴파트먼트
- 배기 케이스의 No.4 베어링 컴파트먼트
- 앵글 기어박스
- 메인 기어박스

주 베어링 컴파트먼트들과 기어박스의 노즐들은 오일을 정확한 흐름비율로 각기 다른 베어링, 씨일 및 보기 구동 스플라인에 보내준다.

2.3. 배유계통(SCAVENGE SYSTEM)

배유계통(scavenge system)은 인체의 혈액 계통에서 정맥에 해당하는 계통으로 베어링 부의 윤활과 냉각을 끝낸 오일을 탱크로 되돌리는 작용을 한다. 그림 9-6은 CFM56-7 엔진의 배유계통을 보여주고 있다.

베어링 및 기어들을 윤활한 오일을 배출시켜 오일탱크로 이송하는 3개의 배유펌프(scavenge pump)들과 배유되는 오일에서 불순물을 걸러주는 배유오일필터 어셈블리(scavenge oil filter assembly), 오일탱크가 콜드탱크이므로 뜨거운 오일로 연료를 데워주는 서보 연료 히터(servo fuel heater)와 차가운 연료로 오일을 식혀주는 오일/연료 열교환기(oil/fuel heat exchanger)를 통해 식혀진 오일이 탱크로 귀환될 수 있도록 설계되어있다.

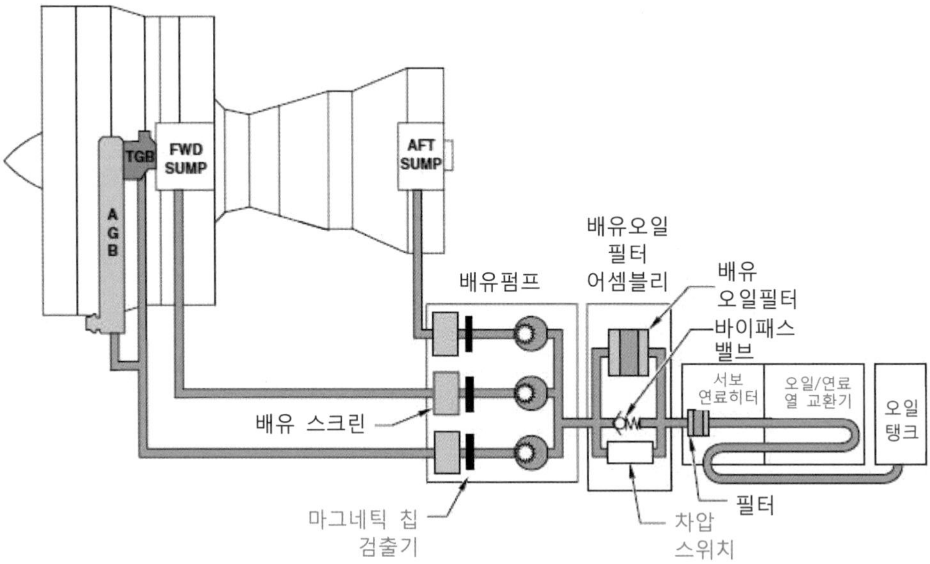

그림 9-6. 오일 배유계통(SCAVENGE SYATEM)

2.4. 브리더 계통(BREATHER SYSTEM)

비행중의 고도 변화에 대응해서 엔진 오일계통의 적절한 오일흐름 량과 완전한 배유펌프 기능을 유지하기 위한 브리더 계통(breather system)은 베어링부의 압력을 대기압에 대해서 항상 일정한 차압으로 유지하는 작용을 하고 있다.

브리더 계통은 보통 각 베어링부의 대기로 벤트(vent)되는 통로와, 오일이 대기 중으로 방출하는 것을 방지하고 압력만 빠지게 하는 오일 분리기(oil separator)로 구성되어 있다.[그림 9-2 참조]

그림 9-7은 CFM56-7 엔진의 벤트계통(venting system)으로서 오일탱크, 섬프와 기어박스가 연결되어 배유펌프에서 공기를 배출한다.

센터 벤트튜브가 압력균형과 벤트(venting)를 위하여 전방과 후방섬프를 연결해주고, 엔진 후방의 터빈 배기 플러그를 통하여 대기 중으로 배출한다.

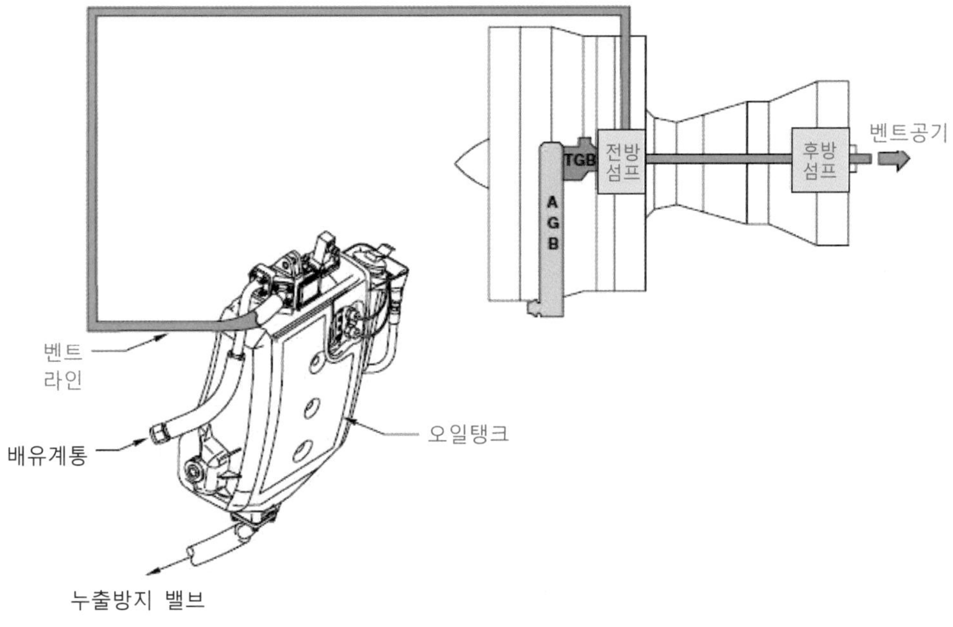

그림 9-7. 엔진 통기계통(VENTING SYSTEM)

2.5. 엔진 오일 지시계통 (ENGINE OIL INDICATING SYSTEM)

엔진 오일 지시계통은 오일 계통의 작동 상황을 지시하는 계기로 일반적으로 오일 압력계(oil pressure indicator), 오일 온도계(oil temperature indicator), 오일 유량계(oil quantity indicator) 저 오일 압력 경고등(oil low pressure warning light), 오일 필터 막힘 경고등(oil filter clogging warning light) 또는 오일필터가 막혔음을 알려주는 오일필터 바이패스 등(oil filter bypass light)등이 있다.

최근의 항공기들은 엔진오일계통의 데이터를 각각의 계기에 지시하는 것이 아니라, 그림 9-8과같이 오일 양 트랜스미터(oil quantity transmitter), 오일압력 트랜스미터(oil pressure transmitter), 오일온도 센서(oil temperature sensor) 및 배유오일 필터 막힘 트랜스미터(scavenge oil filter clogging transmitter)등에서 감지된 데이터를 EEC를 통해 디지털 신호로 변환하여 1차 엔진 디스플레이와 2차 엔진 디스플레이에 지시해준다.

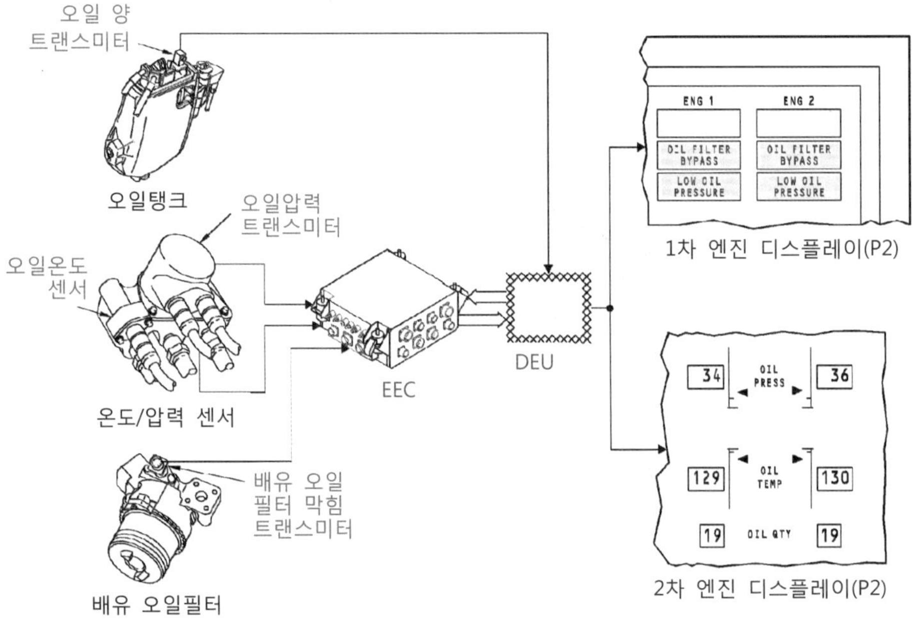

그림 9-8. 엔진 오일 지시계통(ENGINE OIL INDICATING SYSTEM)

3. 윤활계통의 주요 구성부품

그림 9-9는 PW4000 엔진의 윤활계통의 주요 부품들로서 엔진 오일탱크(engine oil tank), 오일압력 릴리프 밸브(oil pressure relief valve), 오일 필터(oil filter), 서보 연료 가열기(servo fuel heater), 엔진 공기/오일 열교환기와 밸브(engine air/oil heat exchanger & valve), 연료/오일 냉각기와 바이패스 밸브(fuel/oil cooler & bypass valve), 연료/오일 냉각기 출구 매니폴드(fuel/oil cooler outlet manifold), 라스트 찬스 필터(last chance filter), 오일분리기(deoiler) 등으로 구성되어 있다.

여기서 설명되는 구성부품들은 모든 엔진에 적용되는 것은 아니고, 일부 엔진에 사용되는 일반적인 것들로서 엔진모델과 제작사에 따라 다소 차이가 있음으로 여기서는 일반적인 공통 부품에 대해서 설명하고자 한다.

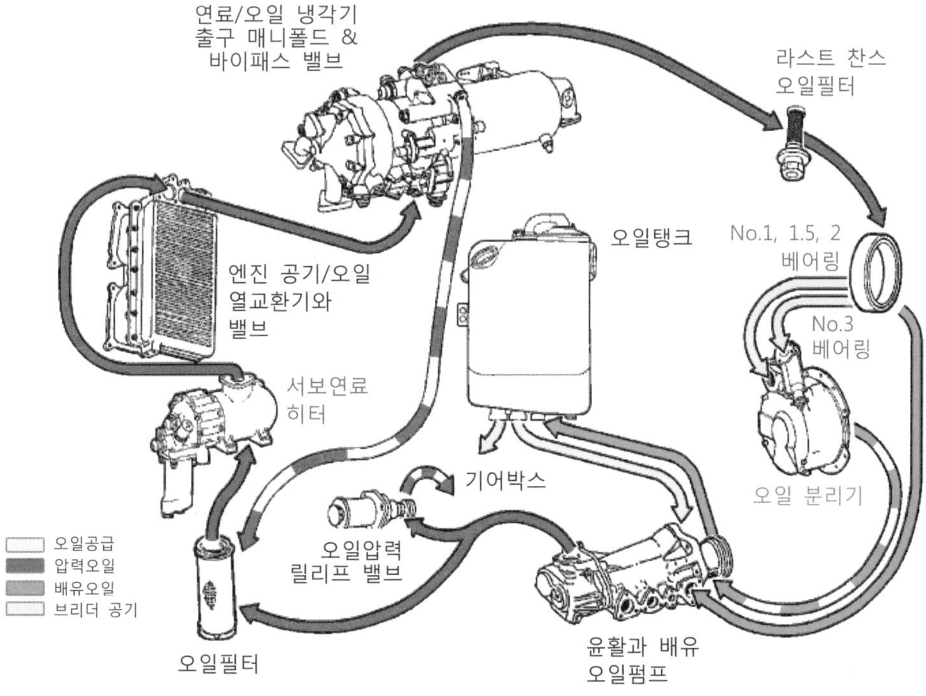

그림 9-9. PW4000 엔진 오일계통 구성부품

3.1. 오일탱크(OIL TANK)

대부분의 가스터빈 엔진은 오일을 저장하기 위해 독립된 오일탱크를 가지고 있다. 이러한 형태를 건식섬프 시스템이라고 하며, 오일탱크가 별도로 장치되어 있지 않고, 기어박스나 베어링 공동(Bearing Cavity)에 오일이 저장되고 각 베어링과 기어들은 오일에 잠겨 있거나, 끼얹는(splash) 방식에 의해 윤활 되는 오일계통을 습식섬프(Wet Sump)라 한다.

오일탱크는 엔진오일을 저장하고, 배유오일(scavenge oil)에서 공기를 분리해내며, 오일수준(oil level)을 점검하여 오일을 보충할 수 있도록 설계되어 있다.

그림 9-10은 CFM56-7 엔진의 오일탱크로서 저장된 오일을 오일누출 방지 밸브를 거쳐서 엔진윤활계통에 오일을 공급하고, 윤활을 마친 오일은 배유계통을 통하여 탱크로 귀환된다.

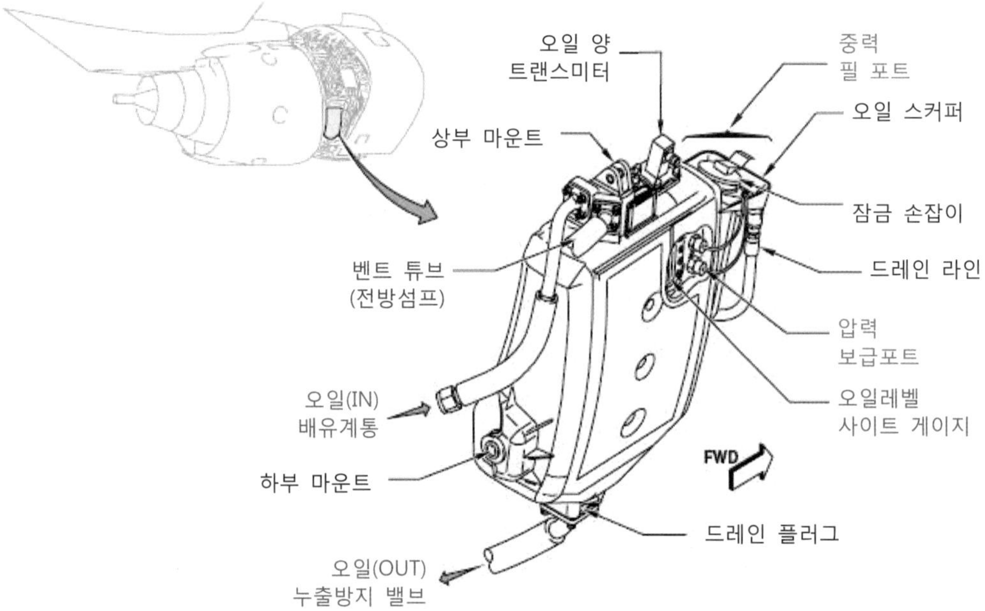

그림 9-10. 오일탱크 (OIL TANK)

탱크 안에 내장되어 있는 공기 분리기(de-aerator)는 귀환되는 오일을 원심력을 이용하여 오일로부터 공기방울(거품)을 분리시켜 분리된 공기는 벤트 튜브를 통하여 전방섬프를 거쳐 외부로 배출시킨다.

오일탱크 중력식 보충 포트(pressure servicing fill ports)를 이용하여 오일탱크에 오일을 보급할 수 있으며, 오일 필러 캡(oil filler cap)은 잠금 손잡이(locking handle)로 되어있다. 오일보급 중에 흘린 오일은 오일 스커퍼(oil scupper)에 모여지고 오일 스커퍼는 드레인 라인(drain line)으로 연결되며, 오일탱크 바닥의 드레인 플러그(drain plug)로 오일탱크의 오일을 드레인 시킬 수 있다.

오일탱크의 용량은 약 21쿼터(20.2리터) 정도이며, 날개의 상반각(dihedral) 때문에 좌측 엔진 오일탱크가 우측엔진 오일탱크보다 더 많은 오일을 저장할 수 있다.

엔진시동과 작동 상태 사이에서 걸핑 효과(gulping effect)로 인해 오일 레벨이 떨어진다. 시동 시에는 오일레벨이 1갤런(4리터)정도 줄어들고, 이륙 파워에서는 0.5 갤런 정도가 더 줄어든다. 엔진이 감속할 때 부분적으로 복원되고, 엔진을 정지하면 완전하게 복원된다.

오일레벨 점검은 오일체적이 변화하므로 엔진정지 후 5~15분 이내에 수행하여야 하며, 오일필러 캡은 엔진 정지 후 최소 5분이상이 경과된 후에 열어야 화상 등의 심각한 부상을 피할 수 있다.

3.2. 오일펌프(OIL PUMP)

오일펌프 또는 윤활장치(lubrication unit)의 기능은 높은 압력을 만들어 엔진 베어링 부분, 보기구동부분과 기타 엔진에 의해 구동되는 부품에 윤활유를 공급한다.

건식섬프계통에 사용되는 대부분의 오일펌프는 압력을 공급하는 것뿐 만 아니라 배유기능을 함께 가지고 있다. 즉, 압력펌프(pressure pump)와 배유펌프(scavenge pump)가 하나의 하우징(housing)안에 구성되어 있다.

오일펌프의 형식에는 여러 가지가 있는데 각각의 장단점이 있지만, 일반적으로 기어와 제로터 형(gerotor type) 두 가지가 사용되며, 가장 많이 사용되고 있는 형태는 기어 형(gear type)이다.

그림 9-11은 기어형의 압력펌프(pressure pump)와 배유펌프(scavenge pump)가 하나의 어셈블리로 되어 있는 2중 오일펌프를 보여준다.

오일의 압력은 엔진에 의해 구동되는 쌍으로 맞물려 회전하는 기어와 펌프의 케이스 사이로 오일이 흡입되어 이송되면서 압력이 만들어진다. 이러한 형태를 용적형 펌프(positive displacement pump)로 분류되는데 그림 9-11과 같이 펌프 출구 쪽에 조절밸브(regulating valve) 또는 릴리프밸브(relief valve)를 설치하여 오일압력이 과도할 경우에는 오일압력을 펌프입구로 바이패스 시켜서 펌프의 출구압력을 제한하여야 한다.

또한 그림에서 보여 지는 축 전단부분(shaft shear section)은 펌프의 기어가 고착되어 돌지 않을 경우에는 보기구동 기어박스를 보호하기 위해서 축이 절단되게 설계되어 있다.

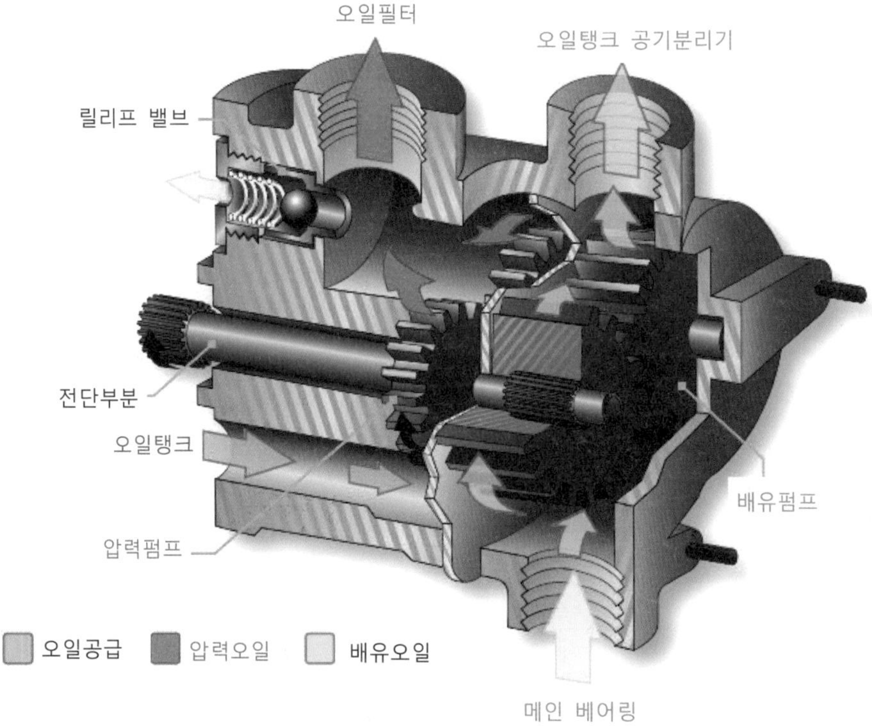

그림 9-11. 기어 타입 오일펌프(GEAR TYPE OIL PUMP)

오일이 베어링과 기어들을 윤활하고 탱크로 귀환 할 때에는 오일 온도가 높아지고, 공기가 섞여있어 체적이 증가하므로 배유펌프 용량이 압력펌프보다 1.5~2배 정도 크게 설계되어 있다.

3.3. 오일 필터(OIL FILTER)

필터는 오일 속에 들어 있는 이 물질을 제거하기 때문에 매우 중요한 부분이다. 특히 가스 터빈 엔진은 고속으로 회전하기 때문에 오일 속에 이물질 침투 시 베어링이 아주 빨리 손상되므로 엔진의 심각한 손상을 초래한다.

오일을 거르는데 사용되는 필터는 여러 가지 유형과 위치가 있다. 필터의 망(mesh) 크기는 미크론(microns)으로 측정되며, 아주 섬세한 망으로 되어 있다.

주 오일 여과기 필터 엘리먼트(strainer filter element)가 그림 9-12에서 보여주고 있다.

필터 엘리먼트는 종이와 금속망을 포함하여 여러 가지 재질로 만들어진다.[그림 9-13 참조]

그림 9-12. 오일필터 엘리먼트

그림 9-13. 오일필터 종이 엘리먼트

오일은 보통 필터 엘리먼트 바깥쪽에서 필터 몸체 안쪽을 통하여 흐르면서 여과되어 엔진 윤활부분으로 간다. 오일필터는 교환 가능한 합판지(laminated paper) 엘리먼트를 사용하거나 또는 25~35 마이크론 정도의 매우 고운 스테인리스 스틸 망을 사용하고 있다.

대부분의 필터는 압력펌프 쪽에 위치되어 있고, 필터몸체(filter body) 혹은 하우징(housing), 바이패스 밸브 및 체크밸브(check valve)로 구성되어 있다. 필터 바이패스 밸브는 필터 엘리먼트가 막혔을 경우에 오일흐름이 중단되는 것을 방지한다. 필터에 특정한 압력이 걸리면 바이패스 밸브가 열리는데 이러한 경우, 여과는 되지 않지만 베어링에 여과되지 않은 오일압력을 보내줌으로서 베어링의 오일공급 중단상태를 방지한다.

많은 엔진들이 그림 9-14와 같이 필터가 막혀서 바이패스 모드인지 엔진 검사 시 육안으로 확인할 수 있는 기계적인 팝 아웃 지시기(pop out indicator)를 가지고 있다. 팝 아웃 지시기가 작동되었을 때는 필터를 교환해주어야 한다.

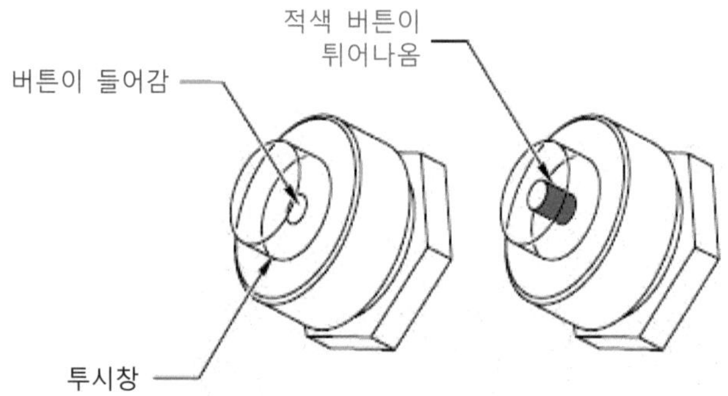

그림 9-14. 팝 아웃 지시기(POP OUT INDICATOR)

그림 9-15와 같이 베어링표면에 오일을 분사해주는 오일노즐을 통과하기 직전에 오일을 걸러주는 라스트 찬스 필터라고 부르는 고운-망(fine mesh) 여과기도 있다. 라스트 찬스필터(last chance filter)는 이물질에 의하여 노즐이 막히는 것을 방지하고, 베어링으로 이물질이 들어가지 못하게 한다.

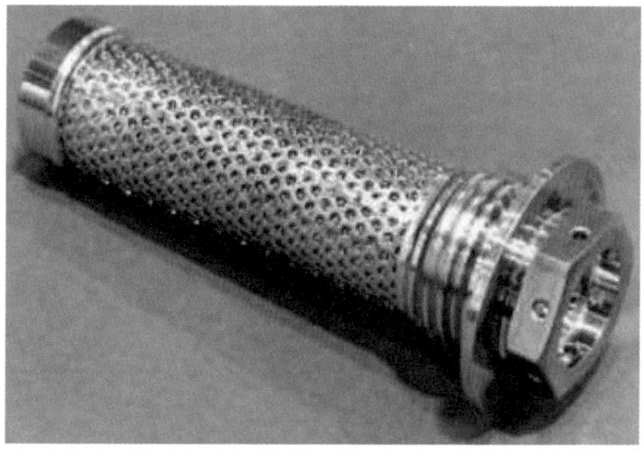

그림 9-15. 라스트 찬스 필터(LAST CHANCE FILTER)

3.4. 오일 압력 조절 밸브 (OIL PRESSURE REGULATING VALVE)

대부분의 터빈엔진 오일계통들은 압력을 항상 일정하게 유지하기 위하여 압력 조절형 시스템(pressure regulating type system)을 가지고 있다.

오일 압력 조절 밸브(oil pressure regulating valve)는 오일 계통의 오일 압력을 정해진 압력으로 유지하는 기능을 한다. 오일 압력이 낮거나 높을 때 이를 조정하기 위해 압력조절기(Pressure Regulator)의 압력 조정 나사를 돌려 내부의 스프링(Spring) 힘을 변화시켜 설정된 압력을 증감할 수 있다. [그림 9-16 참조]

3.5. 오일압력 릴리프 밸브(OIL PRESSURE RELIEF VALVE)

대형 터보 팬 엔진 중 일부는 조절밸브가 없고, 엔진 회전(rpm)과 펌프 속도에 따라서 압력이 가변적으로 압력의 변화가 광범위하다. 릴리프 밸브는 계통내의 최대한계를 초과하는 압력을 완화시켜 준다.

실제의 릴리프 밸브계통은 압력을 미리 설정하여 설정한 값보다 초과할 경우에는 오일펌프 입구로 오일을 돌려보낸다. 이러한 릴리프 밸브는 박막구조로 되어 과도한 오일압력에 의해 파열되기 쉬운 오일 냉각기(oil cooler)에서는 특히 중요하다.[그림 9-17]

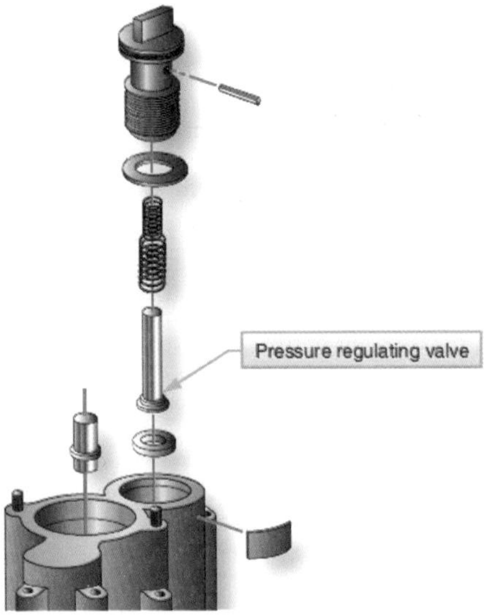

그림 9-16. 오일 압력 조절 밸브

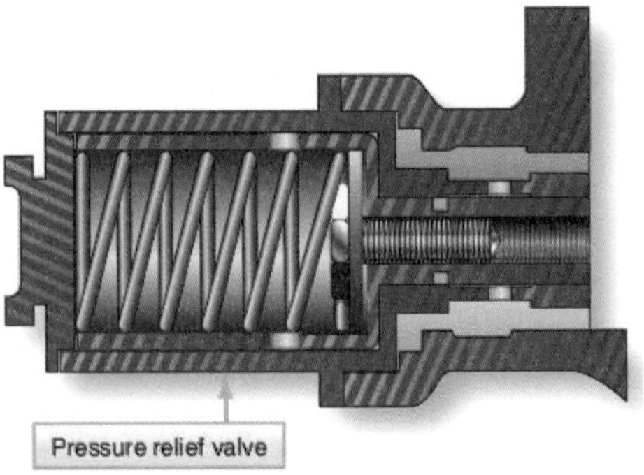

그림 9-17. 오일 압력 릴리프 밸브

3.6. 오일냉각기(OIL COOLER)

오일을 냉각하고 오일 온도를 일정하게 유지하기 위한 장치가 오일 냉각기(oil cooler)이다. 오일 냉각기에는 공기 오일 냉각기(air oil cooler)와 연료 오일 냉각기(fuel-oil cooler)가 있다. 두 가지의 구조와 기능은 매우 비슷한데, 주요한 차이점은 냉각용으로 공기와 연료를 사용하는 점이 서로 다르다.

3.6.1. 연료 오일 냉각기(FUEL-OIL COOLER)

연료 오일 냉각기는 9-18과 같이 차가운 연료를 이용하여 오일을 냉각시키는 장치로 많은 종류의 엔진에서 사용되어지고 있다.

작동방법은 엔진 연료계통의 연료조절장치로부터 조절된 연료가 냉각기 코어의 내부에 미세한 튜브를 통과하고, 윤활을 마치고 귀환되는 뜨거운 오일은 냉각기의 오일 입구(oil inlet)로 들어와 냉각튜브 주위를 그림에서의 화살표방향과 같이 돌아 나갈 때 오일 의 뜨거운 열은 차가운 연료로 전도되어 오일은 냉각되고 연료는 더워지는 열 교환 방식을 이용하여 오일을 냉각시킨다.

이러한 냉각기를 연료/오일 열 교환기(fuel/oil heat exchanger)라 한다. 이때 연료와 오일은 절대 희석되지 않으며, 만약에 냉각기가 내부에서 파손되었다면 바이패스 밸브가 작동하여 오일을 냉각 튜브를 거치지 않고 직접 출구로 빠져나가도록 한다.

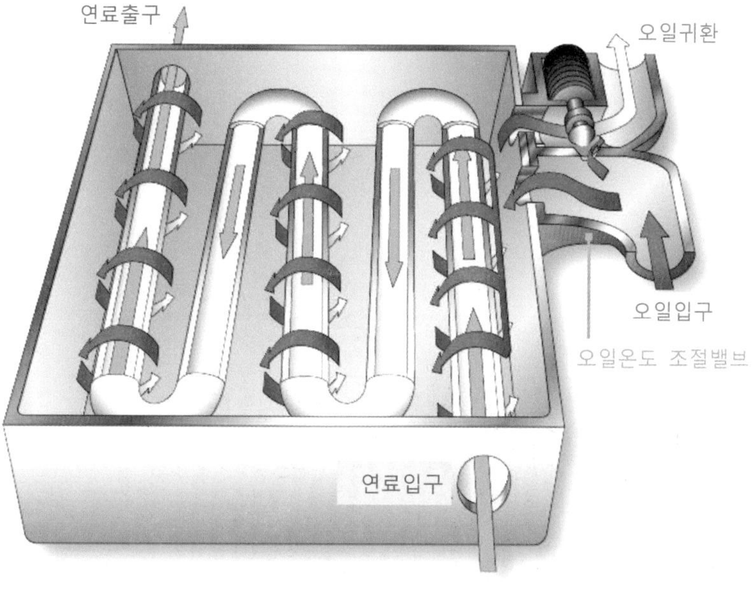

그림 9-18. 연료/오일 열 교환기(FUEL OIL HEAT EXCHANGER COOLER)

오일 온도가 낮을 때는 오일 온도 조절밸브(oil temperature control valve)의 서모스탯(thermostat)의 수축으로 압력 바이패스 밸브가 열리고 오일은 냉각기를 바이패스해서 오일 입구에서 직접 오일 출구로 흐른다.

오일 온도가 상승하면 서모스탯의 팽창으로 압력 바이패스 밸브가 닫히고 오일은 냉각기를 통과하기 때문에 연료로 냉각된다. 또 냉각기가 이 물질로 막힌 경우는 압력 바이패스 밸브를 열고 오일을 바이패스 시킨다.

3.6.2. 공기 오일 냉각기(AIR-OIL COOLER)

공기 오일 냉각기는 공기를 이용하여 오일을 냉각하는 장치로서 널리 사용되지는 않고, 핫 탱크(hot-tank) 계통이 장착된 일부 엔진에서 유용하게 사용하고 있다.[그림 9-19]

일반적으로 공기 오일 냉각기는 엔진의 전방 끝에 장착되어 있는데, 구조와 작동은 왕복엔진의 냉각기와 유사하다. 공기오일 냉각기는 드라이 섬프 오일계통에 포함되어 있으며, 많은 엔진들이 연료 오일 냉각기와 병행하여 사용하고 있다.

드라이 섬프 윤활계통은 여러 가지 이유로 냉각기가 요구된다. 첫째, 압축기 브리드 공기를 이용한 베어링의 공기냉각은 터빈 쪽에 있는 베어링을 냉각시키기에는 터빈 베어링의 주변 열로 인하여 부족하다. 둘째, 대형 터보팬 엔진들은 일반적으로 좀 더 뜨거운 오일의 이송을 의미하는 많은 수의 베어링을 가지고 있다. 결론적으로 오일냉각기는 오일의 열을 소멸시키는 것이다.

그림 9-19. 공기 오일 냉각기(AIR OIL COOER)

3.7. 오일분리기(DEOILER)

브리더 공기(breather air)로부터 공기와 오일을 분리하기 위하여 오일분리기(deoiler)가 기어박스(gear box)내에 설치되어 구동된다.

그림 9-20은 PW4000엔진의 윤활계통에서 사용하고 있는 오일분리기이다.

오일분리기 임펠러(deoiler impeller)의 원심력에 의해 분리된 오일은 기어박스 섬프(gear box sump)로 드레인 되고, 오일이 분리된 공기는 외부로 배출된다.

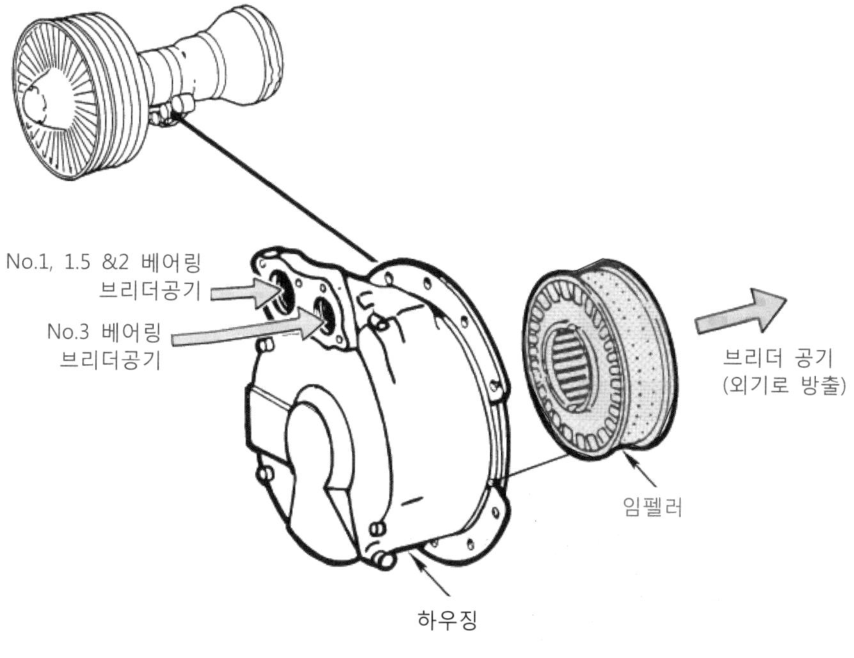

그림 9-20. 오일분리기(DEOILER)

3.8. 자석식 금속조각 검출기(MAGNETIC CHIP DETECTOR)

자석식 금속조각 검출기는 대부분 오일 배유계통(Oil Scavenge System)에 장착되어 있으며, 각종 베어링 상태 및 구동 기어 상태를 해당 배유계통의 자성 금속 조각을 영구 자석으로 검출하여 점검한다.

자석식 금속검출기는 배유관(Scavenge Line), 오일탱크하부, 보기구동 기어박스 섬프 부분 등에 장착되어 있으며, 엔진의 각각의 요소에 설치할 수도 있다.

자석식 금속검출기는 그림 9-21에 도해되어 있으며, 기어의 마모 또는 엔진 베어링부분의 마모 등으로 자성체 금속 가루가 발생하면 영구자석(permanent magnet)에 붙게 된다.

엔진에서 금속조각 검출기를 장탈하여 검사를 수행했을 때, 검출기에서 금속조각이 발견되지 않았다면, 세척해서 재장착하고, 안전결선(safety wire)을 해주면 되지만, 금속이 검출기에서 발견되었을 경우에는 금속조각의 금속이 어디서 마모된 것인지를 조사를 통하여 규명하여야 한다.

일부의 항공기에는 검출기의 중심부인 영구자석에 감지 선을 연결하여 금속이 붙으면 접지 되도록 되어 있다. 이때 전기회로가 연결되어 검출기를 분해하지 않고도 조종석에서 조종사에게 상태를 지시하도록 하는 계통이 마련되어 있기도 하다.

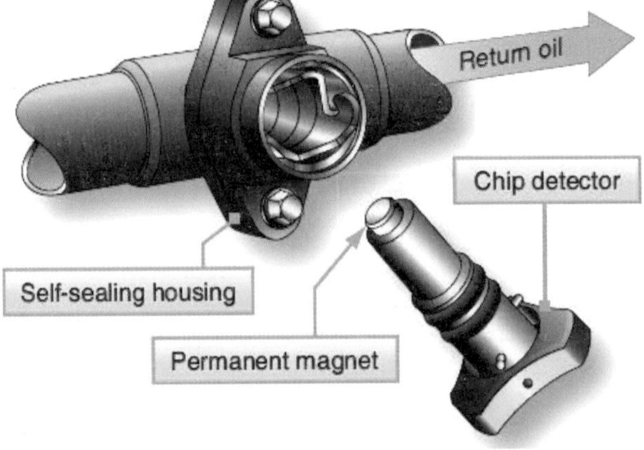

그림 9-21. 자석식 금속조각 검출기(MAGNETIC CHIP DETECTOR)

MEMO

Part 10

1. 시동 계통 일반

2. 가스터빈 엔진 시동기(Gas Turbine Engine Starters)

3. 터보 팬 엔진의 시동계통

터빈엔진 시동계통

[Turbine Engine Starting System]

제10장. 터빈엔진 시동계통
(Turbine Engine Starting System)

1. 시동 계통 일반

왕복엔진은 시동이 이루어지면 즉시 시동장치를 정지해도 계속 운전이 가능한 반면, 가스터빈엔진은 시동이 이루어져도 엔진이 자립회전속도(self sustaining speed)에 도달될 때 까지 압축기 회전속도를 높여 주어야 한다.

가스터빈엔진은 일반적으로 시동기(starter) 출력이 보기 구동 기어박스로 전해져 압축기를 회전시킴으로서 연소에 필요한 공기를 연소실로 보내서 연소가 시작되고, 엔진이 자립회전속도에 도달될 때까지 압축기 회전속도를 높여준다.

시동기에 의한 압축기 회전은 연소를 위한 충분한 공기를 연소실에 제공하고, 연소가 일어난 후 아이들 속도(idle speed)까지 자체가속(self-accelerating)을 돕는다. 시동기 자체만으로는 엔진이 정지된 상태에서 아이들 속도까지 낼 수 있는 충분한 출력을 갖고 있지 않다.

터보 프롭과 터보 샤프트 엔진은 로터 항력을 줄이고 속도와 공기흐름을 증가시키기 위해 저 피치로 시동하거나 프로펠러를 구동하는 자유터빈의 구조를 갖는다. 이것은 압축기 로터 계통만 시동기에 의해 작동되게 하므로 낮은 항력의 가속을 얻을 수 있다.

1.1. 터빈엔진 시동순서

2중 압축기(dual spool compressor) 가스 터빈 엔진에서 시동기는 고압압축기(N2 Shaft) 계통만 회전시킨다. 단일 압축기를 가진 자유(free)터빈, 터보 프롭, 터보 샤프트 엔진에서는 시동기가 압축기만 구동시킨다. 자유터빈(free turbine)은 시동기 구동과 연결되어 있지 않다.

그림 10-1은 전형적인 단일 압축기 가스터빈 엔진의 시동순서를 보여주고 있다. EGT 곡선과 RPM 곡선 상에서 곡선이 수평으로 되기 시작하는 부분이 압축기 속도와 엔진 가스 온도가 안정되어 가는 것을 나타낸다.

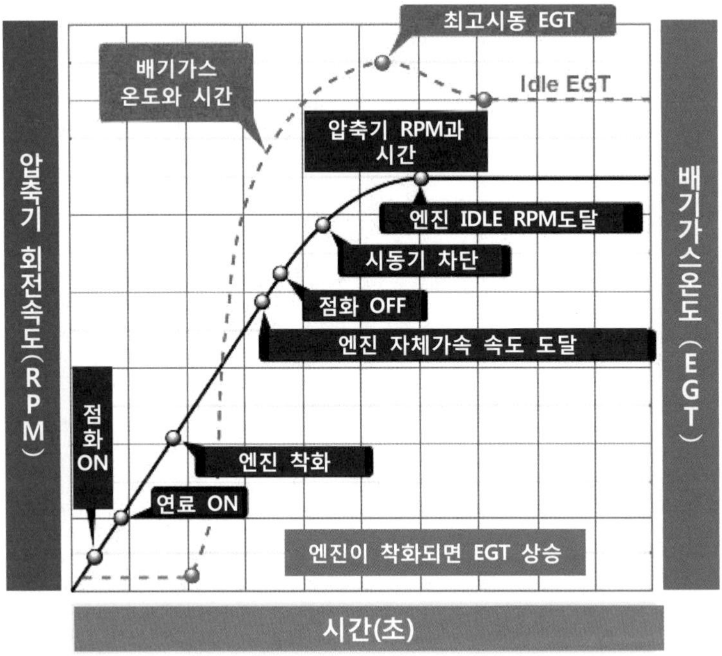

그림 10-1. 전형적인 가스터빈 엔진 시동순서

그림 10-2는 시동 사이클에서 2중 압축기의 N1과 N2 속도 관계를 보여주고 있다.

N2 압축기는 직접 시동기에서 파워를 받기 때문에, 시동기가 연결(Engage)된 바로 후부터 회전을 시작하지만 N1 팬 속도는 엔진 내부의 공기 순환에 의해 충분한 압력이 형성되어 N1을 회전시킬 때까지 시간이 걸린다. 이 곡선(Curve)은 하이 바이패스 팬 엔진용이다. 시동기는 대략 4,500 RPM에서 차단되는데, 이때 N2 속도는 약 45%이다.

엔진은 FCU 가버너 플라이 웨이트가 연료 스케줄을 시작하면서 약간 오버부스트(Over-Boost)된 후 N2 속도 58%(5,800 RPM)에서 안정된다.

아이들(Idle)에서 N1 압축기와 팬은 N1 24% 속도이며, N2 속도가 안정되면 N1 속도 곡선도 안정된다.

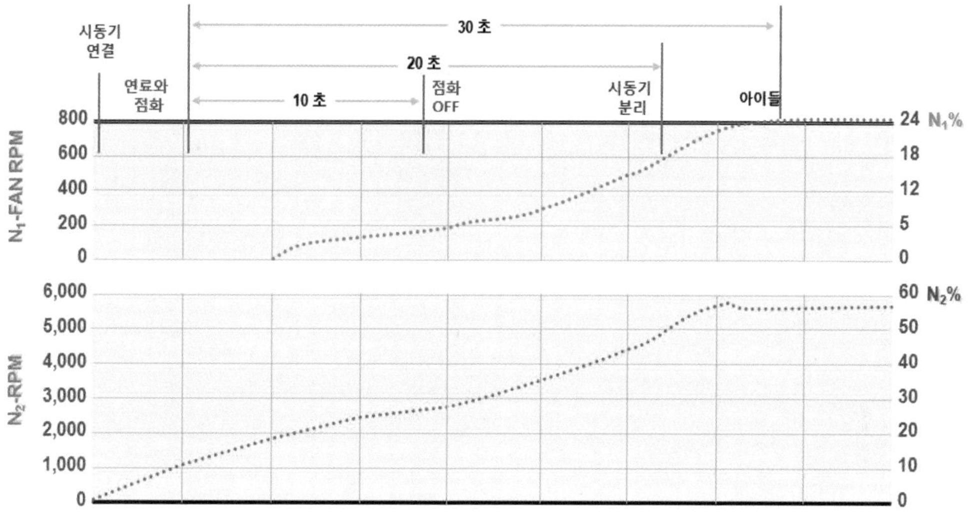

그림 10-2. 이중 압축기 엔진의 시동 중 RPM과 EGT

표 10-1은 PW4000엔진의 정상 시동 후 아이들 상태에서의 파라미터로서 외기 온도와 엔진 작동시간에 따라 약간의 차이가 발생할 수 있다.

표 10-1. PW4000 엔진 아이들 파라미터

PW4000	EPR	N1	N2	FF	EGT	EGT Red Line
94"	**1.01** *2,150 lbs*	**21%** *725 rpm*	**62%** *6,100 rpm*	**1,288 pph**	**320 ℃**	535 ℃ @GRD Start
100"	**1.007** *2,100 lbs*	**19.2%** *707 rpm*	**57.4%** *6,000 rpm*	**1,090 pph**	**349 ℃**	
112"	**1.007** *2,800 lbs*	**20%** *580 rpm*	**60%** *6,480 rpm*	**1,450 pph**	**350 ℃**	

참고로 PW4000 엔진계열의 94″, 100″, 112″는 엔진의 팬 직경(fan diameter)의 크기로서 PW4000-94″ 엔진은 B747-400을 비롯한 A300-600, MD-11 항공기 등에 사용되고 있으며, PW4000-100″ 엔진은 A330 항공기에 PW4000-112″엔진은 B777 항공기에 장착되어 운용 중이다.

1.2. 엔진 모터링(ENGINE MOTORING)

가스 터빈 엔진의 모터링은 추력을 얻기 위한 시동이 아니고, 시동기로 압축기와 터빈을 단순 회전시키는 과정을 말한다.

모터링은 시동기를 작동하여 엔진코어를 회전시켜서 회전력으로 인해 발생된 동력을 이용하여 기어박스(gear box)에 장착된 보기 구성품(accessory component)을 작동시켜서 기능 및 누설점검 등을 위한 각종 정비작업 및 검사를 위해 사용된다.

모터링은 건식 모터링(dry motoring)과 습식 모터링(wet motoring) 방식이 있다.

1.2.1. 건식 모터링(DRY MOTORING)

엔진에 연료공급과 점화 없이 엔진을 공회전 시키는 작동으로서 엔진의 과열로 인한 냉각이 필요할 경우나 엔진 시동실패(start failure)로 인하여 엔진 내에 남아 있는 연료를 배출(blow-out)할 경우 실시한다. 연료를 배출하지 않고 재 시동할 경우에는 잔류연료로 인하여 과열시동이 발생할 수 있다.

또한 항공기 시스템 정비를 위해 유압펌프(hydraulic pump)를 비롯한 엔진 외부에 장착된 보기품(external component)의 구동이 필요할 경우와 보기품의 장착 후 누설점검(leak check) 및 기능점검(functional check)이 필요할 경우에 건식 모터링을 실시한다.

1.2.2. 습식 모터링(WET MOTORING)

점화 없이 연료만 공급하면서 엔진을 공회전 시키는 작동으로서 엔진연료계통 작업 후, 연료 뒤짐(fuel-lag)현상으로 인한 펌프 공동현상(pump cavitation)을 방지하고, 연료 보기품 작동점검 및 누설 점검을 위하여 실시한다.

습식 모터링 후에는 반드시 건식 모터링(dry motoring) 실시하여 엔진 내의 잔류연료를 배출하여야 한다.

1.3. 비정상 시동(ABNORMAL START)

엔진 시동 중에 압축기를 충분히 회전시키지 못하여 연소에 필요한 압축공기가 불충분하거나, 엔진이 자립회전속도에 도달될 때까지 압축기 회전속도를 높여주지 못할 경우에는 비정상적인 시동상황이 발생한다.

비정상적인 시동은 과열시동(hot start), 결핍시동(hung start) 그리고 시동불능(no start 또는 not start) 상태가 있다.

1.3.1. 과열시동(HOT START)

과열시동이란 시동 시 연료가 연소되기 시작한 후 배기가스온도(Exhaust Gas Temperature : EGT)가 제한치(redline)이상 증가되는 현상이다.

일반적인 과열시동의 원인은 다음과 같다.

- 압축기 입구의 결빙 등으로 인하여 엔진으로 유입되는 공기흐름이 원활하지 못 할 경우
- 시동기 밸브(starter valve)의 부분적 열림 등의 조절불량으로 N2 속도가 너무 낮은 경우

- 시동기가 너무 빨리 분리된 경우(매우 짧은 시간동안만 연결됨)
- 엔진 시동 전에 연소실에 잔류연료가 잔존한 경우
- 외부 이물질(F.O.D)로 인해 로터 블레이드가 손상된 경우
- 흡입구 안내 베인(IGV)과 가변 스테이터 베인(VSV)의 부적절한 스케줄이 발생한 경우
- EGT 마진이 낮고 외기온도가 너무 높은 경우
- 측풍이 심할 때 시동하는 경우(60° Head wind / 25 knot 초과 시)
- 엔진 내부 이탈물에 의한 손상(I.O.D) 등

엔진 시동 시 과열시동이 발생되었다고 판단되는 경우에는 엔진을 냉기운전(cool down) 시킨 후 정상 절차에 따라 엔진을 정지하고, 고온부분(hot section)의 내시경검사(borescope inspection)와 테일 파이프(tail pipe)부분에 금속조각 유무 등의 육안검사를 실시하여야 한다.

1.3.2. 결핍시동(HUNG START)

결핍시동 결함이란 시동 시 연소가 시작되었으나 정상적인 가속이 이루어지지 않는 경우로써, 정상 아이들 회전속도에 도달하지 못하고 머물러 있는 상태의 결함을 말한다.

결핍시동은 N2 속도가 정상보다 천천히 증가하거나 N2 속도가 아이들 회전속도에 미치지 못하면서 EGT 한계가 갑자기 증가하는 증상 등으로 징후를 예단할 수 있다.

결핍시동의 일반적인 원인으로는 다음과 같다.

- 시동기에 공급되는 공기압력이 낮아서 시동기 동력이 불충분 할 경우
- 시동기가 너무 빨리 분리된 경우(매우 짧은 시간동안만 연결됨)

- 외부물질 유입으로 압축기 손상이 발생한 경우
- 시동기 밸브에 공기압력이 불충분하게 공급된 경우
- 흡입구 안내 베인(IGV)과 가변 스테이터 베인(VSV)의 부적절한 스케줄이 발생한 경우
- 압축기/터빈 부분이 손상된 경우
- N1 로터가 고정되어 돌지 않는 경우
- 엔진이 너무 뜨거운 상태에서 시동된 경우(엔진이 뜨거운 상태에서는 FADEC은 연료흐름을 낮게 조절)

결핍시동이 발생되면 고장탐구를 위하여 시동시의 덕트 공기압력(duct air pressure), 연료유량, 최대 N2 속도 및 EGT 값을 기록하여야 한다.

1.3.3. 시동불능(NOT START OR NO START)

시동불능은 시동이 되지 않는 현상으로서 원인으로는 시동기 구동 커플링(starter drive coupling)이 전단되었거나, 시동밸브가 닫힘 상태로 고정되어 시동기에 동력이 공급되지 않는 경우와 연료흐름이 막혀서 연료가 공급되지 않거나 점화계통의 이상으로 점화가 되지 않는 경우 등이다.

조종실에서의 시동불능의 판단은 N2 계기가 지시하지 않는 것으로서 판단 할 수 있으며, 엔진의 팬 블레이드가 회전하지 않는 것으로도 확인할 수 있다.

2. 가스터빈 엔진 시동기(Gas Turbine Engine Starters)

2.1. 전기시동계통과 시동기 발전기 시동계통

가스터빈 엔진에 사용되는 전기시동 계통(Electric starting system)은 전기적으로 직접 엔진을 돌려주는 전기식 시동기와 시동 후에는 발전기로 전환되는 시동기 발전기 방식의 2가지 형태가 있다.

직접 엔진을 돌려주는 전기식 시동기는 비행용 엔진에는 무겁기 때문에 널리 사용되지 않으며, 보조동력장치(Auxiliary Power Units : APU)와 소형 터보 샤프트엔진과 같은 일부 경량 터빈 엔진에 사용되고 있으며, 대부분의 소형엔진들은 시동기 발전기(starter generator)로 무게를 줄여서 사용하고 있다.

시동기-발전기의 결합은 보기류 두개를 장착할 공간에 하나만 장착하여 무게를 절감시킬 수 있다는 특성 때문에 소형 제트 항공기에 널리 사용되고 있으며, 최근에는 장거리 중대형 항공기로 개발되어 운용 중인 B787 항공기에도 가변 주파수 시동기/발전기(Variable Frequency Starter/Generator : VFSG)를 사용하고 있다.

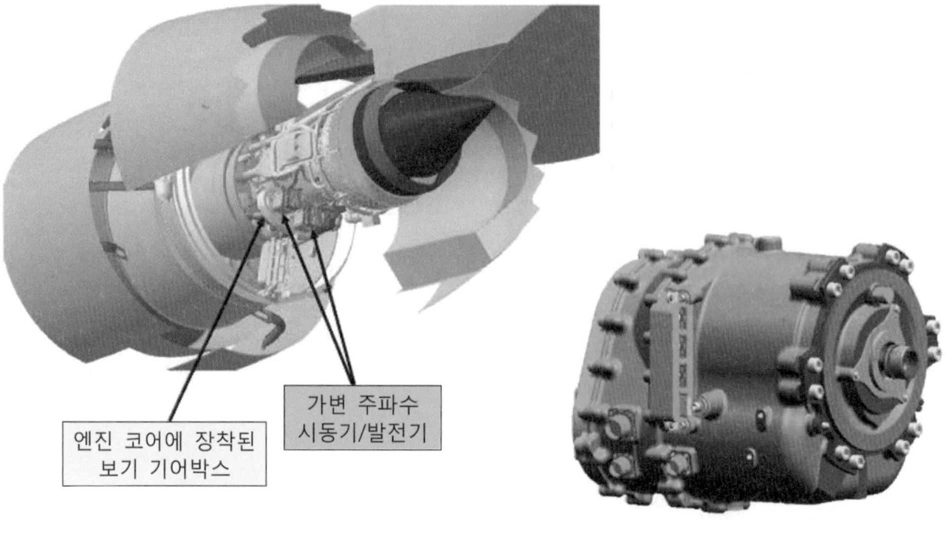

그림 10-3. B-787(GEnx-1B 엔진) 시동기-발전기

시동기-발전기의 두 가지 목적 때문에, 구동장치가 전기 시동기와는 달리 엔진과 영구적으로 연결되어 있는 구동 스플라인(spline)을 가지고 있다.

그림 10-4의 시동기-발전기 회로를 추적해봄으로써 더 쉽게 이해 할 수 있을 것이다.

① 마스터(Master) 스위치를 “ON” 하면 축전지(Battery) 동력이나 외부 동력이 연료 밸브 스로틀 릴레이(Throttle Relay) 코일, 연료 펌프 그리고 점화 릴레이 접촉기(Contactor)에 전해진다.

② 조종실의 시동 스위치를 “ON’ 하면, 항공기 버스 전원(Bus Power)이 조종실 등을 켜게 하고, 점화 릴레이(Ignition relay)와 모터 릴레이(motor relay)를 닫히게 한다. 이때 점화가 일어난다.

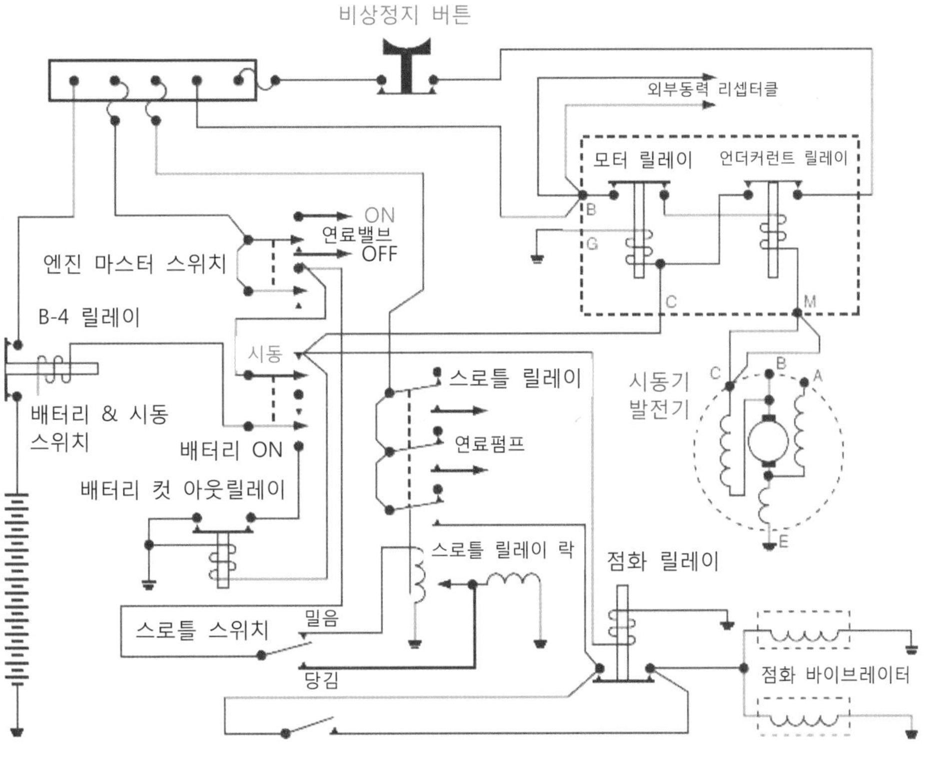

그림 10-4. 시동기-발전기 회로

③ 모터 릴레이가 닫히므로 써, 언더커런트(Undercurrent) 릴레이가 닫히고 시동기가 작동한다.

④ 조종실 시동스위치는 풀어지고, 전류는 비상정지(emergency stop) 스위치를 통해 릴레이로 계속 흐른다. 그러나 엔진 속도가 증가하고 전류가 200A(암페어) 미만이 되었을 때, 언더커런트 릴레이가 열려서 시동기를 정지시키고 점화회로 작동도 중지 시킨다.

⑤ 비상정지 버튼(emergency stop)을 누름으로써 언더커런트 릴레이를 통해 점화회로가 열린다. 이 버튼은 고장이 일어나서 릴레이 접속기가 닫혀 있거나 잘못된 시동으로 높은 전류의 흐름이 흘러 정상적인 정지를 방해할 경우 사용된다.

⑥ 외부동력 리셉터클 도어(external power Receptacle Door) 마이크로 스위치는 외부동력과 축전지 동력이 동시에 항공기 버스에 공급되는 것을 방지한다.

일부 항공기는 축전지 시동 능력이 없거나, 비상시에만 축전지 시동을 사용하여 축전지 수명을 늘린다.

2.2. 공압식 시동기(PNEUMATIC STARTER)

공압식(혹은 공기 터빈)시동기는 저압 공기 모터 형식이고, 고출력 대 중량비 장치로 개발되었다. 이것은 전기시동시의 약 1/4 중량을 갖는다. 이 시동기는 거의 모든 대형 상업용 항공기에 사용되며 일부 소형 항공기에도 선택적으로 사용되고 있다.

공압식 시동기의 구동은 지상 동력장치(Ground Power Unit :GPU), 보조동력장치(APU) 또는 작동 중인 다른 쪽 엔진의 브리드 공기(bleed air)를 사용한다.[그림 10-5]

공압식 시동기(pneumatic starter)를 구동하기 위한 공기압은 대략 30~50psi의 공기압이 필요하며, 덕트(duct)내의 공기압이 최소 30psi 이상이 되어야 시동이 가능하므로 공기식 터빈 시동기를 엔진을 시동할 경우에는 시동 전에 덕트 압력이 충분하지 점검하여야 한다.

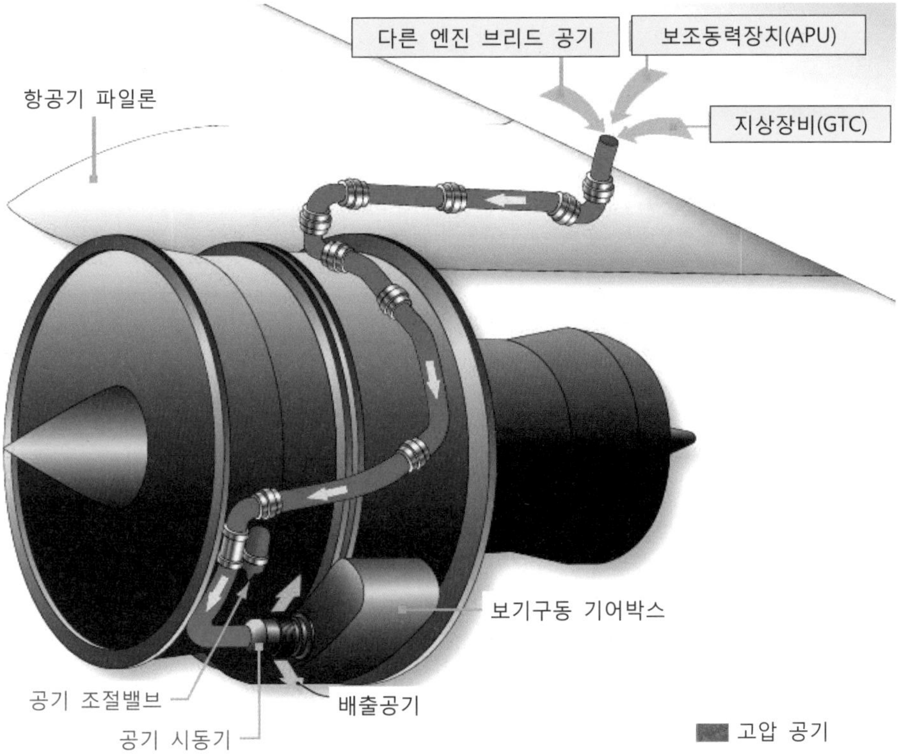

그림 10-5. 공압식 시동기의 공기 공급원

2.2.1. 공압식 시동기 작동(STARTER OPERATION)

공압식 시동기(pneumatic starter)는 공기 입구(air inlet)와 스테이터 하우징 어셈블리(stator housing assembly)로 구성되어 있으며, 스테이터 하우징은 터빈 휠 스테이터 와 로터(turbine wheel stator & rotor), 감속기어장치(reduction gear set), 클러치 어셈블리(clutch assembly), 엔진 구동축(engine drive shaft)을 포함하고 있다.

그림 10-6과 같이 시동기로 들어 온 압축공기는 터빈로터(turbine rotor)를 거치면서 공기의 운동 에너지는 기계적인 동력으로 전환되고, 고속의 동력 출력은 감속기어를 거치면서 저속의 높은 회전력으로 변환된다.

감속기어와 출력축 사이에 장착되어 있는 클러치는 엔진 시동 중에 터빈 휠의 변속동력을 엔진 구동 축(output shaft)으로 전달해 주고, 엔진(N2)에 의해서 역으로 출력축이 구동 될 때에는 엔진으로부터 분리시킨다.

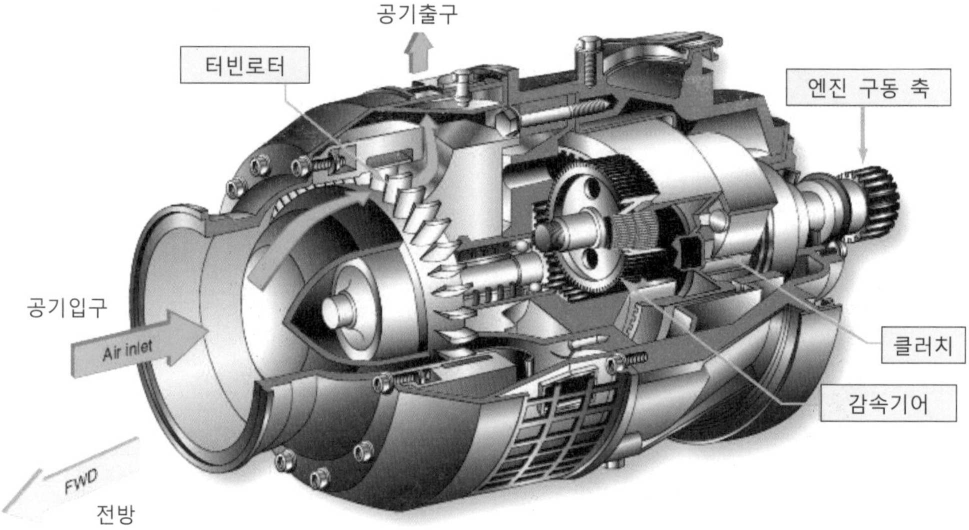

그림 10-6. 공압식 시동기 절개도(CUTAWAY VIEW)

그림 10-7은 좀 더 자세한 B-737NG 항공기의 CFM56-7 엔진에 사용하고 있는 공압식 시동기의 내부구조를 보여주고 있다.

시동기 입구 공기 플리넘 덕트(inlet air plenum duct)로 들어온 압축공기는 스테이터를 통해서 터빈 휠(turbine wheel)의 블레이드로 흐르게 되면 터빈이 회전하면서 고속과 낮은 회전력을 발생한다.

터빈 배출공기(turbine exhaust air)는 배기 하우징(exhaust housing)과 디퓨저 어셈블리(diffuser assembly)를 통해서 배출되고, 선 기어(sun gear)는 링 기어(ring gear)를 구동하는 3개의 유성기어(planetary gear)와 접속되어 속도를 줄이고, 회전력을 증가 시킨다.

스프래그 클러치(sprag clutch)는 시동기와 엔진이 분리 차단되는 속도(56% N2)에 도달 될 때까지 엔진과 연결해 주는 역할을 하는데, 시동 중에 스프래그(sprag)가 각 위치로 고정되어 있는 동안에는 바깥쪽 레이스(outer race)가 안쪽 레이스(inner race)를 돌려주다가 N2가 55% 이상이 되면, 안쪽 레이스는 바깥쪽 레이스보다 더 빨리 회전하게 되어 스프래그는 분리된다.

스프래그 클러치가 분리 되지 않을 경우에는 텐션 바(tension bar)가 부러져서 역 구동(back drive)으로 부터 보호한다.

시동기 하우징(starter housing) 안쪽에 있는 오일펌프(oil pump)는 엔진 시동 및 작동 중에 스프링 클러치(spring clutch), 기어(gear) 및 오버런 베어링(overrun bearing)에 윤활유를 공급해 주며, 윤활유 수준측정 포트(lubricant leveling port)에 장착되어 있는 필터 디스크(filter disc)는 이물질이 엔진으로 들어가는 것을 방지해 준다.

시동기는 베어링이 손상되었을 때 터빈 휠 허브(turbine wheel hub)의 테두리(rim)를 절단 할 수 있도록 3개의 얇은 조각으로 되어 있는 커터 링(cutter ring)이 조합되어 있다. 추력 베어링(thrust bearing)이 파손되면 터빈 휠은 축 방향으로 움직이게 되는데, 이때 링(ring)은 터빈 휠 허브로부터 림(rim)을 절단하고, 컨테인먼트 링(containment ring)은 고 에너지 터빈 휠 림(high-energy turbine wheel rim)과 블레이드(blade) 조각들을 저장한다.

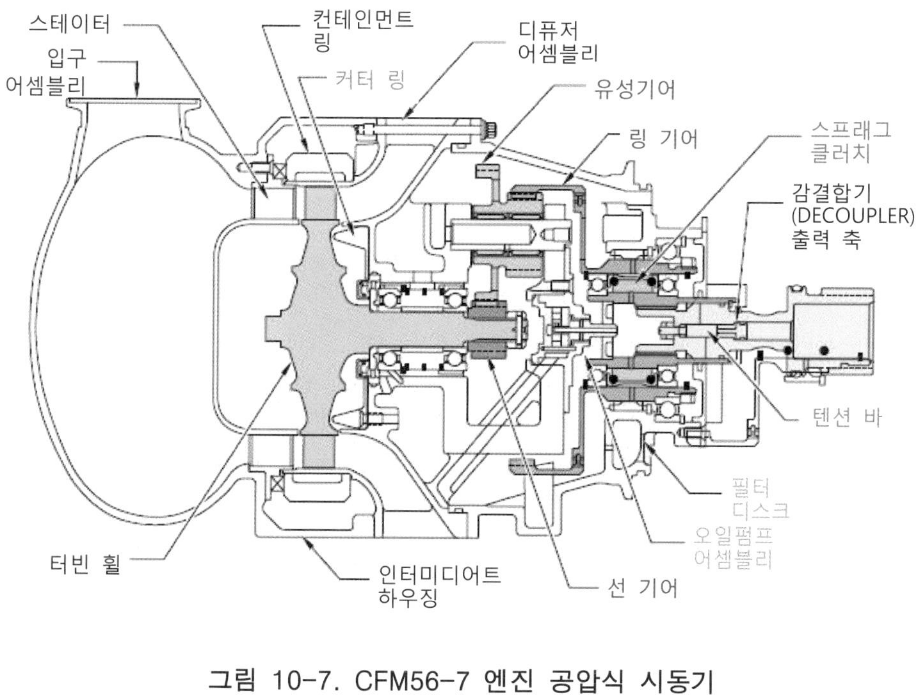

그림 10-7. CFM56-7 엔진 공압식 시동기

2.2.2. 시동기 윤활유 보급 절차

시동기의 주요 부품들은 보기구동 기어박스의 오일에 의해 냉각되고 윤활되며, 드레인 필/포트(Drain fill/port)는 마그네틱 플러그(magnetic plug)로 되어 있어 윤활유 내에 금속 이물질들을 수집한다.

새로운 시동기를 장착할 때에는 약간의 오일을 보급해야 하며, 오일보급 절차는 다음과 같다.

- 시동기 아래쪽에 있는 마그네틱 플러그 하우징(magnetic plug housing)으로부터 삽입 형 플러그(bayonet-type plug)를 장탈하고 플러그 씰(plug seal)을 폐기한다.
- 장비를 연결하고, 보기구동기어박스에 사용되는 것과 같은 엔진오일을 시동기에 강제공급(pressure service)을 실시한다.
- 연결된 장비를 장탈하고, 새로운 씰(seal)로 교체된 마그네틱 플러그를 장착한다.

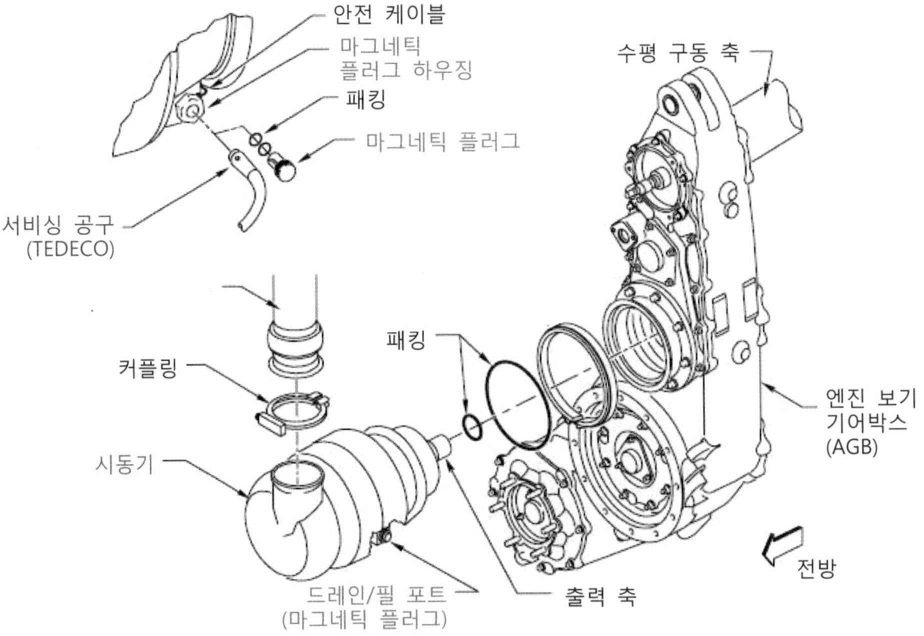

그림 10-8. 시동기 오일보급

3. 터보 팬 엔진의 시동계통

현용의 터보 팬 엔진 시동계통은 조종실 스위치(flight compartment switch), 디스플레이 전자 장치(display electronic unit): DEU), 전자식 엔진 제어장치(electronic engine control : EEC)에 의해 제어된다.

그림 10-9는 CFM56-7 엔진의 시동계통이다.

엔진 좌측에 상부 공기덕트(upper air duct), 시동 밸브(start valve), 하부 공기덕트(lower air duct), 시동기(starter)로 구성되어 있으며, 시동 밸브가 자화되면, 공기압력은 시동기로 들어가고, 시동기는 보기구동기어박스(AGB), 트랜스퍼 기어박스(TGB)와 인넷 기어박스(IGB)를 통해서 고압 압축기 로터를 구동시키는데 필요한 토크(torque)를 만들어 준다.

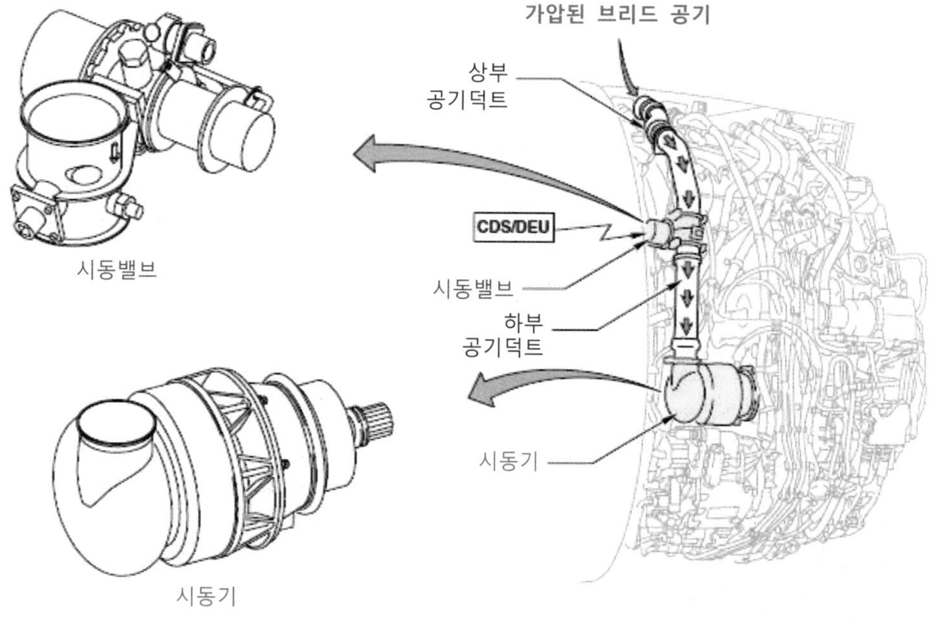

그림 10-9. CFM56-7 엔진 시동계통

3.1. 시동계통 인터페이스(INTERFACE)

엔진 시동은 다음과 같이 조종실의 인터페이스에 의해 제어된다.

- 오버헤드 패널(over head panel : P5)에 있는 엔진 스타트 패널(start panel)상의 각 엔진 별 한 개씩인 2개의 시동 스위치(start switch)와 점화 선택 스위치(ignition selector switch)
- 컨트럴 스탠드(control stand)의 추력레버(thrust lever) 아래쪽에 있는 2개의 시동레버(start lever)-엔진 당 1개씩
- 커먼 디스플레이 시스템(Common Display System : CDS) 디스플레이 장치

엔진 시동계통의 제어를 위한 전력(electrical power)은 트랜스퍼 버스(transfer bus)로부터 받는다.

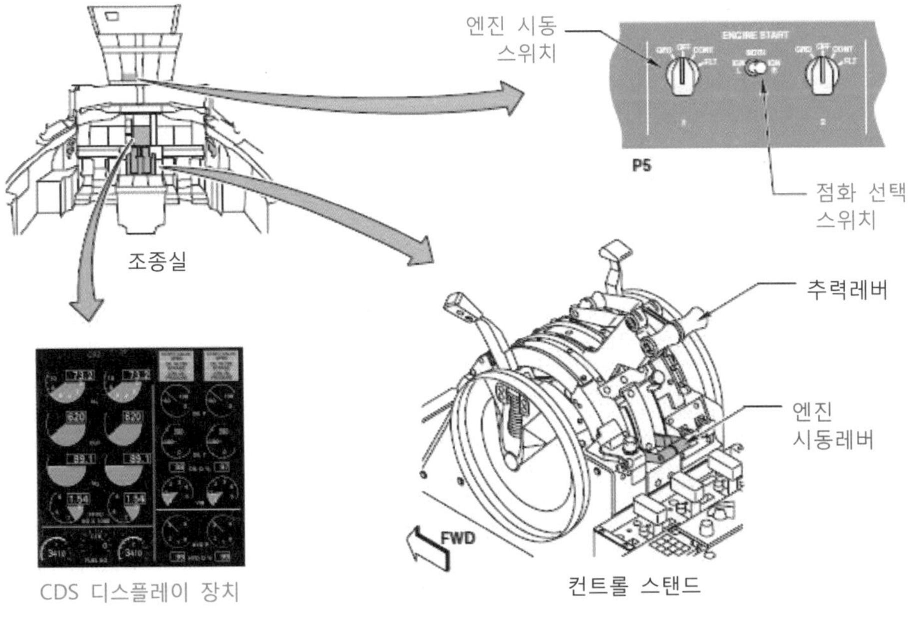

그림 10-10. 시동계통 인터페이스

3.2. 엔진 시동 절차

다음 그림 10-11은 CFM56-7엔진의 시동절차 요약이다.

① 점화 선택 스위치(ignition selector switch)를 사용하고자 하는 점화(ignition)에 따라 "IGN L", 혹은 "IGN R"에 놓는다.

② 시동스위치(start switch)를 "GRD" 위치에 놓는다.

③ 부스트 신호(boost signal)가 APU로 보내지고, 시동밸브 솔레노이드가 자화되어 시동밸브는 열리고, 'START VLV OPEN' 등이 들어온다.

④ N2가 서서히 회전하기 시작한다.

⑤ 오일압력(oil pressure)이 증가하기 시작하면서 N1이 돌기 시작한다.

⑥ 지상감시자는 엔진 정면에서 N1이 반시계 방향으로 회전하기 시작하면 조종실에 신호를 보낸다.

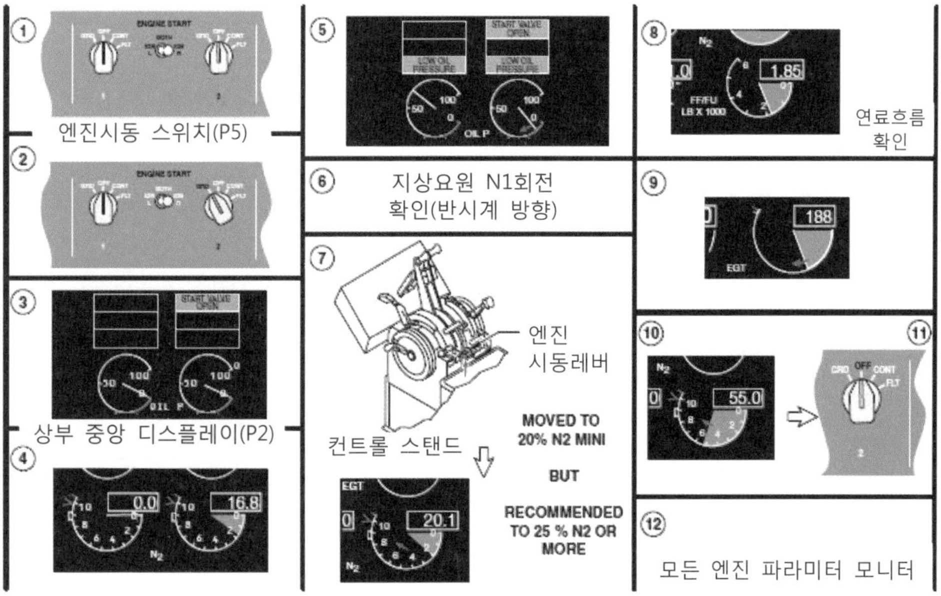

그림 10-11. 엔진 시동절차

⑦ 엔진 시동을 위해서는 최소 N2, 20% 이상이 요구되지만 N2, 25% 이상에서 엔진 시동레버(start lever)를 아이들 위치(idle position)로 이동한다.

⑧ 선택된 점화기에 따라 점화가 시작되고, 연료가 공급되면서 'ENG VALVE CLOSED' 등이 꺼지고, 연료흐름(fuel flow)이 한계 내에서 흐르는지 확인한다.

⑨ 배기가스온도(EGT)가 증가되는지 확인한다.

⑩ N2, 55%에 도달하면,

⑪ 엔진시동 스위치는 자동으로 OFF위치로 돌아가고, 'START VLV OPEN' 등은 꺼진다.

⑫ 엔진 속도가 아이들(idle)에 도달될 때까지 엔진 파라미터(parameter)들을 모니터한다.

☞ N2, 오일압력(oil pressure), N1, 연료흐름(fuel flow), 배기가스온도(EGT)

3.3. 지상 시동 보호 장치(Ground starting protection)

지상에서 엔진을 시동할 때는 EEC는 과열시동(hot start)을 감지하여 엔진을 보호(protection)하며, 습식시동(wet start)과 롤백 초과온도 (rollback over-temperature)에 대해서도 보호기능을 가지고 있다.

3.3.1. 엔진 과열시동(Engine hot start)

EEC는 과열시동감지 세팅(Hot-Start Detected signal setting)에 의해서 엔진 지상 시동 중에 비정상적인 높은 배기가스온도에 반응한다.

과열시동 감지는 시동 초과온도(start over-temperature) 징후를 발견하기 위해서 EGT가 증가하는 특성곡선을 사용하는데, 이 곡선은 정상 시동 시에 초과 되지 않는 것과는 다른 시동 EGT 한계(725℃)이내인 과열시동 배기가스온도(hot-start EGT) 한계를 생성한다.

이 곡선은 코어 스피드(core speed : N2)와 잔여 EGT의 함수관계로서 EGT가 360ms 동안 곡선을 초과하면 EEC는 '과열시동 감지(hot-start-detected)' 신호를 세트하고, CDS는 조종사에게 경고를 주기 위해 배기가스온도 디지털 판독(EGT digital readout)의 서라운드 박스(surround box)를 "플래싱(flashing)" 시켜서 이 신호에 반응한다.

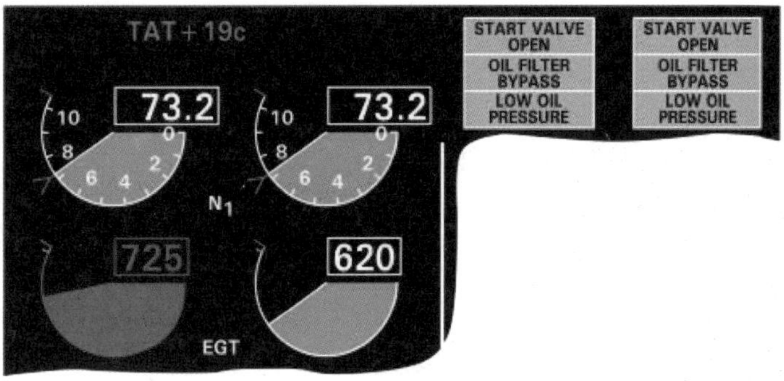

그림 10-12. 지상시동 시 과열시동 프로텍션

3.3.2. 엔진 습식시동(ENGINE WET START)

엔진 시동레버가 아이들(idle) 위치로 놓은 후, 배기가스온도(EGT)가 15초(외기온도가 2℃ 이하 일 때는 20초) 이내에 42℃ 이상 올라가지 않으면, EEC는 엔진시동을 중단한다.

EEC는 연료흐름(fuel flow)을 차단하고, 점화(ignition)를 꺼서 엔진 시동을 종결하고, CDU(control display unit)에 결함내용을 나타내기 위한 메시지를 저장한다.[그림 10-13 참조]

3.3.3. 롤백 과온 보호
(ROLLBACK OVER-TEMPERATURE PROTECTION)

항공기가 지상에서 엔진이 아이들(idle)에 도달했다가 50% N2 이하로 떨어지고, 시동 배기가스온도(Starting-EGT) 한계를 초과하면 EEC는 점화를 중단하고, 연료흐름(fuel flow)의 차단을 위해 연료조절밸브(Fuel Metering Valve : FMV)를 최대 닫힘 위치로 명령한다.

이때, CDS는 일차 엔진지시 계통(primary engine display)에 있는 해당 엔진의 EGT 디스플레이에 'ENG FAIL' 메시지를 표시해 준다.[그림 10-13 참조]

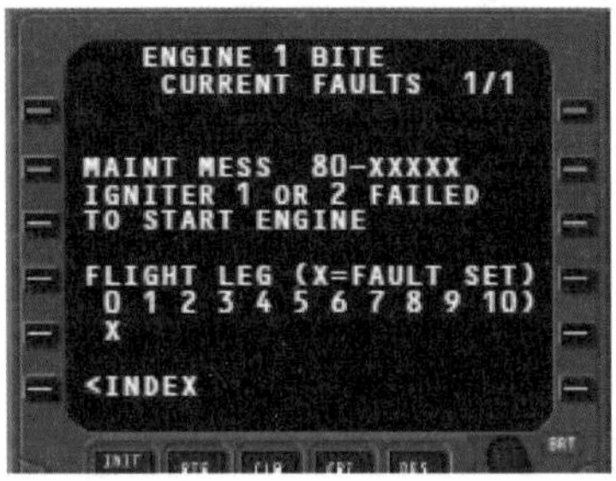

CDU-엔진 시동 바이트(BITE)

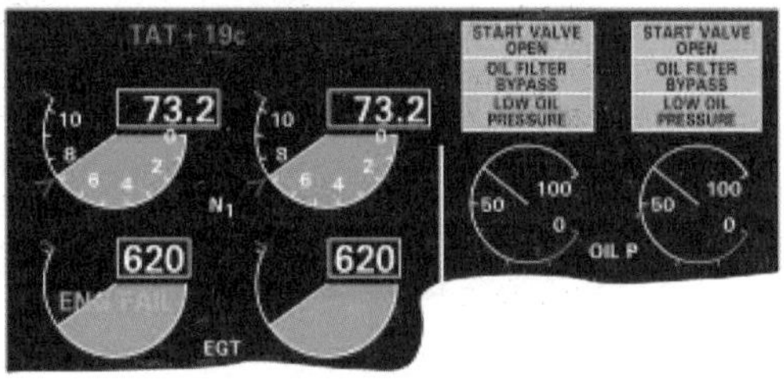

1차 엔진지시 계통

그림 10-13. 습식시동(WET STARTING)과 롤백(ROLLBACK) 프로텍션

3.4. 비행 중 시동(In-flight starting)

비행 중 윈드밀 시동(windmill start)을 위해서는 시동 스위치(start switch)를 "FLT" 위치에 놓으면 되는데, 만약 엔진이 윈드밀 시동한계를 벗어났을 경우에는 엔진의 N2 디지털 계기(digital indicator)상에 그림 10-14와 같이 "X-BLEED START" 메시지가 나타난다.

이때 조종사는 시동밸브(start valve)를 열어서 시동기(starter)로 브리드 공기(bleed air)를 공급할 수 있도록 시동스위치(start switch)를 "GRD" 위치로 세트(set) 하여만 한다.

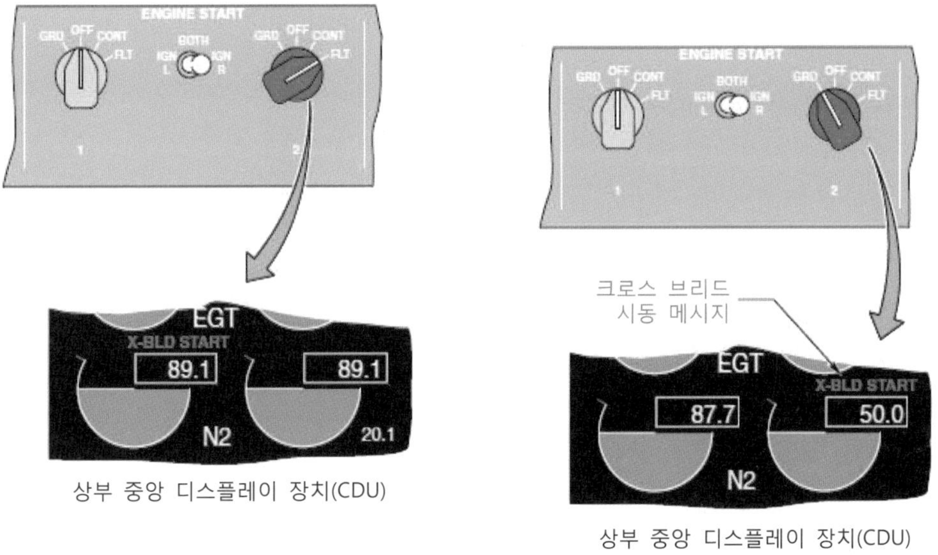

그림 10-14. 비행 중 시동(IN FLIGHT STARTING)

MEMO

【 찾아보기 】

ㅁ

ㅂ

ㅇ

ㅎ

1

C

E

H

N

【 참고문헌 】

1. Michael J. Kroes, Thomas W. Wild, Ralph D. Bent, James L. McKinley, “AIRCRAFT POWERPLANTS” , Sixth Edition, GLENCOE, 1990.

2. Irwin E. Treager, “Aircraft Gas Turbine Engine Technology” McGRAW-HILL BOOK CO, 1970.

3. “A & P TECHNICIAN POWERPLANT TEXTBOOK” , 2nd Edition” , IAP, Inc. 1992.

4. “The JET ENGINE” , 5th Edition, Rolls-Royce, 1986.

5. FAA-H-8083-32, “AMT Handbook-Powerplant Vol. 1 & 2, FAA, 2012.

6. JEPPESEN MAINTENANCE, “A&P TECHNICIAN POWERPLANR TEXTBOOK” , Jeppesen Sanderson Inc., 2004.

7. TRAINING MANUAL “CFM56-7B BASIC ENGINE ATA level 4” , CFMI Customer Training Service, GE Aircraft Engines, 2003.

8. TRAINING MANUAL “CFM56-7B ENGINE SYSTEMS” , CFMI Customer Training Service, GE Aircraft Engines, 2005.

9. “PW4000-94 ″ (747) LINE AND BASE MAINTENANCE-LEVEL III” , CUSTOMER TRAINING CENTER, Pratt & Whitney, 2001.

10. “PW4090 LINE AND BASE MAINTENANCE TRAINING GUIDE” , CUSTOMER TRAINING CENTER, Pratt & Whitney, 1997.

11. “A380 TECHNICAL TRAINING MANUAL MAINTENANCE COURSE(EA GP7200)” , AIRBUS, 2009.

12. 김천용 외, “항공기관” , 대한항공 사업내 직업훈련원, 1993

항공기 가스터빈 엔진

발 행 일 | 2013년 4월 20일
제 3 판 | 2016년 2월 10일
저 자 | 김천용
발 행 인 | 박승합
발 행 처 | 노드미디어
등 록 | 제 106-99-21699 (1998년 1월 21일)
주 소 | 서울특별시 용산구 한강대로 320
전 화 | 02-754-1867, 0992
팩 스 | 02-753-1867
홈페이지 | http://www.enodemedia.co.kr
I S B N | 978-89-8458-277-4-93550

정가 29,000원